RETRATOS DO PASSADO

Orlando Milan

RETRATOS DO PASSADO

EDITORA
Labrador

Copyright © 2021 de Orlando Milan
Todos os direitos desta edição reservados à Editora Labrador.

Coordenação editorial
Pamela Oliveira

Preparação de texto
Bonie Santos

Assistência editorial
Larissa Robbi Ribeiro

Revisão
Iracy Borges

Projeto gráfico, diagramação e capa
Amanda Chagas

Dados Internacionais de Catalogação na Publicação (CIP)
Jéssica de Oliveira Molinari - CRB-8/9852

Milan, Orlando
    Retratos do passado / Orlando Milan. -– São Paulo : Labrador, 2021.
    304 p.

    ISBN 978-65-5625-202-5

    1. Ficção brasileira 2. Agricultores - Indígenas - Brasil - Ficção 2. São Paulo (Estado) - Ficção I. Título

21- 4830   CDD B869.3

Índice para catálogo sistemático:
1. Ficção brasileira

Editora Labrador
Diretor editorial: Daniel Pinsky
Rua Dr. José Elias, 520 — Alto da Lapa
05083-030 — São Paulo/SP
+55 (11) 3641-7446
contato@editoralabrador.com.br
www.editoralabrador.com.br
facebook.com/editoralabrador
instagram.com/editoralabrador

A reprodução de qualquer parte desta obra é ilegal e configura uma apropriação indevida dos direitos intelectuais e patrimoniais do autor. A editora não é responsável pelo conteúdo deste livro.

Esta é uma obra de ficção. Qualquer semelhança com nomes, pessoas, fatos ou situações da vida real será mera coincidência.

*À Célia,
que nos deu Mariana,
Rodrigo e Gabriela.*

Sumário

Fazenda Paraíso 11

A ordenha 16

O carro de boi 20

A casa 24

A família 27

À tarde na varanda 30

O jantar 34

Conversas na cama 38

A visita do Maneco 40

O almoço no domingo 44

Encruzilhada 59

Inauguração do cinema 61

Viagem a Tambaú 64

A olaria 73

O mascate 76

Archimedes no internato 80

As festas juninas 85

Domingo na Encruzilhada 89

Caçando no rio Feio 93

O madrugador 97

O corretor 105

Viagem a Mato Grosso 111

A volta de Cuiabá 127

A despedida 133

Mudança para Cuiabá 137

A caminho da fazenda Floresta 140

O rio Sereno 146

A barraca 150

O piquete 158

O barraco 163

Passeando em Cuiabá 168

O gato 174

A queima do pasto 186

A cerca 194

A esteira 197

Fazendo toras 200

Chegada da boiada 205

Toras na água 207

A construção da casa 211

Baltazar em Cuiabá 216

Os índios 224

O telefonema 237

A volta dos índios 247

O retorno 257

O ataque 260

A nova rotina 267

Diamantes 270

A espera 281

O passeio de barco 297

A catedral 300

Fazenda Paraíso

O despertador dispara no criado-mudo, acordando Jerônimo às duas horas da manhã. É preciso levantar para trabalhar no curral, a luta diária pelo leite da vida. A casa continua em silêncio e, do lado de fora, junto à porta da cozinha, com o ruído do relógio, Faísca, o cachorro amarelo, se põe de pé, ganindo e levantando muito as orelhas.

Ao redor da casa, o silêncio traz o som surdo do vazio, cortado de vez em quando pelos lúgubres pios de aves noturnas. A lua cheia clareia o imenso território das férteis terras onde os homens semeiam gramíneas e criam seus rebanhos no relevo suavemente ondulado. Esparsos troncos calcinados são testemunhos das matas derrubadas em um passado não muito distante. Esguios, alguns ainda de pé, deixam ver as cicatrizes negras das queimadas. São fazendas de criação de gado, com pessoas trabalhando para alimentar gente. Imigrantes, ou seus filhos, que vieram viver nos vastos planaltos do oeste paulista.

Em uma dessas fazendas, a de Jerônimo, várias vacas pastam enquanto a maioria rumina de olhos fechados, deitadas no malhador não longe do curral. Próximo dali, na casa-sede, espichado na varanda junto à porta da sala, Corisco, o cachorro preto, dorme sob a rede que se move imperceptivelmente na leve brisa da madrugada. Dentro, o gato Rajado cochila no rabo do fogão ao lado de Redondo, ronronando no silêncio escuro da cozinha.

Após interromper o som do despertador, Jerônimo senta-se na cama, coça a cabeça e, colocando as mãos no rosto, fica um tempo em reflexão. Então se lembra vagamente do sonho, tenta recuperar as imagens fugidias que se misturam e lhe escapam. Parecem ser o falecido pai, a mãe, pessoas misturadas, mas não consegue clareza para entendimento. A névoa que dissipa os sonhos vai se adensando, as imagens vão se diluindo, sumindo. O homem fica ainda alguns instantes pensativo e, levantando automaticamente a mão, pega a caixa de fósforos na estronca, procura com calma um palito, risca e com a pequena chama acende a lamparina, inundando o quarto de luz amarela que dança verticalmente. Por estar próximo, sua sombra se projeta nas tábuas da parede, delineando os bastos cabelos desgrenhados e o perfil borrado do rosto.

Diante de seus movimentos, o ar agita a luz, balançando o vulto negro. Ele se vira e toca levemente o ombro de Conceição. Ela se move no colchão feito de palha de milho desfiada em finas tiras, em seguida levanta a cabeça do travesseiro de paina e, antes de se sentar na cama, sente o marido beijá-la na testa.

O homem se veste, calça as botas, pega o farolete e sai, enquanto a mulher, com a lamparina na mão, vai acordar os dois filhos. Jerônimo, ao deixar o quarto, segue até a cozinha e abre a porta para a área dos fundos, e Faísca, deitado novamente na soleira, se levanta abanando o rabo. O homem passa a mão na cabeça do cachorro e sai da cobertura. Admira a claridade da noite, a suave luz do luar no céu limpo de nuvens. Ali parado, contemplando a quantidade de estrelas, a beleza da luminosidade serena e prateada, pensa na grandiosidade do mundo e se sente pequeno, mas logo cai em si, passa os olhos ao redor e anda até o fundo do quintal; jogando o foco da lanterna em volta, abre a porta da casinha e certifica-se de que não há cobra nem sapo nenhum. São três paredes de alvenaria cuja cobertura é de telhas comuns, abrigando a fossa negra junto à cerca, na parte mais baixa do terreno.

Conceição, voltando à cozinha, aproxima uma palha à chama da lamparina e passa o fogo para as achas sob a chapa do fogão, preparadas desde a noite, com palhas secas entremeando os gravetos e lascas maiores. Enquanto o fogo vai se acendendo, tira água do pote, enche a chaleira e tira a tampa de ferro da chapa, colocando a vasilha em contato direto com as chamas. Em seguida regula o registro da chaminé para que puxe a fumaça. Não demora e o rabo do fogão é iluminado pelas labaredas amarelas. Rajado se encurva, estica as pernas e, levantando a cauda, passa lentamente ao banquinho próximo, deita-se enroladinho e fecha os olhos, não demorando a dormir de novo, agora no calor aconchegante que começa a inundar o ambiente. Redondo continua ali mais perto do fogo. Flay, o cachorro pequeno de pelos longos e brancos, dorme deitado junto à lenha que fica em pé encostada na parede. A mulher organiza a mesa, não demora e o café estará pronto.

Lá fora, após se aliviar, Jerônimo retorna, encontrando no caminho o filho mais velho, Gregório, que o cumprimenta pedindo a benção e segue rumo à privada. O pai apanha um balde e vai até o poço, na parte mais elevada do terreno. Abre a tampa de madeira, solta o balde com o peso do lado, fazendo o sarilho girar com velocidade. Quando está cheio, Jerônimo o puxa pela manivela, e o balde traz o líquido numa temperatura agradável, quase morna.

Enquanto o pai se lava na vasca, chega Olegário, o filho mais moço, pede a benção e usa a bacia de rosto no banheiro ao lado. Jerônimo entra na casa e, passando pelo corredor, vai até a porta da frente, destranca as duas tramelas, sai para o alpendre, onde Corisco se levanta, abana a cauda e se estica. O homem desce as escadas, atravessa o jardim e aspira longamente o suave perfume das flores. Abre o portão sob a primavera, vira à esquerda e caminha até a pequena casa do empregado, a alguns metros de distância. Bate na porta e chama:

— Baltazar, ô Baltazar, acorda!

Ouve um murmúrio do lado de dentro, em seguida uma pequena luz de lamparina joga fiapos luminosos pelas frestas das tábuas. Jerônimo volta vagarosamente e ouve, vindo de dentro do silêncio, o pio melancólico de uma coruja que, com a luz da lua, o homem vê no alto do moirão da porteira próxima ao curral. Olha novamente o céu e observa o Cruzeiro do Sul já embicado rumo ao horizonte. Ouve outra coruja, mais distante, e pensa: "Vai ser outro dia de sol forte".

Chegando próximo à escada do alpendre, vê o cururu, sapo grande que o olha com aqueles olhos de amigo. Há muito tempo eles se veem na madrugada e trocam olhares sem nada dizer, mas assim calados parecem se entender.

Jerônimo, em seus quarenta e poucos anos, dono de semblante sereno, é alto, forte, cabelos negros volumosos, sobrancelhas fartas. No rosto sempre barbeado, o vasto bigode o deixa mais sério. Seus olhos castanhos e ligeiros parecem sempre atentos. De uma vontade férrea, determinado, uma pessoa de atitude. Sempre de botas e chapéu de abas largas, é reconhecido a distância.

Não demora e estão os três homens tomando a primeira refeição: coalhada, café com leite, pão caseiro untado de manteiga. Também saboroso queijo branco, feito no dia anterior por dona Conceição e a filha Adalgiza. Comem em silêncio, sem necessidade de conversar. Baltazar tosse na varanda; Jerônimo grita que entre, o rapaz pede licença, caminha pelo corredor e, cumprimentando todos, senta-se à mesa. Conceição, junto ao fogão, envolve nas mãos uma xícara de onde sobe uma fumaça exalando o aroma delicioso que ela absorve enquanto olha com doçura os dois filhos e o marido. Jerônimo passa nela os olhos e, voltando-se aos demais, diz:

— Vamos agradecer à mãe de vocês e juntos atravessar mais um dia. Já sabem, a gente quer ser feliz, mas o preço é o trabalho duro.

— Estamos acostumados — concorda Gregório —, todos os dias o senhor repete isso.

— É mesmo, até com isso aí que o senhor falou da mãe — concorda Olegário, olhando Conceição. — Está gostoso o seu café, mãe, agora a senhora volte pra cama.

— Eu vou me deitar mesmo — diz Conceição. — Vão com Deus — ajeita ainda a lenha no fogão, onde brilham chamas de madeira forte, pois colocou o feijão para cozinhar sob bastante água no caldeirão e pôs a tampa de ferro no buraco da chapa. Passando ao lado da gaiola do papagaio, cumprimenta:

— Bom dia, Loro!

A ave responde:

— Boa noite — e fecha os olhos.

Rajado, sentindo o cheiro do leite, mia e passa entre as pernas de Olegário, que enche a latinha de goiabada que se tornou o prato dos gatos.

— Olegário, precisa pôr os gatos pra dormir lá no paiol umas noites — lembra o pai. — O Baltazar disse ter ouvido barulho de rato por lá.

— Deve ter mesmo — concorda Olegário, já saindo da cozinha. — Faz tempo que os gatos não dormem no paiol. A rataiada não vai gostar.

— Verdade — anui Baltazar. — Eles vão perceber que não têm vida fácil.

Saindo da mesa, Jerônimo para ao lado do batente, apanha o chapéu e destaca do calendário a folhinha do dia anterior, dizendo:

— Menos um dia.

Gregório completa:

— Mais um dia pela frente!

E se vão.

A ordenha

Os quatro homens, cada um com um pequeno lampião a querosene, caminhavam para o curral. As chamas amarelas dos aparelhos balançavam ao ritmo dos passos. Enquanto andavam em fila silenciosamente, ouviam a cantiguinha dos grilos cricrilando no capim orvalhado. Nas passadas, as botinas se umedeciam nas gramíneas da trilha. Ao passarem próximo à moita de bambu, pássaros se alvoroçaram num frenético bater de asas, mudando de lugar. Baltazar, olhando o céu, disse alto e rápido:

— Ói lá uma estrela caindo.

— Não pode falar — murmurou Olegário. — É preciso ficar quieto e fazer um pedido, já expliquei isso.

— Acho interessante, e quando vejo já falei — rebateu o outro.

Ao se aproximarem do moirão da porteira, uma coruja voou dali à cumeeira da casinha de arreios. Os homens entraram no curral, penduraram os lampiões em pontos estratégicos, e os dois irmãos foram recolher as vacas, ficando Jerônimo e Baltazar a preparar o barracão. Acenderam mais três lampiões, iluminando melhor todo o ambiente, mudaram os bezerros do curral grande para o menor, onde aguardariam ser chamados no momento de encontrar as mães. Prepararam baldes, peias e latões; apesar de as vasilhas estarem lavadas, passaram outra água. As vacas, por hábito, ficavam já próximas ao curral, mas nem todas, pois havia aquelas que continuavam pastando mais distantes e as de crias novas, ainda não habituadas ao cotidiano. Gregório colocou o bacheiro sobre a égua Tordilha e foi recolher as mais distantes, levando bom farolete, apesar da noite clara, só por costume.

Olegário aboiou falando alto, tangendo as vacas que estavam deitadas e vagarosamente foram se levantando, seguindo rumo ao curral. O rapaz caminhava com uma varinha na mão e ia tocando os animais. Olhou no rumo do barracão e achou bonita a luz amarela dos lampiões.

As vacas iam entrando, e muitas berravam querendo os filhos. Estes faziam o mesmo, numa ansiedade passageira, pois logo se acomodaram e os homens começaram o trabalho de ordenha. Gregório chegou até o portão do bezerreiro e chamou alto:

— Princesa, Princesa, Princesa!

Um bezerro correu rumo à voz. Entre as vacas, a Princesa levantou a cabeça e mugiu. O animalzinho, passando pelo portão, correu por entre os animais num passa aqui, corre ali, desvia de lá e, para sua alegria, chegou à mãe. O rapaz em seguida se aproximou de onde o bezerro estava, fuçando o úbere e dando cabeçadas, agitando muito a cauda. A vaca cheirou o filhote e se pôs a lamber seu corpo com a língua áspera e quente. Em seguida ergueu a cabeça, mantendo o olhar distante, pura cara de paisagem, como se nada visse, e se concentrou mexendo e remexendo o maxilar a mascar, moendo e remoendo seu rúmen. O vaqueiro falou alguma coisa com a vaca e, pegando uma das peias, amarrou bem juntas as duas pernas da Princesa, prendendo a cauda entre as voltas da corda. O faminto bezerro, freneticamente, sugou a teta e nada de leite, trocou de teta e bateu fortemente a testa no úbere, salivou, deixando sair do canto da boca um fino fio de baba; voltou a trocar de teta com sofreguidão e só então o leite chegou, molhando sua boca. Fechou os olhos e sugou aquilo tão esperado. A vaca pojou. Logo, da boca do pequeno animal, transbordou espuma nos cantos e uma imensa alegria deve ter-lhe invadido o cérebro. Mas de repente, num safanão, o homem puxou a corda que havia passado em sua cabeça, fazendo um cabresto, e o empurrou para trás sem delicadeza nenhuma, amarrando-o numa pata dianteira de sua mãe. Esta o cheirava, feliz; o filhote, nem um pouco. A vaca voltou a ruminar. O bezerro amarrado se rebelou, batendo as patas e abanando velozmente a cauda, agora certamente de ódio, pois ainda tinha fome.

Enquanto isso acontecia com o filho da Princesa, outros bezerros tinham sido chamados pelos demais vaqueiros, e tudo se repetia no barracão. Os trabalhadores tinham uma tarefa de tempo marcado, o carro que vinha buscar o leite chegaria às sete horas.

Os homens agachados ao lado das vacas, as tetas fazendo esguichar fortemente um jato fino de leite. No início, um chiado bonito no fundo do balde; depois, aquele som ia mudando de tom: de agudo passando a grave e, por último, a chocho, com o esguicho caindo em uma espuma espessa. Tendo acabado a ordenha, o vaqueiro soltou o bezerro, que voltou muito ligeiro às tetas murchas. Sempre sobrava um pouco de leite, deixado de propósito pelo homem, e algumas vacas o "escondiam", deixando para o filho — detalhes da natureza. O vaqueiro jogou as duas peias ao ombro e levou o balde, despejando o leite no latão.

Tudo ia se repetindo dentro da madrugada e a lua ia rumando ao horizonte. De vez em quando, os homens esguichavam o leite direto das tetas em suas canecas. Um gostava de tomar com café, outro preferia com açúcar, ou conhaque, até canela. Até leite puro, de sabor adocicado, acompanhado de muita espuma.

Os homens no curral quase não falavam, pois as vacas espalhadas e ruminando devem preferir o silêncio. Pelas quatro e meia, a noite descambava nos primeiros sinais da alvorada; um galo emitiu gorjeio demorado, quase triste, despertando outros pelos poleiros e galhos de árvores. Após diversos cantos, voltaram a silenciar por mais algum tempo. Às vezes era possível ouvir o cantar muito distante de um galo numa das fazendas vizinhas, mas parecia um canto quase impossível, vindo do fim do mundo. Chegava a ser triste.

Por volta das cinco horas não dava mais para segurar o escuro da noite, e o céu ia se abrindo devagar, com uma suave luz crescendo, encorpando, mas ainda sem sol, só o clarão anunciando sua chegada. Dentro do curral se enxergavam mais nitidamente as vacas que continuavam sendo chamadas: Lagoa, Azeitona, Baixinha, Formiga, Charanga, Rabeca, Coração, Canoa, Laranjinha, Caneca, Rainha, Baleia, Grã-Fina, e assim até a última.

Num repente, raios de sol iluminaram o alto das árvores e desceram devagar para o chão, dourando a manhã. O pavão cantava soltando gritos agudos, agitando a passarada na moita de bambu; cheio de pose, armou a cauda repleta de desenhos cujas cores vibrantes enfeitavam o terreiro. O barulho aumentava com os galos cantando e as galinhas voando dos poleiros. Passava das seis quando dona Conceição atravessou o portão da primavera vermelha, agora mais colorida sob as luzes do dia, levando um bule de café e bolo de milho até o curral, e voltou em seguida, indo acordar Archimedes, o filho pequeno que iria a cavalo para a escola.

Com o clarear do dia, os ruídos aumentavam na fazenda. Galos, patos, marrecos, uma sinfonia sob a regência dos porcos pedindo comida e galinhas cantarolando longamente, anunciando que iriam botar. Outras saíam correndo do ninho, cantando alto, anunciando já ter botado. Para alegria da bicharada, dona Conceição jogava milho debulhado no terreiro dos fundos.

Os perus arrastavam as asas, fazendo rodas, emitindo seus glu-glu. Bigorna, a araponga, em sua gaiola pendurada no galho da mangueira, emitiu um trinado muito agudo. As angolas, em coro, cantavam o "tô fraco, tô fraco, tô fraco". Gansos andavam em grupo, garbosamente, de um lado a outro. Havia também alguma galinha chocando; saía correndo do ninho, muito brava, cacarejando nervosamente seu choco. Após a disparada inicial, andava arrepiada, sob o sol se esponjava na areia, bebia, comia, voltava ao ninho e esperava completar o período de vinte e um dias: só então recebia os filhos que, no milagre da vida, quebravam as cascas, saindo dos ovos. A mãe ficava mais brava e protetora.

Jerônimo parou de ordenhar e foi arrear o Petisco, cavalo que o filho mais novo ganhara do avô e no qual ia todos os dias à escolinha no bairro da Encruzilhada. Não era fácil para um garoto da idade dele, mas era mais confortável que ir a pé, como faziam muitas crianças, até de mais longe. Na escola, Archimedes desarreava o Petisco, amarrava-o junto à cerca e, no cocho, deixava algumas espigas de milho. No intervalo, levava água e mais milho. No fim da aula, ao meio-dia, ele mesmo arreava o animal e retornava para casa.

No curral, após o término da ordenha, a vacada e seus filhotes saíam para o pasto e tinham como ocupação comer, beber, lamber sal, deitar e ruminar. Os bezerros se ocupavam de mamar e correr aos pinotes com suas caudinhas arrebatadas. Os maiorzinhos já ensaiavam mastigar algum fiapo de capim mole no gostoso calor da manhã. Vida de gado.

O carro de boi

Às seis e meia, o ranger cantante das rodas do carro de boi denunciava a aproximação do homem que vinha para buscar o leite. Na estrada, ao se aproximar das moitas de bambu na entrada da fazenda, virou à direita, e o candeeiro Chiquinho abriu a porteira. Sentado no carroção, o pai, João Carreiro, chacoalhou o guizo do ferrão, sinalizando aos bois que avançassem, entrando na propriedade, e seguissem pelo carreador rumo ao curral. O ranger dos eixos emitia um som lamentoso, distante, chegando lento nos passos pesados dos enormes animais. Na frente caminhava Chiquinho, o menino guia, trazendo nas mãos uma pequena vara e seu ferrão com argolinhas que tilintavam. Vestia uma calça comprida de cor bege, camisa amarela, pequeno chapéu de palha e, nos pés, alpargatas Roda marrons.

As duas juntas caminhavam uniformemente em suas cangas, puxando o carro. Eram bois bonitos, gordos e calmos, de chifres longos bem pontudos. Os que estavam na guia eram Semblante e Brilhante, estando no cabeçalho Barão e Malhado. Pela lentidão, para chegar ali tão cedo era porque João e o filho haviam levantado muito antes, ainda no escuro da madrugada. Às sete horas, os latões com o leite eram colocados pelos rapazes no carroção e seu João Carreiro agradecia na cozinha o café, o bolo e o queijo de dona Conceição.

— Eita mulher da mão boa pra fazer bolo e queijo, hein, seu Jerônimo?

— Gosto muito, mas o que me agrada mais é o requeijão. Aquilo com café é papa fina.

— Nem me fale, verdade pura, gosto demais.

— Precisa vir um domingo desses trazer a dona Irene pra almoçar aqui, prosear, passar umas horas.

— Eu gostaria muito, mas fazendo esse trabalho é impossível, a gente não para, não tem domingo.

— Verdade, quem trabalha nesse serviço de leite não tem tempo nem pra ficar doente.

— Concordo, estamos amarrados, mas que remédio? Alguém precisa fazer este serviço. A gente precisa trabalhar. É a vida!

— Mas olha, João, já lhe falei e vou repetir, a gente deve procurar as saídas. Você podia levar alguém de vez em quando para aprender o trajeto, pois numa precisão tem quem faça o serviço.

— É mesmo, eu já matutei nisso, mas não tinha pensado em vir almoçar com a Irene aqui num domingo. Agora me animei, vou dar um jeito; olha, a prosa tá boa, mas tenho que pegar a estrada, a caminhada dos meus bois está só começando. Bom dia pra todos, obrigado pelo café. Até amanhã. Vou mesmo programar de trazer a Irene num belo dia de sol, passar horas aqui, ela vai gostar.

Chegando no curral, João conferiu a marcação do leite, despediu-se dos rapazes e chamou o filho.

— Vamos, Chiquinho, o sol está ficando alto.

O carro de boi se afastou lentamente sob os olhos dos homens da fazenda.

— Eles não enjoam desse barulho das rodas? — perguntou Baltazar, aproximando-se e enxugando as mãos em uma toalha marrom.

— Isso que pra você é barulho pra eles é música na solidão da estrada — respondeu Jerônimo, olhando o carro se afastar com seu gemido triste e prolongado. — Inventaram isso de carroção cantador pra dar mais sentido na vida de quem anda por esses caminhos de Deus; e tem a madeira certa, vem de Minas Gerais; as apropriadas para um som mais bonito são a sucupira preta e o vinhático.

— Como sabe disso tudo?

— Quanto mais se avança na idade, mais coisas se vai sabendo. Você hoje aprendeu isso. A vida ensina todos os dias, fique atento.

E assim, conversando, Jerônimo e os rapazes subiram as escadas a caminho da cozinha para uma pequena refeição, descansar um pouco e logo depois voltar ao curral. O carro de boi desapareceu após passar a porteira nas moitas de bambu, seguindo pela estrada rumo a outros retiros para enfim chegar ao laticínio. João Carreiro, brandindo o ferrão na mão direita, conversava com os animais. O menino Chiquinho na guia e o cachorro Bodoque, de língua pra fora, seguiam em passos vagarosos ao lado do carro que ia sumindo envolto na melancolia de suas rodas, varando o sertão paulista. Os bois caminhavam de olhos no chão. O sol subia lentamente. Atrás, só o rastro, pois nem poeira levantavam naquele lento movimento.

João Carreiro tinha todo o tempo do mundo seguindo ali, ora caminhando ao lado do carroção, ora sentado sobre a lateral com um pé no cabeçalho. Falava com seus botões ou com os bois e assim se mantinha em longos pensamentos, às vezes profundos e tristes. Vinham-lhe à cabeça as dificuldades desse trabalho e, o mais difícil ainda, receber o pagamento, suportando longos atrasos ou recebendo em partes. Mas que fazer? Aquela era sua vida, seus bois já amestrados, seu bom carroção, os pontos de coleta e a existência do laticínio, além de seu filho ali junto, puxando a guia, aprendendo um trabalho e se orientando nas responsabilidades da vida. Aprendendo a ser honesto. Mas lhe crescia uma preocupação, que poderia aparecer alguém com um caminhão e ele perder o serviço de transporte. Não tinha recursos para comprar um e nem sabia dirigir. Sentia que corria esse risco e via o futuro do filho sem o carro de boi. Percebia aquela velocidade sem futuro. De vez em quando via na estrada caminhões, carros e camionetas em velocidade, sumindo na poeira. Sentia seu mundo ficando para trás.

João era uma pessoa cheia de energia, trabalhador e muito responsável em suas obrigações. De estatura mediana, tinha ombros largos, braços fortes, rosto com uma expressão sempre animada, transmitindo vigor, simpatia e segurança. Homem sem instrução, se comunicava numa linguagem simples, direta, e tinha como pilar principal ser honesto.

Francisco, o menino Chiquinho, frequentava a escola na parte da tarde e, no trabalho, seu pai revezava com ele para que pudesse descansar, então se sentava na parte de trás do carroção e até cochilava. Sempre que via um pé de melão São Caetano na beira da estrada, saltava e corria a colher umas frutas. Voltando, punha-se a abrir as frutinhas vermelhas, se deliciando com a leve doçura e o aroma fluindo para suas narinas. Oferecia ao pai, mas ele raramente aceitava.

Na fazenda de Jerônimo, os homens faziam a limpeza do curral, passavam enxadas e rodos, recolhendo o estrume das vacas, lavavam as vasilhas, higienizavam bem o bezerreiro, e tudo ficava limpo e pronto para o próximo dia de ordenha. Após essas tarefas, retornavam à casa, tomavam banho e descansavam um pouco até as dez horas, quando almoçavam e dormiam uns minutos nas redes do alpendre.

A casa

A frente da casa dos Bragante era atraente e florida, destacando-se a primavera que emoldurava o arco sobre o portão largo da entrada. Desse ponto até a varanda, um bem cuidado jardim, cercado por balaústres, com muitas flores que Conceição e Adalgiza se esmeravam em deixar viçosas, onde as roseiras predominavam mas vicejavam também margaridas, jasmins, dálias e outras de sensíveis perfumes.

A sede da fazenda era uma casa construída pelos pioneiros com as características próprias de um tempo em que eram feitas de forma rústica, mas durável. Feita de tábuas, tinha a estrutura repousada sobre grossas toras de aroeira, levantada na parte da frente cerca de oitenta centímetros do chão. Pela escada se chegava ao alpendre, onde estavam penduradas várias redes. Na parede, samambaias se derramavam, alternando-se com gaiolas de pássaros cantadores.

Da metade da casa até os fundos, por conta do desnível do terreno, o assoalho de madeira se apoiava sobre a terra. O pé direito era alto, e a casa, coberta com telhas vãs, não tinha forro, mas tinha boa ventilação pelas muitas janelas.

Depois da varanda, a sala de visitas era ampla, com uma mesa no centro, cercada por cadeiras de madeira e assento de palhinha. Num canto, havia uma cristaleira sobre a qual ficava o aparelho de rádio, energizado por uma enorme bateria retangular. Nas paredes, diversas fotos em moldura oval; a maioria registrando casamentos de familiares já falecidos. Próximo ao batente da entrada do corredor, o relógio grande de pêndulo dava badaladas marcando as horas cheias e uma batida na meia hora.

Entrando pelo corredor se viam as portas dos três quartos, o do casal de um lado e os dos filhos do outro. Após os quartos estava a espaçosa cozinha, com fogão a lenha e ampla mesa feita de madeira maciça, circundada de bancos igualmente fortes e sem encosto, servindo de assento para todas as refeições. Ao lado do fogão, na parede, estavam penduradas panelas, frigideiras, caçarolas e outras peças de cozinha, todas brilhando, muito areadas. Em uma das laterais, um móvel guardava um jogo de ágata completo, com pratos, xícaras, pires, canecas e bules, a maioria de cor verde, delicadamente desenhados com tinta branca. No quarto do casal, fixo num dos cantos estava o oratório, contendo algumas imagens de santos e um castiçal de ferro para três velas.

Após a cozinha, no amplo puxado coberto, ficava a área de serviço, e nela o forno de assar pão, a vasca, o banheiro com a bacia de rosto em suporte de ferro e, pendurado numa viga, o chuveiro Tiradentes. A privada era a casinha já mencionada, aonde se chegava por uma calçadinha de tijolos. Saindo da área, bem próximo estava o cobertinho que abrigava a lenha e também o tacho de fazer sabão. Pouco adiante, o quarador, junto ao batedor de roupas, cuja tábua era grossa e larga. Em frente, do outro lado da calçadinha, ficava o varal.

Nos fundos, uma horta bem trabalhada por Baltazar e as mulheres produzia constantemente verduras e legumes como alface, almeirão, quiabo, couve, tomate, cheiro-verde, feijão "andu", mandioca e tantas outras, inclusive pimenta-malagueta, malva e manjericão. Depois da horta, o pomar se alongava até a cerca onde começava o piquete dos bezerros. Era um pomar que tinha, no limite da cerca do fundo, várias bananeiras e diversos pés de cana-caiana, doce e macia. Ainda pés de laranja, mexerica, mamão, pinha, amora, romã, manga, abacate, coco da Bahia, tamarindo, jabuticaba, abacaxi e até jatobá, além de plantas medicinais, como sabugueiro, hortelã, erva-cidreira, quebra-pedra, boldo, camomila, alfavaca, manjerona e coentro. Num dos cantos do pomar, um pequeno caramanchão coberto pelo pé de bucha, sempre com muitas penduradas, umas quase secas, outras em diversos tamanhos.

Nos dois lados da casa, grandes pés de manga e outras árvores frondosas faziam frescas as tardes sob as sombras. Nesse arvoredo, muitos pássaros estavam sempre em cantoria e algazarra, como sabiá, bem-te-vi, canário, e se somavam aos sempre por perto tesourinhas, tizius, juritis, peixes-fritos e joãos-de-barro. No caminho entre a casa e o curral, uma grande moita de bambu refrescava a terra nas tardes quentes, para alívio das aves.

A família

Na fazenda Paraíso viviam Jerônimo de Souza Bragante e sua família, trabalhando na criação de gado para produção de leite e corte e cultivando alimentos, base do sustento cotidiano, como arroz, feijão, milho, além de hortaliças e frutas do pomar. Jerônimo casara-se bem jovem com Conceição Fidalgo, e juntos, após muito trabalho e dedicação, conseguiram boas terras, implementando forte produção que possibilitou adquirir propriedades vizinhas. Mas eles ainda gostariam de ampliar suas terras. Por isso sempre procuraram incutir nos filhos a necessidade de ir adiante. Homem de forte personalidade, Jerônimo está sempre disposto e pronto para o trabalho duro e interminável da lida do campo.

Conceição era uma mulher alta, forte sem ser obesa, conservando traços ainda bonitos depois de ter trazido à luz três meninos e uma menina. A esposa de Jerônimo tinha um jeito calmo, agradável, porém enérgico, e era de falar contido. De olhos meigos e suaves, era uma senhora de feições iluminadas pelo sorriso. Pessoa de toda bondade, sempre alegre, disposta, acompanhando e apoiando o marido no trabalho e na educação dos filhos. O casal criara os primeiros dentro de certo rigor e direcionamento, "para com esforço e seriedade enfrentarem o futuro", dizia sempre Conceição. Gregório, o filho mais velho, de cerca de vinte anos, era um rapaz vistoso, cabelos crespos, sobrancelhas negras e espessas; peito largo, alto como o pai, trazia a seriedade e a vontade ferrenha de trabalhar; era calmo, observador e responsável, se divertia caçando e pescando.

Olegário, o segundo filho, era mais jovem e brincalhão, mas também seguia os passos do pai no trabalho. Dono de um jeito expansivo, era mais falante que o irmão e tinha detalhes da suavidade da mãe. Trazia sempre uma feição feliz no rosto fino e juvenil. Aos domingos gostava de jogar futebol com a rapaziada das redondezas. Os dois não estudaram além do terceiro ano do primário, o limite na escola rural do bairro da Encruzilhada. O mesmo aconteceu nos estudos com a filha Adalgiza, uma moça forte, corada, bonita na graciosidade simples da juventude rural de seus dezesseis anos. Tinha longos cabelos negros, olhos grandes, cinzentos e espertos num rosto em que sobressaía o suave sorriso. Como todas as mocinhas de sua idade, passava horas do dia bordando no bastidor, fazendo o enxoval para mais tarde se casar, isso quando não acompanhava a mãe nas lidas da casa, na horta e no jardim, ou ainda buscando frutas no pomar.

Archimedes, o menino de nove anos, ativo, muito curioso e de olhar inteligente, cursava o último ano da escola do bairro. Gostava de estudar e estava sempre envolvido com livros trazidos da biblioteca da cidade pela professora.

Baltazar havia muito fazia parte da família. Estava na fazenda desde garoto, quando o pai, que era amigo de Jerônimo, ficou viúvo, o deixou lá quando foi trabalhar fora e nunca voltou. Soube-se mais tarde que tinha morrido num acidente ferroviário perto de São Paulo. Quando menino, Baltazar cursou a escola até o terceiro ano. Tinha agora uns trinta e poucos anos, de jeito modesto, sereno, olhar triste; demonstrava ser seguro, merecedor de confiança, trabalhador e responsável. Conceição gostava muito dele por sua educação, dedicação e prestatividade. Jerônimo construíra, próximo à sua, uma pequena casa de dois cômodos, conforme Baltazar solicitara, mas ele também usava a do patrão como se fosse sua. Tinha livre acesso a redes, banheiro, cozinha e mesa das refeições. Baltazar era de estatura mediana, pele clara, cabelos castanhos e volumosos, olhos esverdeados num rosto largo e uma pinta no queixo. Não era emburrado, mas tinha sempre uma expressão solitária, séria. Na fazenda, estava sempre disposto para o necessário: na horta, na foice, na enxada, no plantio com a matraca, na colheita dos mantimentos, fazendo cerca, além do trabalho no curral. Era sempre bom companheiro na caça ao tatu e na pesca.

À tarde na varanda

Após o descanso do almoço, os homens voltavam à lida, uns a vistoriar cercas, outros a levar sal ao gado da invernada, o pasto maior e mais distante; ou a curar algum animal. Às duas da tarde, traziam as vacas e suas crias ao curral, apartavam os bezerros para, no dia seguinte, a ordenha acontecer, como sempre. Ainda era preciso cuidar dos recém-nascidos, que não podiam sair do curral, e colocá-los a mamar em suas mães. Quando fosse o caso, dar leite aos guaxos. Isso todos os dias, o ano inteiro, menos na Sexta-Feira da Paixão. Com o passar do tempo, bezerros cresciam e o leite das mães secava, então outras vacas davam cria, e o serviço de ordenha não cessava nunca.

Geralmente, por volta das quatro horas da tarde, os homens iam se recolhendo para o descanso do dia. Tomavam banho e se estiravam nas redes da varanda, sendo comum prosearem, matando o tempo até começar a escurecer. Na cozinha, Conceição preparava o jantar enquanto acompanhava pelo rádio a novela, sua distração no trivial da vida.

Ao cair da tarde, na suave melancolia do fim do dia, era bonito ver da varanda os reflexos vermelhos do sol descendo rumo ao horizonte, a claridade se esvaindo. Nas árvores próximas os pássaros iam chegando, aumentando o ruído a cada momento. Jerônimo acabara de enrolar um cigarro de palha e pitava de pé, encostado na coluna, olhando as terras mais distantes da fazenda, onde ainda era possível ver o gado na invernada, aquela beleza branca que se movia lentamente pastando o capim verde. "É vida se mexendo", pensava ele, cofiando o bigode. Alguns animais já se deitavam no malhador da colina, esperando o anoitecer. Eram os nelores engordando na doce alegria bovina de beber, comer, ruminar e dormir.

Na rede próxima, Olegário perguntou:

— Pai, o senhor está meio quieto... o que está pensando aí atrás dessa fumaça?

— Pensando quase nada, só no tamanho dessa paz, até tenho medo de perder isso um dia.

— Perde nada, seu Jerônimo — ponderou Baltazar.

— Mas essa paz me deixa inquieto, parece faltar alguma coisa.

— Que que pode faltar? Só se for mais terra e mais gado — opinou Olegário, balançando-se na rede, os olhos fechados e um pé dando impulso no sacolejo.

Jerônimo continuou calado, olhar distante, em seguida foi se afastando e sentou-se no banco, encostando-se na parede e dizendo meio devagar:

— Acho bom isso do retiro de leite, entrando dinheiro todo mês, mas é sacrificante, gosto mesmo é de recria, invernada grande com muitos bois engordando. Muita terra, pastagem branca de gado, aí sim! — comentou e ficou olhando a fumaça do cigarro subindo lenta, desenhando finas nuvens azuladas no alto da varanda.

Nas baforadas, olhava a fumaça subindo e se perdia no pensamento recorrente a lhe invadir a mente: as conversas sobre as terras baratas do Mato Grosso, a possibilidade de ter uma fazenda bem maior. Ficara sabendo de gente vendendo suas propriedades nas vizinhanças e indo para o oeste, então pensava: *"Não, não vou fazer isso. Não vou deixar esta fazenda, tudo que fizemos, e ir tão longe, naqueles ermos desconhecidos"*. Fumava e, no silêncio da fumaça, lembrava-se da conversa tida com alguns conhecidos da cidade. Até encontrara o corretor de imóveis, o Evaristo Vasconcelos, que ficou de lhe fazer uma visita qualquer dia destes.

Baltazar, sentado no degrau da escada do alpendre, estava no ritual de aprontar um palheiro. Para isso, amaciou delicadamente a palha usando as costas da lâmina do canivete, colocou-a entre os dedos, picou lentamente o fumo-de-corda, pôs o toco restante no pé da coluna, enrolou o picado na palha e a passou no lábio inferior, fechando o cigarro.

Colocou-o na boca, bateu a pedra da binga cuja faísca produziu o fogo, fazendo chama na ponta da palha, que logo se apagou, ficando somente o vermelho-brasa. O rapaz soltou uma baforada, enaltecendo o cheiro gostoso do fumo comprado na venda do seu Abrão, lá na Encruzilhada, e comentou:

— Aquele turco tem produtos muito bons mesmo. Este fumo veio de Arapiraca, ele me falou, um lugar longe pra burro.

— Ô Adalgiza, onde está o Archimedes? — perguntou Gregório, querendo saber do irmão.

— Tá lá dentro do quarto, continua lendo aquele livro que a professora emprestou pra ele.

— É o da índia, de um escritor chamado José não sei de quê — ironizou Olegário. — Ler pra quê? Só bestagem.

Archimedes apareceu na janela e rebateu:

— Bestagem pra você que não sabe de nada, a índia do livro é a Iracema, e o José, que você também não sabe, é José de Alencar, um grande escritor, minha professora explicou.

— Tomou, enxerido, gostou da resposta? — ironizou Adalgiza. — Vai mexer com quem está quieto, vai!

— Ara, deixa eu, vou é descansar aqui nessa rede, jantar, dormir e amanhã tirar leite, porque se nós não trabalhar não vai dar pra comprar livro nenhum.

— Deixe de implicância, homem — rebateu Adalgiza. — Cada um tem sua vida, se o Archimedes estudar vai ter a vida melhor que a de vocês no curral.

— Esse Archimedes é danado de esperto, né, seu Jerônimo? — observou Baltazar.

— É, esse menino está me saindo interessado em estudos mesmo! — concordou o pai.

— Seu Jerônimo, como é que foi mesmo de se achar esse nome estranho e pôr no menino?

— Foi o farmacêutico, o Euclides, lá da Encruzilhada. Quando nasceu e nem tinha nome ainda bateu um febrão no menino, fomos lá na farmácia. O homem olhou o moleque e disse que ele tinha cara de esperto e opinou pra colocar o nome de Archimedes, nome de uma pessoa famosa, inteligente, sábio lá das estranjas, sei lá onde. E falando, falando, anotou o nome num papel e me deu. Achei bonito aquele volume de nome e depois colocamos. O senhor lá do cartório até estranhou a gente aqui do mato escolher esse nome. A Conceição também gostou, aí ficou: Archimedes de Souza Bragante Fidalgo.

— Ô Olegário — alertou Gregório —, amanhã, depois de tirar o leite vamos curar aquela vaca que está com gabarro enquanto é começo.

— É mesmo, a Laranjinha, se não curar logo ela vai diminuir o leite.

— Baltazar — lembrou Jerônimo —, depois da janta vamos ver o carreiro de saúvas lá no pomar, achar o olheiro e colocar a formicida Tatu, aproveitar o tempo firme.

— É mesmo, elas devem estar cortando hoje, se não cuidar logo acabam prejudicando muito.

— Verdade, outro dia ouvi no rádio que se o Brasil não acabar com a saúva a saúva acaba com o Brasil — disse Gregório, rindo.

— É, a turma brinca, mas é problema sério — retrucou Jerônimo.

Já escurecendo, não se ouvia mais o canto da rolinha roxa e, no lusco-fusco da fraca luz do dia, se percebia o morcego na rapidez de cruzar o ar. Do alto do moirão da porteira do curral vinha o triste pio da suindara, e de mais longe, no pasto, alguns sons de outras aves noturnas. Sob as árvores do pomar piscavam alguns vaga-lumes. Um berro comprido e solitário soou do fundo do pasto, além do curral; certamente alguma vaca com saudades do filhote.

O jantar

Nenhum deles se movimentou para acender o lampião. O ambiente era relaxante, e naquela noite eram raros os mosquitos, os que apareciam logo iam embora, espantados pela fumaça dos cigarros.

Quando todos estavam quietos ouvindo os poucos ruídos da natureza na passagem do dia para a noite, dona Conceição apareceu dizendo que o jantar estava na mesa. A cozinha era clara sob a luz do lampião a gás, cuja camisinha produzia uma luz branca e forte. As conversas eram sobre o dia a dia do trabalho na fazenda, vacas, bezerros, touros, leite, cerca, pastagens, capins, aguadas, doenças dos animais, preço do leite e da arroba do boi. Conceição e Adalgiza sempre participavam, principalmente quando se referiam ao pomar, à horta e às flores, mas estavam inteiradas dos acontecimentos pelo noticiário do rádio.

Falavam sobre acontecimentos na região, no bairro da Encruzilhada, as festas, alguma briga, morte, casamento ou moça que fugiu, dando trabalho ao delegado para ajeitar as coisas entre duas famílias. Também comentavam os noticiários, e nessa época sabiam que na capital federal a política fervia e o presidente estava espremido nas unhas da oposição. Falavam ainda da escola, e então Archimedes participava mais animado, sobre os acontecimentos e os colegas que preferiam as aulas de leitura. O menino dizia gostar muito da professora atual. Contava que, às vezes, no recreio, ia com os colegas comer frutinhas do mato em volta do patrimônio, maria-preta, saco de bode, grão-de-galo e amora-

-branca. As histórias aumentavam quando contava sobre a trajetória cavalgando o Petisco.

— É, o tempo passando e o Archimedes está completando o terceiro ano, igual aos outros três — observou Conceição, olhando o marido. Nesse momento, Adalgiza baixou os olhos para as mãos, que ficou a contemplar, e logo se levantou, levando o prato para colocar na bacia lá fora.

— Baltazar também estudou até o terceiro ano — disse Jerônimo. — Tive pensando, era bom esse menino fazer o quarto ano na cidade.

— Pra quê? — retrucou Olegário. — Pra tirar leite não precisa mais estudo que o terceiro ano. Já sabe ler, sabe fazer contas e assinar o nome, tá bom demais.

— Seu avô falava que era suficiente saber a tabuada e as quatro operações — disse Jerônimo —, mas os tempos estão mudados e vão continuar mudando, então alguém precisa estudar mais na família.

— Eu também queria estudar — observou Adalgiza —, queria ser professora, ajudar a ensinar as crianças.

— Se der pro Archimedes estudar eu acho bom mesmo — insistiu Conceição —, já tem muita gente tirando leite.

— Tirar leite dá dinheiro e estudar só vai gastar dinheiro — opinou Olegário.

— Eu acho que ele deve estudar, sim — reforçou Adalgiza, voltando de fora e pegando outros pratos da mesa. — O filho do seu Fritz lá da fazenda Bocaina está estudando no internato.

— Como você sabe disso, menina? — perguntou o pai, com cara de cismado.

— Fiquei sabendo domingo lá na igreja.

— Qual filho do Fritz?

— O mais novo, né, Jerônimo, os outros já estão moços grandes, querendo casar — esclareceu Conceição, olhando Adalgiza, que corou e saiu levando as panelas, dando um leve sorrisinho com os olhos sonhadores.

— O filho do seu Fernandes, lá da Encruzilhada, também foi pro internato — lembrou Gregório.

Saindo da cozinha, os rapazes foram para a varanda e ficaram a prosear nas redes. Jerônimo ligou o rádio na sala, era hora do noticiário.

— Olegário, você foi lá no pasto de baixo e viu a Azeitona? — perguntou Gregório, já na rede.

— Não vi, acho que deu cria e está alongada com o bezerro escondido. Ontem achei ela meio inquieta e hoje nem sinal.

— Também acho — concordou Gregório. — Ontem, quando recolhi as vacas, ela estava na moita de bambu, perto da lagoa.

— A gente lerdeou, era pra ter visto isso hoje, naquela moita está vivendo uma cascavel peluda, já vimos ela por perto várias vezes.

— Amanhã, quando acabar de tirar o leite, vamos lá procurar aquela vaca e a cobra.

— E vamos preparados pra dar fim nela, pelo tempo já deve ter dado um montão de filhotes.

— Crendiospai, desafasta essa ideia — rebateu Baltazar.

— Agora está falando assim, mas cadê o benzedor que você ia trazer para afastar as cobras? — cobrou Olegário.

— Essa gente é cheia de manias! — exclamou Gregório. — Eu não acredito nisso.

— Uma hora ele chega — insiste Baltazar —, e aí você vai ver.

Da rede, balançando de leve, Olegário admirava o pisca-pisca dos vaga-lumes flutuando na noite escura, ainda sem lua. Do curral, de vez em quando vinha um berro de bezerro e, longe, uma vaca respondia.

Vindo da sala, Jerônimo falou para os rapazes:

— Vamos ao pomar ver se achamos os novos carreiros das formigas.

Em seguida, os quatro homens, com os faroletes, a bomba de formicida e duas enxadas, caminhavam sob os pés de frutas. Eram poucos os ruídos de pássaros nas árvores quando eles passavam. Um tatu saiu em desabalada carreira, voaram alguns anuns, e um morcego veloz rabiscou a noite — os homens só viram o vulto e ouviram o som rápido de seu voo. Não demorou e encontraram um olheiro de formigas. Colocaram o formicida, injetando bem pelos orifícios dentro da terra, e depois puseram fogo, provocando uma pequena explosão, que exala um cheiro forte, fedorento demais, horrível mesmo. Apertando o nariz com os dedos, os homens fizeram mais duas explosões e, concluído o trabalho, retornaram. Todos lavaram os braços e o rosto e voltaram à varanda. Tomaram café, alguns fumaram, mas não demorou e Baltazar disse:

— Boa noite, vou dormir, recuperar as forças — e se retirou para sua casinha.

Cada um foi procurando seu canto, os lampiões e as lamparinas da casa foram se apagando. Tudo agora era só silêncio escuro.

Todos estavam se acomodando em seus quartos, e só Jerônimo, ainda de pé no alpendre, fumava seu cigarro de palha, olhava as estrelas e localizou entre elas o Cruzeiro do Sul, depois as Três Marias. Assim, pensando no quase nada, ouviu, vindo de muito longe, o som de um latido, então olhou para o lado da fazenda Riachão, imaginando vir de lá. "*Ou será que é alguém caçando tatu aqui na fazenda?*," se perguntou em pensamento. Ficou assuntando mais um pouco antes de se dirigir ao quarto.

Conversas na cama

Na cama, o casal conversava sobre Archimedes.
— Esse menino é muito inteligente e gosta de estudar — comentou Jerônimo. — Os outros três também são inteligentes, graças a Deus, mas antes a vida estava no começo, mais difícil.
— É sim, e também a professora que está lá na escola é mais dedicada, orienta melhor, incentiva os alunos, conversa com os pais; já tem vários se animando a levar os filhos para o internato.
— Não deve ser barato isso de internato, morar fora, comer fora, tudo pago e caro.
— Mas vale a pena, é só a gente acompanhar e apertar para não perder tempo e dinheiro.
— É, tem histórias de gente que vai e não dá certo.
— Na vida é assim, nem tudo dá certo, mas é preciso tentar e os pais saberem orientar. Vou ficar muito contente se a gente puder mandar esse menino ao internato. Ficar triste também, tão pequeno e se apartar de nós.
— É a vida, sempre um chegar e partir. Cadê nossos pais? Estamos aqui e depois nossos filhos irão para seus caminhos. Temos que facilitar as coisas. Viver é uma constante preocupação. Quando for à cidade vou procurar me informar sobre o tal internato pra ele fazer o quarto ano.
— Você podia falar com o seu Fernandes lá na Encruzilhada, ele já pôs o filho no internato, pode explicar como faz, quanto custa, essas coisas.
— É, pode dar uma adiantada de como é! Vou falar com ele, sim, agora vamos dormir, já está passando das oito horas.

Jerônimo deu corda no relógio, confirmou as horas, preparou-o para despertar e apagou a lamparina. Não demorou e Conceição já ressonava. O tique-taque não mostrava as horas no breu do quarto, mas o som chamava o sono. Todos já tinham ido deitar, menos Adalgiza e Archimedes, que levantariam mais tarde. Ela lia uma fotonovela e ele avançava pelas páginas de *Iracema*. Pouco depois das nove, foram dormir também os dois.

Na semana seguinte, o leiteiro João Carreiro disse a Jerônimo ter conseguido um rapaz para conhecer a linha do leite. Conversaram e ficou acertado que no domingo seguinte ele e a esposa iriam almoçar na fazenda dos Bragante.

— Muito bom, João, a Conceição e a Adalgiza vão ficar contentes, pois aqui nunca acontece nada de diferente. E nós vamos prosear mais sossegados.

— Olha, amanhã vou trazer um leitãozinho pra gente assar no domingo.

— Nem pense nisso! Não traga nada, a não ser o apetite. Deixe o leitão lá, dia desses nós é que vamos pra saborear o danadinho em sua casa.

Depois de João partir, Jerônimo ficou próximo ao portão vendo passar vagarosamente a galinha recém-saída do ninho acompanhada da redada de pintinhos amarelinhos que tinham quebrado as cascas dos ovos poucas horas antes. Era o primeiro passeio da ninhada. A galinha orgulhosa e cheia de cuidados, asas abertas, jeito de brava, protegia a filharada. O homem ficou olhando e chamou Conceição, que veio e se engraçou ao ver a bela cena e o colorido forte dos filhotinhos. Adalgiza chegou em seguida e jogou milho próximo à mãe e um punhado de quirera para os pequeninos, que já bicavam o chão, aprendendo a sobreviver.

— Acho que é aquela do ninho no jacá dentro da moita de bambu — supôs a moça com a voz cheia de carinho, agachando-se a certa distância dos filhotes que não paravam de piar.

A visita do Maneco

Na tarde daquele mesmo dia, chegou à fazenda o Maneco, um homem de meia-idade, muito animado e extrovertido. Tinha voz forte, sorriso fácil, era simpático em suas falas de contador de histórias. Vivia do trabalho de comprar frangos, ovos, frutas e leitões e vender linguiça apimentada, pasta de dente, brilhantina Glostora, óleo de peroba, pentes flamengo, espelhinhos com fotos de mulher pelada, ramonas, brincos, correntinhas, broches, fitas para cabelos e outros badulaques. Percorria a zona rural em sua carroça de pneus puxada pela mula Baiuca, que era alta, espigada e de pelagem clara, muito bonita e cobiçada.

— Se apeie, vamos chegar — falou forte Jerônimo no alto do alpendre. — Amarre a mula lá na sombra do pé de manga.

Voltando da mangueira, Maneco, carregando um sacolão, abriu o portão sob a primavera e, pedindo licença, atravessou o jardim e subiu as escadas.

— Boa tarde, seu Jerônimo! — principiou, pondo a mão no peito. — Grande prazer estar aqui de novo. Como vocês estão? Espero que todos bem. Vim debaixo do sol para abraçar o senhor, também comprar e vender; qualquer paixão me diverte — assim, concluindo os cumprimentos, soltou uma gargalhada.

— Boa tarde, seu Maneco, como vai essa força? Me conte como estão as coisas por aí, já, já vem uma água fresca e um café quente.

— Estava com saudades, gosto muito deste lugar, e olhe, não enjeito nada disso que o senhor ofereceu — deu uma gargalhada e foi adiante. — Os negócios estão indo bem, todo esse povo trabalhando, produzindo, e nós, os comerciantes, fazendo nossa parte para o Brasil se desenvolver sempre.

Mal tinha terminado a frase e se ouviu um trovão não muito distante. Maneco coçou a cabeça, afastando-se até a lateral da varanda e olhando as nuvens.

— Lá vem água do céu!

Nisso chegaram ao alpendre Conceição e Adalgiza, sendo respeitosamente cumprimentadas por Maneco, que, na sequência, abriu a sacola com as novidades de bazar e disse que ficassem à vontade para olhar. Conversando, entrou na casa e acompanhou Jerônimo até a cozinha, onde tomou água. Na volta, sentaram-se nas redes e continuaram a prosa sobre o calor, as estradas, os altos e baixos da criação de gado, o leite, laticínio, a política local e as notícias de fora vindas pelo rádio. Adalgiza serviu café e a prosa continuou. Falaram sobre religião, a igreja do bairro e o surgimento de alguns crentes na região. Maneco disse que no domingo anterior, quando houvera missa na igreja da Encruzilhada, conversara com o padre.

— Sabe, seu Jerônimo, no meu negócio, não quero me indispor com ninguém, mas o padre estava me enchendo tanto a cabeça que eu disse a ele: "Temos que ser tementes a Deus, mas também temer o diabo". Veja, seu Jerônimo, não sei se estou certo, mas se o diabo percebe o meu temor a Deus então vai dar uma de bonzinho, querendo se aproximar de mim, fazer minha cabeça. Eu acho que a gente não deve temer a Deus, respeitar, sim, mas temer, não, pra o diabo ficar longe. Pra mim tem coisa errada nessa fala.

— E o que o padre respondeu?

— Ele garrou a pensar, matutou e disse: "Olha, seu Maneco, Deus é amor e eterna segurança, com ele no coração o diabo fica longe. Agora vou cuidar de um doente, venha na próxima missa e poderemos conversar sossegados, teremos mais tempo". "Ué, o senhor é padre ou médico?", eu perguntei. "O homem está morrendo, o médico perdeu, agora é comigo", ele respondeu, e saiu rapidinho montado no cavalo baio emprestado pelo senhor Dário pra ele fazer suas visitas quando está no bairro.

— É, ele tem visitado muitos doentes por aí, o padre Zélio, e gosta de andar a cavalo.

— Sabe, seu Jerônimo, isso de religião me deixa meio confuso. Tem muitas delas, mas diz que Deus é um só, aí garro a matutar e descabreio. Sei, não se pode abusar. Lembra do finado Torquato? O homem não acreditava em nada e exagerava, falava cada coisa! Desafiava tudo que era santo, até Deus ele desafiava, abusado o Torquato. Aí aconteceu aquilo de estar montado na égua no meio do temporal, blasfemando contra santos, anjos da guarda, Deus, o diabo e tudo o mais, tombando de bêbado.

"A natureza parecia enraivecida naquela noite escura, estrondando trovões e o céu semeando raios e riscando os ventos. O Torquato devia estar fraco das ideias e com o juízo baleado, era um endiabrado indo e voltando no meio da rua na Encruzilhada, gritando e estralando o chicote na orelha da Lagartixa, sua eguinha. O homem se esgoelava enraivecido, gritava que podia vir raio pra cima dele, que não tinha medo e isso e aquilo. De repente, pimba, um valente raio fulminou o desinfeliz e a pobrezinha da Lagartixa também foi de embrulho. Subiu um cheiro forte de enxofre misturado com carne queimada. A égua estremecia caída no chão, as pernas esticadas, o Torquato lá no arreio, segurando o chicote. A água caía às bandejadas, mas ninguém correu lá, não. Das janelas viam a fumaça subindo, iluminada pelos raios. Ficaram os dois fumaceando no meio da lama escura, a enxurrada passando em volta. Só quando o temporal enfraqueceu as pessoas se aproximaram. Ficavam com mais dó era da égua pois, por conta da língua do Torquato, levou aquela dose de choque. Uns falavam que ele foi pro céu a cavalo, outros apontavam o rumo do inferno, mas montado na égua Lagartixa. Ela não merecia entrar na casa do capeta, diziam uns, e deve ter ficado amarrada na porta, vai saber! Coisas do povo."

Maneco estava animado na prosa com Jerônimo e levou um baita susto diante do grande trovão e do corisco muito próximos. Levantou-se rápido e olhou temeroso para sua mula Baiuca debaixo da mangueira. Em seguida caiu uma chuva grossa, mas passageira.

Após boas conversas, Maneco acabou comprando frangos, ovos e leitões. Vendeu umas miudezas para os rapazes, que apareceram por lá, uma sombrinha estampada para Adalgiza, uns brincos coloridos e duas fitas para o cabelo. A mãe comprou uma garrafa térmica.

Na saída, dona Conceição perguntou a Maneco se tinha notícias do seu Nagib, o mascate.

— Encontrei ele, sim — respondeu, arqueando as sobrancelhas —, faz uns três dias, disse estar vindo pra estas bandas. Conversamos um pouco e ele disse que estava fazendo visitas nas fazendas desta estrada. Logo, logo, chega aqui; prepare o bolso, seu Jerônimo, aquele turco é bom de lábia e tem bons produtos, embora caros. Chora, chora, mas faz bons abatimentos.

O almoço no domingo

No domingo João Carreiro não apareceu, em seu lugar veio Fidélis buscar o leite; João viria mais tarde, com dona Irene, para o almoço, o que aconteceu por volta das dez horas, quando a charrete de pneus puxada pela ligeira égua Pampa esbarrou na porteira da entrada da fazenda. João desceu, abriu a cancela, e dona Irene tocou cuidadosamente a Pampa. O marido fechou a porteira, voltou ao assento e bateu de leve a varinha nas costas do animal, que trotou rumo à casa-sede. De longe já avistavam a fumaça lenta subindo da chaminé. A charrete balançava macio pelo carreador, o cachorro Bodoque corria ao lado.

Jerônimo, avisado por Adalgiza, esperava de pé no alpendre. Quando a charrete foi se aproximando, ele desceu as escadas e foi até o portão. Conceição veio logo em seguida. Os visitantes apearam e todos se cumprimentaram com alegria. As duas mulheres passaram sob a primavera e, conversando, atravessaram o jardim. Adalgiza ficou no alto da varanda esperando que a mãe e a visita subissem os degraus. Os dois homens caminhavam conversando e João puxava as rédeas da égua, conduzindo-a à sombra da mangueira onde a desatrelou; estava suada. Jerônimo então pediu a Baltazar que levasse a égua ao piquete dos bezerros, onde havia comida, água e sombra boa.

Os recém-chegados, acompanhados dos anfitriões, sentaram-se nos bancos da varanda, e logo Adalgiza trouxe do pote uma jarra com água fresca. Há tanto tempo não se viam que as mulheres tinham muito a conversar.

Dona Conceição logo chamou:

— Irene, vamos pra cozinha, enquanto a gente conversa eu vou cuidando do almoço.

— Vamos, sim — concordou Irene. — Como posso ajudar?

— Seu João, loguinho vem um café fresco, já, já vamos passar.

— Conceição — atalhou Jerônimo —, não adianta café agora, daqui a pouco vamos é tomar um trago, hoje é domingo.

João passou um embrulho a Jerônimo, era uma garrafa de aguardente:

— Esta é da boa, envelhecida, veio de Minas, foi o gerente do laticínio que me deu. Na verdade deu duas, trouxe esta pra nós tomar. É muito gostosa mesmo, de dar água na boca.

— Muito obrigado, já, já a Conceição vai fazer torresminho e a gente dá um tapa nessa cachaça, o cheiro está ótimo. É de levantar doente. E como estão as coisas lá no povoado?

— Estão cada vez mais agitadas, o assunto é o cinema que vai ser inaugurado.

— Fiquei sabendo, por aqui na região a novidade está se espalhando. Todas as cidades têm e está chegando até em povoados pequenos como esse nosso.

— A Encruzilhada é lugarzinho bem agitado até, tá vindo cada vez mais gente. O povo veio de longe, espalhou-se por todo esse mundão, desbravando o sertão, derrubando as matas, enfrentando as durezas, e agora os descendentes vão se multiplicando. Tem os italianos, espanhóis, portugueses, alemães, e lá no comércio tem vários turcos, são negociantes.

— Ouvi falar que não são turcos, são libaneses, sírios.

— Mas são chamados de turcos só por costume, porque a Turquia é o país mais forte da região deles. Mas está vindo gente de todas as partes, esse rapaz que veio hoje buscar o leite, o Fidélis, é filho de italianos. Do outro lado do espigão tem até japoneses, eu mesmo nunca vi nenhum por aqui, e olha, pra Encruzilhada está vindo muita gente. Vêm uns, depois vêm parentes deles, e vai formando uma corrente. Vêm amigos, amigos dos amigos e até inimigo vem, estes procurando vingança de algum aperreio antigo, mágoas guardadas.

— E de onde essa gente vem mais?

— De toda parte, mas de onde vem mais mesmo é do Norte, quer dizer, do Nordeste, mas o povo fala Norte.

— Verdade que vêm uns maludos, valentões, gente braba?

— Sabe, seu Jerônimo, vem de tudo, gente tranquila e também gente fugida, escondendo-se aqui nas distâncias. Mas parece tudo gente trabalhadora. Bom mesmo é quando vem família, aí só se preocupam com trabalho, escola e igreja, mas os que vêm sós, com eles é preciso cautela. Gente assim meio largada pode dar problema, não se pode vacilar, têm acontecido várias brigas e até mortes.

— Tenho ouvido mesmo falar de uns crimes, mas por que essas mortes?

— Gente braba, sem muito entendimento, pavio curto, não aguenta desaforo, daí entra a beber e as desavenças acabam com algum morto, ou esfaqueado se esvaindo em sangria desatada.

— E isso de vingança, é verdade aquele caso de dias atrás?

— Sim, pelo que se conta foi o seguinte: um tal de Ribamar ficou sabendo que estava por aqui o Valmor, rapaz fugitivo lá da terra deles, no Norte. Ribamar veio não faz muito tempo, e trabalhava com o seu Leonardo da Fazenda Sapé, pras bandas da Cana Verde. No domingo retrasado vários rapazes estavam jogando dominó e sinuca no bar do Aristides, era na boquinha da noite quando um grupo de homens foi chegando pro bar, eram amigos, ou parentes, não se sabe bem, do tal Ribamar, queriam ajudar na vingança. O procurado, o Valmor, estava jogando sinuca. Quando emborcou pra dar uma tacada, escutou uma voz, "Olhe pra mim, seu cabra safado", e recebeu em seguida uma peixeirada no ventre. Quando recuou foi deslizando lentamente no balcão e levou uma estocada no coração. O sangue esguichou longe. O Valmor empacotou ali mesmo, as tripas escorregando pelo cimentado, pois a primeira facada já lhe abriu a barriga. O bar esvaziou na hora, feito tivesse tido relâmpago. Nem tentaram levar pra cidade, já caiu morrendo. O Aristides ficou lá no balcão muito pálido, parado de boca aberta, sem ação. Depois ele falou que ficou paradão pensando no prejuízo daquela tarde movimentada. O assassino, acoitado pelos companheiros, sumiu na noite. Dizem ter fugido a cavalo; falam isso porque acharam uma égua amarrada na beira da estrada, depois do rio Feio. O homem deve ter sumido lá pro Mato Grosso.

— Santo Deus! E souberam o motivo dessa morte?

— Vingança, dizem. A história é que esse Valmor violentou uma mulher casada lá na terra deles. Aí, com medo do marido, pra não ser morto, matou o homem e fugiu, e veio dar aqui, bem onde o marido falecido tinha amigos e parentes. Demorou um tempo, mas esse Ribamar, o assassino da Encruzilhada, que vem a ser irmão do morto lá na terra deles, chegou por aqui de mansinho, sem alarde e, ajudado pelos conterrâneos, fez sua vingança.

— História mais triste. E a polícia, foi atrás?

— Que esperança! Só se pega um assim se for por acaso. A polícia tem mais ocupação, o senhor veja, depois dessa morte já saiu umas três brigas no bar do Aristides, teve até tacos quebrados. A situação está tão quente que estão chamando o bar de Ringue do Aristides.

— E o Aristides teve muito prejuízo?

— Nem um pouco, tem é aumentado o movimento. Até parece que as pessoas gostam de estar perto do perigo.

— É, dizem que no pioneirismo é sempre assim, com muitos aventureiros, gente de todo tipo; quando se da fé, anoitece e não amanhece. Então tanto faz... Mas me fale, os comentários sobre a inauguração do cinema, vai ter mesmo?

— Pois não é que vai? Cinema é coisa da moda, invenção diferente. Eu mesmo nunca vi, mas quero ir ver como é.

— Verdade, por aqui neste sertão pouca gente já viu cinema.

— Então, dizem que as pessoas aparecem numa parede andando, correndo, montando a cavalo e dando muitos tiros; e parece ser de verdade, mas não é. É meio mágico. O comentário é que se trata de uma ilusão gostosa e faz o povo se distrair.

— Barbaridade, não se tem mais nada que inventar. E quando é a inauguração?

— Estão falando de ser sábado à noite.

— Diacho, eu vou! Quero levar minha turma para ver isso de cinema. Novidade é que anima a vida da gente.

— Então, a Encruzilhada está cada vez mais movimentada, além de tudo que já tem, há pouco tempo foi inaugurado o campo de aviação; e agora, veja só, cinema!

Nisso chegou Adalgiza com uma travessa de torresmo cheiroso, leve, quente e crocante, trincando de sedutor. A moça, ouvindo a conversa, observou:

— Devia ter é escola pra formar professora, isso sim, mas só ensinam a gente até o terceiro ano.

— É, minha filha — contemporizou Jerônimo —, as coisas acontecem devagar. Gregório, vá lá dentro e traga uns copos pra gente provar esta cachaça das Minas Gerais. Ô Baltazar, chegue pra cá, venha beliscar esses torresminhos.

O aroma recendia por todo o ambiente. João, Jerônimo, os dois filhos e Baltazar fizeram um brinde com a deliciosa pinga. Os dois rapazes não eram muito de aguardente, mas participaram do brinde, e todos comiam do torresmo, mastigando ruidosamente o petisco, até o menino Archimedes se deliciava. Baltazar tomou uma talagada e fez uma careta, como se não tivesse gostado, mas logo abasteceu novamente o copo.

— João, você falou do campo de aviação, olha, eu ainda não me conformo com aquilo voando, nunca que vou entrar num daqueles. Chego nem perto dele parado no chão.

— A gente fica nessa labuta e nem acompanha direito os acontecimentos, mas é só prestar atenção nas notícias do rádio e ver como o mundo anda cada vez mais rápido.

— Sabe, João — observou Jerônimo —, ficamos aqui nesse escondido, trabalhando demais, e a vida passando ligeira. Às vezes fico pensando se é preciso tanto esforço. Mas se não for assim, como vai ser de outro jeito?

— É, também penso assim, o que nós sabemos fazer é isso, vocês tiram leite e eu transporto. Outros fazem queijo, tem os vendedores e os que compram porque ganham dinheiro trabalhando em diversas áreas. Não dá pra ser diferente.

— E tem os que estudam e escapam do trabalho pesado.

— Sim, é preciso gente trabalhando em todos os setores, pois é isso que movimenta a economia e faz o progresso. Mas também tem os vagabundos, que não fazem nada e vivem nas costas dos outros, da família ou do emprego público fantasma ou aplicando golpes. Verdadeiros parasitas, sugadores do suor dos trabalhadores, e, pra piorar, não faltam ladrões e até os que matam pra roubar.

— Mas tem aqueles que só sabem fazer o trabalho pesado. Veja nós, fazemos essa atividade difícil. Isso de tirar leite é coisa aperreada, pois não tem folga, só na Sexta-Feira da Paixão, e ainda na parte da tarde devemos apartar os bezerros. Eu transporto, só não venho esse dia, mas posso, vez ou outra, como hoje, arrumar alguém pra me substituir, mas vocês não podem nem ficar doentes, pois quem tira leite deve saber o nome da vaca e conhecer o bezerro, sem contar que a mãe está acostumada com o vaqueiro de todos os dias. Se aparece alguém diferente, ela estranha e não solta o leite.

— Verdade pura, se entra desconhecido no curral só dá confusão e diminui o leite. Então vamos pra mais uma rodada desta sua cachaça deliciosa, gostei muito — propôs Jerônimo. — João, você tem ouvido falar das terras de Mato Grosso, onde é muito baixo o preço do alqueire?

— Tenho ouvido isso, sim, e tem vários fazendeiros aqui da região comprando terras por lá.

— É, eu também tenho escutado essa conversa, dizem que vendendo um sítio aqui compra-se um fazendão lá.

E a prosa entre os amigos continuou sobre terras, pastagens, gado, florestas e até sobre a situação política do país. Tinham ouvido pelo rádio que estava ficando difícil para o presidente Getúlio Vargas com a atuação pesada dos opositores.

Adalgiza chegou até a varanda e chamou:

— Gregório, a mãe pediu procê ou o Olegário ir lá no poço buscar uns baldes d'água e colocar no pote.

Os rapazes se entreolharam e, sem dizer nada, os dois foram atender ao pedido, não demorando a voltar, porque queriam ouvir a conversa.

Na cozinha, a prosa das mulheres também era sobre acontecimentos na Encruzilhada, principalmente o cinema a ser inaugurado. Todas queriam conhecer a novidade. Mas uma outra conversa também as animava: os milagres do padre Donizetti de Tambaú.

— Então, comadre Conceição, passando esta semana, na outra, vai o pau de arara para Tambaú, dizem que o padre faz milagre e tem muita gente indo pra lá de todos os lugares do país. Eu já falei com o João; ele não vai por causa do trabalho, mas deixou eu mais a Cleusa, nossa filha mais velha, ir.

— Então, comadre, tenho ouvido no rádio essas histórias dos milagres do padre. As pessoas falam, se emocionam e choram. Os que recebem a cura deixam as muletas, óculos, cadeiras de roda. Qual dia mesmo vai o pau de arara? Não será perigoso andar de caminhão numa viagem pra tão longe?

— Perigo é igual por tudo, nem penso nisso, pois a gente pode ser mordida por uma cobra no nosso terreiro. Outro dia entrou uma cascavel na casa da dona Iraci, foi uma baita confusão, por sorte não mordeu ninguém. Mas eu estava falando do caminhão, vai na outra quarta-feira, passando a próxima semana.

— Hummm, acho que vou querer ir. Você quer ir, Adalgiza?

— Se o pai deixar e a senhora for, eu vou.

— Se vocês quiserem ir, precisam decidir logo, pra reservar o lugar — explicou Irene.

— Mas, comadre, como é mesmo isso de pau de arara no caminhão? É coberto?

— Olha, comadre, eu nunca andei num, mas fui outra noite ver o pessoal saindo pra Tambaú. É um caminhão coberto por lona e cheio de bancos feitos de tábuas. Tem esse nome que é do jeito do povo do Norte vir pra São Paulo.

— A senhora conversou com pessoas que foram, eles gostaram, contaram como foi?

— Falaram da canseira, mas que logo esquecem o cansaço. Vale a pena ver o padre, a multidão, a igreja, e trouxeram garrafas d'água benzida, água benta, que ajuda nas pequenas dores, problemas de saúde, e de cara já alivia o cansaço dos peregrinos. O caminhão sai lá pelas três horas da madrugada, quando amanhecer a gente vai estar longe. Chega lá, participa e vem embora, na outra madrugada chegamos em casa.

— Vixi, nossa Senhora, é assim, vai e vem no mesmo dia? Mas como é que nós vamos daqui?

— Ara, comadre, dorme lá em casa, tanto na ida como na volta.

— Nossa! Não quero incomodar vocês.

— Magina! Vou ficar contente se vocês duas forem; além de o padre fazer milagre, nós vamos passear, isso já é um milagre.

— Sabe que é mesmo?! — exclamou Conceição, rindo.

— Não vejo a hora! — anuiu Adalgiza, transparecendo uma alegria nova.

Lá fora, os homens agora comem, além do torresmo, a mandioca frita e passada no ovo batido, amarelinha, sequinha, mais gostosa ainda. A garrafa de cachaça já estava na metade, e a prosa animada. Uns falando bem do presidente e outros querendo Getúlio na frigideira.

— Eu gosto do governo dele — opinou Jerônimo. — Fez muita coisa para o povo, melhorou o Brasil.

— Concordo — contemporizou João —, mas judiou de muita gente quando foi ditador.

— É, ditadura nunca é bom, é só ver o resultado que se deu uns anos atrás na Alemanha, o tal Hitler afundando o país na guerra e afundando-se também com um tiro na cabeça; e na Itália o tal Mussolini morto pelo povo e pendurado na praça de ponta-cabeça.

— Os que querem a ditadura são fracos das ideias, e os ditadores são muito burros, pois entram num beco sem saída, e aí ou morrem ou fogem, se der — opinou João.

— Mas se chegam nessa posição não podem ser burros — rebateu Jerônimo.

— São burros, sim, pois veem o que acontece sempre e vão pelo mesmo caminho e estrepam o povo, se estrepam e também a própria família.

— Mas o Getúlio deixou de ser ditador — observou Gregório.

— Esse então não é muito burro, não — completou Olegário.

— Gregório, você sabia que no atentado no Rio de Janeiro pra matar o jornalista Carlos Lacerda, adversário do Getúlio, o mandante foi o guarda-costas chamado Gregório? — perguntou João.

— Sério? Logo o meu nome? Isso é novidade pra mim.

— É, todo mundo tem um nome e eles se repetem — esclareceu Archimedes.

— Qualé, moleque, tá aí falando só porque seu nome é de um homem importante.

— São as coincidências da vida — resumiu Jerônimo. — Vamos ver agora o que acontece na política, pois com esse atentado a coisa ficou pior pro Getúlio.

— Verdade, e no próximo ano tem eleições — lembrou João.

— Tomara que seja eleito alguém de capacidade para tocar este país muito grande e difícil — desejou Jerônimo.

— Isso mesmo — concordou João —, um país muito bonito, grande, novo, com quase tudo por fazer, precisa de líderes avançados, que enxerguem na frente, que tenham condições de preparar bem o povo em busca de vida melhor. Lideranças capazes, que consigam deixar o país melhor para as próximas gerações, proporcionando bom equilíbrio entre trabalho e remuneração, limitando as desigualdades.

— A professora explicou que o líder precisa ter uma visão mais ampla, enxergar mais que os outros, pra saber apontar o melhor caminho — comentou Archimedes.

— Fica quieto, moleque, você não sabe de nada — recriminou Olegário.

— O Archimedes falou o certo — interferiu Jerônimo —, outra hora discutimos isso. Agora, concordo com o João, e no nosso ramo o preço do leite é muito baixo, dá um trabalhão danado, a valença é o laticínio estar pagando direitinho, então dá bom sustento, mas devia ser melhor.

— Pra mim também pagam pouco pelo trabalho que faço, e pior, de uns tempos pra cá começaram a atrasar os pagamentos. Há uns três meses começou isso. Está ficando mais difícil.

Dona Conceição chegou até a varanda, avisando que o almoço estava servido. Os homens foram até o fundo lavar as mãos e depois ocuparam seus lugares à mesa, belamente arrumada, forrada por uma toalha branca com desenhos de pavões e rendada nas bordas. Pratos e talheres foram colocados, saladas distribuídas, travessas fumegavam com as comidas quentes. Arroz, feijão, macarrão, carne de porco, aves e cordeiro.

Jerônimo pediu para Archimedes trazer uma gamela. Foi até um dos cantos da cozinha, abaixou-se, abriu uma tampa de tábuas no piso e, enfiando as mãos no buraco, tirou várias garrafas. Eram cervejas e guaranás. Levantando-se, olhou a mesa e questionou:

— Ué, cadê o Baltazar, não veio? Olegário, chame ele pra vir almoçar, hoje é festa e a mesa é grande.

João, em pé e apoiado com ambas as mãos no encosto de uma cadeira, comentou:

— Ah, é aí nesse buraco que você põe a bebida para refrescar, né? — e se aproximou, olhando o refrescador de bebidas.

— Sim — respondeu Jerônimo, passando um pano nas garrafas que ia tirando da gamela e colocando-as sobre a mesa. — É um jeito de manter a bebida fresquinha. Não é gelada, mas fica mais agradável.

— É mesmo, mas sabe que no mercado já tem geladeira a querosene? Até falei com a Irene, quando der uma melhorada na situação nós vamos comprar uma, geladeira é muito útil; além de gelar uma cervejinha, conserva os alimentos.

Dona Irene então exclamou:

— Não vejo a hora de ter uma daquelas! Ouvi propaganda no rádio. Já sei de umas duas casas que têm geladeira lá na Encruzilhada.

— É, sim — concordou João —, no bar do Aristides tem uma. Vixi, tá atraindo muitos fregueses. E o Antônio, do outro bar, tá coçando a cabeça. Mas comadre Conceição, a senhora caprichou demais nesse almoço, não carecia tanto.

— Vocês nunca vêm, então a gente matou um porquinho, um cordeiro e uns franguinhos pra acompanhar a macarronada.

— Franguinho? Isso é uma galinha das boas, comadre — emendou Irene. — E que agrião mais viçoso! É da horta?

— Não, é do rego na baixada ali nos fundos, é uma bênção aquela aguinha para produzir agrião, dá o ano inteiro.

— Estão todos com bebida nos copos? Vamos fazer um brinde aos bons momentos, isso é a razão da vida — propôs Jerônimo.

Após o brinde, o anfitrião observou:

— É, comadre, a gente trabalha tanto e não tem diversão quase nenhuma, então nos dias de domingo a alegria maior é um belo almoço, uma salada da horta, a mandioquinha cozida ou frita, uma carninha do terreiro e uma valente macarronada.

— Benza Deus — disse João —, aí é da mesa pra rede o resto da tarde.

— Menos quem tem que apartar as vacas — cortou Gregório, rindo.

— Eles falam isso, mas vão rapidinho — retrucou Jerônimo —, apartam os bezerros e ainda descem lá pro corgo e pescam até escurecer, isso quando não vão jogar futebol na fazenda do Bernardo ou lá na Encruzilhada, que tem um quadro até bom de bola.

— E olha, esses dois meninos jogam bem, já vi eles jogando — elogiou João.

— Que nada, são uns perna de pau — discordou Adalgiza, rindo.

— Ah, ela fala isso, mas toda vez ela quer ir junto, quer dizer, ela é que está sempre atentando a gente pra ir jogar bola.

— Claro, é animado lá — disse a moça, olhando de relance para a mãe e em seguida baixando a vista.

— Jerônimo — indagou Conceição —, você está sabendo sobre um pau de arara pra Tambaú?

— Ouvi falar alguma coisa, mas não sei direito não, só sei que eu não vou.

— Esse homem só vai pra igreja arrastado — proferiu Conceição em tom de reprovação.

— Eu tenho consciência de que é preciso ter religião, pois a alma do povo necessita de conforto, mas minha família nunca foi muito de frequentar igreja. Mesmo assim, de vez em quando, vou — respondeu Jerônimo.

— Concordo — observou João. — O importante é a vida ter sentido, aí tudo fica mais fácil.

— Mas e a morte? — questionou Irene. — É preciso pensar no que vem depois da vida, na eternidade.

— Por isso que a religião é importante — replicou Conceição —, ela oferece a vida eterna após a morte.

— E como cê sabe? — retrucou Jerônimo. — Ninguém volta pra contar. Pode ver, nenhum parente ou amigo da gente, morto, disse mais nada.

— Mas tem as escrituras, os padres, bispos, papa, eles trazem o conhecimento — argumentou Conceição.

— O que você acha, Gregório?

— Sei de nada disso, não, tô querendo entender.

— E você, Archimedes? — provocou Olegário.

— Eu é que sei menos de todos, mas vou estudar e vou saber mais que todos, aí eu falo, porque se eu estudar mais vou ter a obrigação de saber mais e explicar.

— Danado esse moleque — observou Adalgiza. — E você, Baltazar, o que acha de religião?

— Sei nada disso, não, faço minhas orações sozinho e por enquanto tá bom assim.

— A Adalgiza quer entrar no grupo das Filhas de Maria — comentou Conceição. — Quer que o Olegário entre na congregação Mariana, assim poderão ir juntos nos encontros, mas ele não está querendo, não.

— Religião é bom pras pessoas estarem juntas — emendou Irene. — Se não resolver pra depois da vida, aqui e agora agrupa, orienta, cria laços que podem ajudar a facilitar a vida. Ajuda as pessoas a se conhecerem, serem amigas e conviverem trocando ideias. Ter uma religião é se sentir pertencendo a um grupo, como uma família.

— É não se sentir só — concluiu Conceição, olhando sem querer para Baltazar.

Terminado o almoço, Adalgiza e a mãe trouxeram uma grande melancia, doces de leite e de abóbora. Conceição então falou:

— Olha aí, gente, pra rebater o almoço, nada como doce feito em casa. Comam o quanto quiserem, e já coloquei a água pra ferver e daqui a pouco vou coar um cafezinho. E mais tarde tem arroz-doce! Olegário, leve comida aos cachorros e pro Bodoque também, vocês sabem onde ele está?

— Está lá debaixo da charrete — esclareceu Baltazar. — A senhora põe o dele numa lata, eu levo.

— São bons estes momentos entre pessoas que a gente gosta, é o principal da vida — observou Jerônimo. — Às vezes fico pensando que tudo isso vai passar e então só vão sobrar na memória os momentos de felicidade, como estes que estamos vivendo.

— Verdade — concordou João —, os bons momentos vividos serão eternos enquanto a gente viver, vai ser bom envelhecer e lembrar destas horas de boa convivência, celebrando as amizades.

— É, importante é ter o bom para se lembrar — arrematou Jerônimo, confirmando lentamente com a cabeça.

Os homens voltaram ao alpendre, alguns sentando-se no assoalho, outros em bancos e redes. João pegou a vassoura encostada no canto e dela tirou um fiapinho, com o qual ficou cutucando os dentes.

Adalgiza trouxe o café fumegante numa bandeja grande, deixando ver o desenho de vários pássaros à medida que tiravam as xícaras.

Não demorou e as mulheres chegaram até a varanda. Entre as conversas se acertou de Irene fazer a reserva para Conceição e Adalgiza no caminhão que iria a Tambaú.

Nesse meio-tempo, Olegário chamou Archimedes para ajudá-lo na apartação dos bezerros, e se foram conversando até o piquete para pegar os cavalos. Olegário comentou:

— Quero lhe mostrar o ninho de papagaio que achei, e quando tiver no ponto certo vou levar o seu filhote, assim você ensina ele a falar.

— Vai ser bom, e quando ele aprender bem vai conversar com o Loro, que já é bem falante.

— Acho que você vai é ensinar ele a ler um livro.

— Capaz mesmo! A professora falou que a gente precisa aprender inglês, que vai ser a língua do futuro. Se eu aprender, vou ensinar para o papagaio. Onde é esse ninho?

— Lá no pasto de baixo, num pé de macaúba.

— Faz tempo que você não leva macaúba pra mim.

— Pode deixar, quando achar maduras vou levar.

— Aquelas frutas amarelas são de comer?

— Não, nem os animais comem, é o juá-bravo.

— Por que ali atrás do curral tem uma moita grande de guanxuma e vocês não roçam?

— A mãe quer que mantenha um pouco para fazer vassoura de varrer o terreiro. Ah, olhe ali do lado, naquela moita de café fedegoso tem um ninho de angola.

— É mesmo — Archimedes para ao lado da moita — tem vários ovos.

E assim os dois foram conversando e buscaram a vacada. Os bezerros, quando escutavam os gritos dos dois, já corriam para as mães, procurando assegurar as últimas mamadas do dia.

Na casa, de prosa em prosa, as duas famílias passaram uma tarde muito agradável. Os homens deram um giro pelo curral e as mulheres andaram no pomar, colheram frutas para Irene levar e terminaram o dia no jardim, com a amiga admirando a beleza das flores.

Na frente da casa, prestes a ir embora, João ouviu um trovão e comentou sobre a possibilidade de chover, mas Jerônimo o tranquilizou, dizendo:

— Nessa época do ano os trovões enchem as tardes mas não chove, às vezes bate uma água forte à noite ou na madrugada.

— Por falar em tempo, vocês ouviram comentários sobre outro eclipse? — perguntou Irene.

— Não ouvi nada disso, não, mas não esqueço aquele último, misericórdia. Foi um espanto aquilo de escurecer tudo depois que o dia já tinha amanhecido.

— Verdade, lembro até o dia, foi quando nasceu minha sobrinha, a Terezinha, 20 de maio de 1947.

— Então, o sol já ia alto na manhã e começou a escurecer de novo, aí as galinhas voltaram pros poleiros, se acomodando pra dormir. Os galos desorientados cantavam e voavam, trepando nos poleiros, desciam e voltavam a subir. Ficamos todos espantados com aquela noite de dia.

— Verdade mesmo, a gente não sabia que ia acontecer, foi estranho e inesquecível. Conceição, a prosa tá boa, mas já vamos, o João está trazendo a charrete.

Após as despedidas, com a Pampa no varal da charrete, João e Irene acenaram e foram se afastando, com o cachorro Bodoque correndo ao lado.

Jerônimo e Conceição ficaram ainda um tempo ali, em pé sob a moldura da primavera, olhando a charrete se afastar. Não disseram nada, só ouviram o silêncio do fim do dia e voltaram para a varanda sob a luz fugidia da tarde. Depois de subir as escadas, viraram-se para ver os amigos já longe. Jerônimo comentou:

— São pessoas boas, de almas simples.

— Sim, e é bom estar com amigos — acrescentou a esposa. — É preciso pouca coisa para deixar a vida agradável. A felicidade está nestes momentos de paz e amizade. Tudo é tão bom que às vezes tenho medo de perder isso.

— O risco é sempre este: de perder o que se tem — concluiu o marido.

***

João e Irene iam felizes pelo dia vivido com os amigos. Depois da porteira, viraram à esquerda e, na estrada, viram a lua cheia, enorme e levemente avermelhada acabando de surgir no horizonte.

A eguinha Pampa ia trotando pelo caminho, e o casal conversava sobre o dia diferente e alegre. Quase perto da Encruzilhada, já nas moitas de bambus que ladeavam a estrada, viram no escuro a figura da dona Rita, a parteira das redondezas. Vinha tranquila nos passos de sua égua Chitadinha, e, ao se aproximarem, esbarraram os animais para um dedo de prosa.

— Boa noite, dona Rita — saudou Irene, secundada por João.

— Boa noite, Irene, boa noite, seu João, estão vindo de um passeio?

— Sim, lá da casa da Conceição, da fazenda Paraíso. E a senhora, passeando também?

— Nada de passeio, fui ao Patrimônio fazer um parto, mais um forte menino da Geni, mulher do Macaia.

— É mesmo, ela estava nos dias. Foi tudo bem?

— Graças a Deus! Agora vou tocar pra casa que já está escuro. Até outra hora.

Despediram-se e logo o casal chegou em casa, onde, na manhã seguinte retomaria a rotina de cada dia duramente, mas com uma felicidade calma e alegrias simples.

***

Passava pouco das oito da noite e Jerônimo, quase conciliando o sono, ouviu um trovão longínquo e se lembrou do amigo que àquelas horas já devia estar em casa. Adormeceu e, no meio da noite, acordou com o som de uma chuva pesada, ventos, trovões e relâmpagos iluminando o mundo. As goteiras faziam música caindo sobre latas junto à parede do quarto. Jerônimo logo adormeceu de novo.

Encruzilhada

O bairro da Encruzilhada é um aglomerado de casas atravessado pela estrada que liga as zonas Paulista e Noroeste, e fica a alguns quilômetros do rio Aguapeí, mais conhecido como rio Feio. O casario é predominantemente de alvenaria, o que é facilitado pela olaria ali existente com a produção de tijolos e telhas. O povoado é movimentado pelas muitas plantações e pastagens das redondezas. Além das moradias, tem igreja, escola, campo de futebol, campo de aviação, máquina de beneficiar arroz, laticínio, matadouro, açougue, farmácia, olaria, bazares, lojas de tecidos, armazéns, padaria, bares, e logo será inaugurado o cinema. Quem chega do sul antes do Patrimônio percorre longo trecho da estrada ladeada por moitas de bambus, formando um bonito corredor ao fim do qual, à direita, se vê uma lagoa azul em parte coberta por taboas e aguapés floridos, na qual passeiam saracuras, jaçanãs e garças. Não longe das margens, homens trabalham na extração de argila para a atividade dos oleiros.

O céu da Encruzilhada é enfeitado de vez em quando por revoadas de andorinhas brincando no ar num bailado encantador. Não se sabe de onde elas vêm, simplesmente aparecem. Um dia somem e, depois de meses, retornam.

A população do bairro é pequena, mas o local fervilha de gente nos fins de semana, quando os moradores das fazendas afluem para compromissos sociais, compras, negócios, igreja e lazer. É expressivo também o movimento de veículos que fazem o trajeto entre a Noroeste e a Paulista.

De tempos em tempos, ciganos acampam no povoado, trazendo uma animação diferente, com mulheres de grandes brincos, correntes e pulseiras de ouro e vestidos longos muito coloridos. Por algumas moedas, elas leem a mão das pessoas, prevendo coisas boas e ruins. Os homens vendem tachos de cobre e fazem rolos com canivetes, punhais, relógios, cavalos, éguas e muares. Topam qualquer negócio, desde que levem vantagem, claro.

De vez em quando aparece um pequeno circo. Uma agitação alegre contagia o ambiente, criando a expectativa do espetáculo com artistas desfilando pela rua, cachorros vestindo roupas, cavalos amestrados, pequena banda de música e palhaços. É o mundo do circo fazendo a alegria da garotada. A possibilidade da arte cria também nos adultos uma esperança nova, diferente. Perto da hora do espetáculo, a arquibancada já está repleta, e transitam meninos portando tabuleiros de pirulitos envoltos em papéis coloridos. Outros trazem saquinhos de pipoca, cocada e cartuchos de amendoim torrado.

Todos se divertem e os olhos brilham vendo os malabaristas, equilibristas, trapezistas, cachorros que jogam bola e palhaços no picadeiro. As moças bonitas e enfeitadas. A música! Como é belo o mundo do circo nos verdes anos da inocência. Como é estranho não se notar o palhaço triste fazendo o povo rir. O circo é a magia na Encruzilhada.

No pequeno povoado, se percebe o sinal do mundo. Um ponto na Terra onde as pessoas buscam ser felizes (como em todos os pontos).

Raramente acontecem bailes na Encruzilhada e nas redondezas, por motivo de fácil violência devida à heterogeneidade da população e à rusticidade de alguns. Quando se organiza um baile, tudo vai bem no começo da festa, a barraca adequadamente armada e iluminada pelo lampião a gás. A música quase sempre é de sanfona, pandeiro, triângulo e zabumba. Os rapazes tiram as moças para a dança.

Geralmente, quando uma moça "dá tábua" em um solicitante e depois sai a dançar com outro, é grande a chance de o pau quebrar. São empurrões, chutes, socos, e a coisa fica feia mesmo quando relampeia uma peixeira, ou pior, quando se quebra o lampião no sururu. Então é aquela correria sem saber aonde ir no escuro barulhento, principalmente se acontecem uns coriscos de tiros, aí muitos se perdem nas plantações.

Inauguração do cinema

No sábado da inauguração do cinema, Jerônimo, Conceição, Adalgiza e Archimedes se dirigiram à Encruzilhada. Chegaram primeiro à casa de João Carreiro e, depois, as duas famílias foram ao cinema. A bilheteria seria aberta e uma fila havia se formado. O povo estava agitado, praticamente ninguém ali conhecia aquela novidade, só ouviam falar algumas coisas a respeito. A curiosidade era tudo de grande. A fila andou e todos que pegavam o bilhete seguiam para a porta de entrada. Lá dentro, as cadeiras de palhinha, emparelhadas, foram rapidamente sendo ocupadas. Do lado de fora, a quantidade de gente aumentava, e foi anunciada outra sessão após a primeira, mas se alguém quisesse sentar no chão haveria alguns espaços lá na frente. Logo a sala ficou repleta, gente espremida até bem perto da tela.

Ao longe se ouvia o barulho abafado do motor a diesel gerando a energia necessária ao cinema, o mesmo motor que alimentava a máquina de beneficiar arroz.

Enquanto o povo se ajeitava em suas cadeiras, a música de fundo criava o clima apropriado a algo novo, uma diversão diferente, já em si atraente aquela movimentação. Só participar daquilo já era uma alegria.

A música parou e o primeiro dos três sinais soou, e na plateia os olhos brilhavam de curiosidade. Dado o último sinal, as luzes se apagaram quase completamente, só se deixando perceber a grande cortina vermelha se movimentando e descobrindo uma tela enorme. Era um pano branco, que em seguida recebeu intensa luz, ofuscante como nunca se tinha visto por ali. A música alta envolveu o ambiente. O público emudeceu. Havia gente apertadinha na frente, quase cheirando a tela.

A projeção começou: apareceu um enorme leão, que abriu muito a boca e rugiu. Gritos e espanto, alguns se levantaram rápido, já correndo, mas, quando olharam para trás, o leão tinha sumido. Em seguida veio uma carruagem em carreira desabalada, com os cavalos quase pisando os mais próximos, e foi de novo aquela gritaria. O veículo desapareceu e depois surgiram vários homens correndo a cavalo e dando muitos tiros. Aí não sobrou ninguém perto da tela e até das cadeiras correu gente. O tumulto foi tão grande que assustou os que estavam lá fora. Muitos já desistiam de comprar o bilhete, outros pediam o dinheiro de volta. A sessão foi interrompida, e o Domingos, um dos donos do cinema, com megafone nas mãos, foi até a frente da sala e pediu calma, explicando que tudo aquilo eram imagens, que nada sairia da tela. Os comentários diminuíram, o povo, a muito custo, se tranquilizou, fez-se silêncio e o filme continuou. Na plateia, as pessoas estavam estarrecidas. Uns de boca muito aberta, outros narrando constantemente as cenas, como se o da cadeira ao lado não as estivesse vendo.

Quando acabou a sessão, as pessoas saíam fazendo comentários de todo tipo. Era uma euforia enorme, uma sensação sem explicação. Como podia existir aquilo? Tanto tiro e tanta correria, uma coisa sem entendimento, sem cabimento, simplesmente mágica. Alguns correram à bilheteria para assistir novamente, mas a os ingressos para a sessão seguinte já estavam esgotados.

Dona Conceição comentava com as amigas:

— Mãe santíssima, tive muito medo, foi muito tiro, morreu muita gente, credo!

— E eu — emendou Irene — estou tremendo até agora. Ave Maria, era só tiro! Parecia que ia acertar na gente. E aquela carroça coberta? Tão disparada, dá até dó dos cavalos.

— E os homens montados naqueles cavalos que nunca paravam de correr? Não tem cavalo que aguente aquilo, só na disparada, nem burro aguenta aquela velocidade, só pode ser de mentira mesmo.

— E o tamanho do trem de ferro, que que é aquilo!? — exclamou Cleusa. — Veio pra cima da gente, parecendo voar, e passou feito uma bala, credo em cruz!

— É trem mesmo, uai! É que você nunca viu um. Nem eu, mas já vi numa fotografia.

— Eu achei o mocinho bonito — suspirou Adalgiza. — Do cavalo branco dele também gostei.

— É, mas ele matou muita gente.

— Será que matou? Dizem que não é de verdade.

— Ah, não sei — respondeu Cleusa —, eu quero é ficar longe dessa turma. Todo mundo armado, misericórdia!

Dona Irene cumprimentou uma conhecida:

— Oi, Helena, boa noite!

— Boa noite, dona Irene! E aí, gostaram do filme?

— Deixe eu te apresentar, esta é minha amiga Conceição, e a filha dela, a Adalgiza. Comadre, esta é a dona Helena que já te falei, o marido dela é um dos donos do cinema. Helena, menina, que baita susto isso de cinema, bando de homens dando tiro pra tudo que é lado, Ave Maria!

— Mas é tudo de mentirinha, não mata ninguém não, é só filme. Olhe, meu marido falou que na próxima semana será um filme sem tiro, é só no mato, é do Tarzan, o rei das selvas. Ele diz que é muito bonito o filme, e esse tal Tarzan anda só pendurado em cipós e rodeado de macacos. Tem tiro não, só flecha.

— Crendeuspai, como é que fizeram uma invenção dessas? — interrogou Conceição. — Mas sabe, pensando bem, é até engraçado esse negócio de tiro que não vale.

— Engraçado? Vocês não viram nada, engraçado é o filme do Gordo e o Magro, eu vi no cinema lá em Valparaíso com meu marido, quase morri de rir, até doía a barriga.

Naquela semana, os moradores de Encruzilhada e redondezas tiveram assunto de sobra, e a bilheteria estaria garantida no fim de semana seguinte e nos seguintes, e por muitos anos.

Viagem a Tambaú

Jerônimo liberou o dinheiro necessário à viagem de Conceição e Adalgiza para irem com Irene no pau de arara a Tambaú, que sairia na quarta-feira, e as levou de camioneta à casa da amiga um dia antes.

No caminho de volta, Jerônimo dirigia pensativo; ficara sabendo de mais fazendeiros que tinham comprado propriedades em Mato Grosso, e aquele assunto crescia em sua cabeça. Ficava matutando no valor dos bens a serem vendidos e na grande quantidade de alqueires a mais que poderia adquirir naquelas terras brutas e distantes. Era uma enormidade a diferença, por se tratar de florestas, nas quais seria necessário muito trabalho até serem desmatadas e preparadas para a produção. Valeria o risco?

Naquela noite, Conceição e a filha deitaram-se cedo, mas não foi fácil conciliar o sono, fosse por estarem em camas diferentes ou pela ansiedade da viagem. Na alta madrugada, subiam os degraus da escada do caminhão e se ajeitavam nos bancos. Sentiam uma coisa nova, diferente. Um entusiasmo mesmo. O veículo estava coberto por uma lona e protegido nas laterais também por lonas, mas era possível levantá-las quando se quisesse olhar o exterior ou deixar entrar mais ar.

Quando o último romeiro terminou de subir, o motorista colocou a escada sob os bancos, fechou a tampa traseira, e partiram. Eram três horas da manhã, como fora programado. Foram rumo ao Norte do Estado. O caminhão Desoto, com seu motor forte e seu ruído bonito, foi trocando as marchas e se afastando da Encruzilhada pela estrada de terra. Quando, quilômetros adiante, as pessoas ainda tentavam se acomodar no banco desconfortável e sem encosto, chamou a atenção o barulho diferente dos pneus passando por uma grande ponte de madeira, e alguém gritou: "Estamos atravessando o rio Feio, entrando na zona Noroeste!". Alguns levantaram a lona lateral e puderam ver, no pretume da noite, o vulto escuro das águas entre as margens florestadas. E o caminhão acelerou na subida, se afastando do rio e da Alta Paulista.

À medida que o veículo avançava, com a noite descambando para o alvorecer, as cidades se sucediam. No chocalhar da carroceria, as pessoas se cansavam da posição no banco, então viravam uma em oposição à outra e sentiam o conforto de um encosto. Era difícil cochilar naquele sacolejar constante. Quase no fim madrugada, a velocidade diminuiu: atravessavam uma cidade. Alguns levantaram partes da lona e viram muitas casas fechadas, postes iluminados e ruas fantasmagóricas, sem vivente nenhum. Aquilo de tantas luzes parecia sonho. Os que ficaram olhando observavam a diminuição da claridade, e logo depois as ruas foram ficando parcamente iluminadas e se transformaram novamente na estrada escura com o caminhão correndo rumo ao sol.

O dia amanheceu quando estavam já muito longe. O motorista parou num posto de serviços para que os romeiros descessem, esticassem as pernas, fossem ao banheiro e tomassem um café.

Sem demora voltavam a subir no alto caminhão, se equilibrando na escada. O sol já ia alto quando se aproximaram de uma cidade grande, e então a estrada melhorou: era coberta de asfalto, coisa que quase todos ali nem sabiam existir. O rodar do caminhão ficou uma maravilha: parecia um caminho no céu, um tapete mesmo. Pelo motivo da viagem alguém pensou em milagre.

O veículo gemia no estradão comprido, cheio de descidas e subidas, naquela extensão ondulada do relevo paulista. Para quem não estava acostumado — quase todos ali —, aquele zumbido ficaria no ouvido por várias semanas. Em dado momento o motorista encostou na beira da estrada e, saindo da cabine, gritou aos da carroceria:

— Olha o trem!

Várias pessoas levantaram a lona lateral e, amontoadas, todas admiraram a máquina que puxava muitos vagões de passageiros. O trem soltou longo apito, vários passageiros abanavam as mãos; do caminhão também abanaram. Um romeiro disse:

— Agora podemos falar que vimos o tal trem de ferro.

O caminhão voltou a correr.

Finalmente, por volta do meio-dia, chegavam ao destino. O caminhão foi reduzindo a velocidade, mas estavam ainda na estrada. As pessoas tiravam as cabeças para fora da lona e não viam nada além de mais veículos, todos vagarosos. Assim seguiram por cerca de uma hora, numa enorme fila de caminhões, carros, carroças, tratores e ônibus que esperavam achar um lugar para estacionar. Por fim se ouviram vozes orientando e, lentamente, o caminhão estacionou. Todos desceram. Caras de cansaço, mudos, tentando esticar as pernas; alguns, mais velhos, tentavam desencurvar o corpo. Buscavam se orientar naquele ambiente estranho. Logo apareceram alguns rapazes que trocaram ideias com o motorista e Jovino, seu ajudante. Deram orientações para seguirem até o bar ao lado da árvore não muito distante. Aos poucos, os romeiros foram ao estabelecimento comprar alguma coisa e, principalmente, usar o banheiro. Sob a árvore fizeram um lanche e organizaram a visita à igreja.

Os romeiros eram em número de trinta pessoas, e o motorista formou três grupos de dez. Em cada grupo, havia um responsável por manter a união e não se perderem.

— Cada pessoa cuida de uma — reforçou José. — Nenhum de vocês deve ficar só, e guardem a posição deste bar, olhem o nome: "Bar do Ponto". Tem ainda esta árvore grande. Ninguém se perca para não atrasar na hora da saída.

Só então o grupo caminhou rumo à igreja. Foram andando e o número de pessoas foi aumentando. Não demorou e se viram envoltos pela multidão.

Aquilo tudo era um espanto, uma enormidade demais. Chegar perto da igreja não foi fácil. Era muito aperto, pisão no pé, esbarrão, empurrão, tropeção, chute no calcanhar. Só não caía ninguém por falta de espaço. Todo mundo se escorando, andando miudinho, só no passinho.

O motorista comentou com Jovino:

— Rapaz, o verdadeiro milagre vai ser se na hora de ir embora não faltar nenhum.

— Também acho, não vai ser fácil juntar nossos romeiros, veja só, rapidinho sumiram no meio do povo. Se faltar algum a gente procura o padre e pede reforço no milagre.

— Bom, todos foram orientados para a hora e o local do encontro, então vamos lá pro reservado no bar ali da avenida comer um sortido reforçado e tomar uma cerveja pra relaxar, depois vou dormir no caminhão.

Chegaram ao bar e esperaram até vagar uma mesa. Enquanto aguardavam, tomaram um "mata bicho" no balcão com uma boa cachaça. Para refrescar, pediram cerveja, mas antes de acabarem, uma mesa ficou livre. Sentaram, pediram o sortido e guaraná.

— Olha só — observou o motorista —, é gente demais, vem de todos os lugares.

— Esse nosso povo tem muita fé, é muito religioso.

— Aqui está misturado quem é religioso, quem está muito necessitado e quem quer ganhar dinheiro.

— Mas se a pessoa não tiver fé não adianta vir.

— É preciso religião, precisa muito, as pessoas necessitam acreditar em alguma coisa, e a igreja preenche o vazio nos momentos difíceis.

— Você acredita nessas coisas aqui, nesses milagres? — perguntou Jovino.

— A fé é um assunto misterioso. A fé vira Deus na cabeça de quem acredita. É a centelha de Deus que se acende no interior da pessoa.

— Não sei dessas coisas, nunca pensei.

— No vazio da vida, a fé ocupa sorrateiramente um lugar que alivia o sofrimento.

— Você não tem estudo, como sabe dessas coisas? Você é religioso?

— Não tenho estudo nem sou religioso, meu avô falava essas coisas e eu prestava atenção.

— Então você não acredita em milagres?

— Ele dizia que o milagre está na cabeça das pessoas. A força da fé vai se represando dentro do indivíduo e precisa alguém gerar a confiança para ser detonada essa energia, então, quando aparece alguém com essas características, a confiança faz o resto, que é a mudança esperada. Por isso certas pessoas se curam.

— É a isso então que dão o nome de milagre?

— Eu penso assim, aprendi com meu avô. Mas deixe pra lá, vamos comer que a boia chegou.

— Mas espera, você não acredita na existência de Deus?

— Como nunca ninguém viu Deus, tem três possibilidades: ou você acredita, ou não acredita ou fica na dúvida. Mas ó, ouvi no rádio: "as pessoas religiosas ignoram suas dúvidas". Pense nisso e vamos comer.

— Jovino ficou parado de boca aberta, dando mostra de que uma dúvida havia entrado em sua cabeça.

Era um prato-feito o tal sortido, com tomate, cebola, alface, ovo frito, bife, e não podia faltar o arroz e feijão. O prato era grande, bem cheio, e ainda acompanhava pão. Os dois homens comeram em silêncio. No final tomaram um café, pagaram a conta e saíram.

— Sabe — alertou o ajudante —, estou vendo vários peregrinos voltando da igreja andando de muletas. Vi outros vindo de cadeira de rodas, acho que pra estes não deu certo.

— Calma, meu chapa. Tem milagre, mas não precisa ser na hora.

E, conversando, foram os dois para o caminhão. O motorista deitou no banco da cabine e o ajudante na carroceria. Não demorou e estavam puxando o ronco. Dormiram várias horas.

Nas imediações da igreja, a multidão ia e vinha num movimento contínuo de entra e sai, com gente emocionada, uns chorando, outros felizes por terem visto o padre que fazia milagres. Outros perguntavam por alguém. Alguns compravam lanches, bebidas, salgadinhos, doces, sorvetes. Muitos eram os vendedores, e também tinha os mercadores de medalhinhas, broches, fitas ou correntinhas com crucifixos. Tinha os vendedores de garrafas d'água para serem benzidas na hora da oração. Tinha vendedores que ofereciam água já benzida, mas mais cara. Na verdade, ninguém ia embora sem água benta.

Dentro do templo era grande o aperto. Com muito custo, dona Conceição, Adalgiza e as amigas se espremeram, conseguindo dar uns passos para o interior. O padre estava demorando e Conceição, que não despregava os olhos do altar, juntou as mãos numa prece silenciosa. As outras a acompanharam e, quando já estavam impacientes pelo sufoco, o padre apareceu. Teve gente que chorou. Conceição quase desmaiou quando viu uma mulher gorda desmaiar, e foi aquele alvoroço de gente puxando-a para um lado, passando álcool no nariz da robusta.

Horas depois, às cinco da tarde, os romeiros foram se aproximando do caminhão. Um dos grupos demorou mais, é que duas senhoras tinham se enroscado dentro da igreja, pois por causa do entusiasmo se viram numa enorme dificuldade para sair. Mas finalmente se desvencilharam e, esbaforidas, suadas, mas felizes, apareceram andando ligeiro rumo ao caminhão. Uma mancava, pois perdera um pé do sapato.

Sob a árvore, uma menina chorava, e a mãe, nervosa, ralhava com ela. Impaciente, o motorista perguntou o porquê do choro, e a mãe explicou:

— A garrafa de água benta dela caiu na calçada e quebrou.

— Fique tranquila, menina, tenho algumas e vou lhe dar uma.

Aquilo foi um alívio para a garota, para a mãe e para todos, que já estavam cansados e irritados pelo choro da garota. Com a garrafa nas mãos, ela parou de chorar na hora e sorriu envergonhada, enleando a cintura da mãe em busca de abraço.

Uma senhora gorda e bem-humorada não perdeu a oportunidade e brincou:

— Seu Zé, sua água benta já fez um milagre.

Alguns deram risada, outros não gostaram, outros nem entenderam.

— Seu Zé, o senhor disse que não foi à igreja, como tem água benta? — perguntou a senhora.

— Eu tenho conhecimento aqui e sei como conseguir a água benta, já preparada, sem precisar ir lá. Assim posso dormir e dirigir bem, levando todos vocês de volta em segurança.

— Verdade, o senhor precisa de descanso, comida e água benta para o bem de nós todos.

— Amém! — completou uma outra senhora que estava perto, e se persignou.

Jovino olhou o motorista, deu um leve sorriso e se afastou.

Eram já seis da tarde quando conseguiram sair do emaranhado do trânsito e chegar à estrada livre.

Apesar do cansaço, as conversas eram animadas. Uma maravilha toda aquela novidade. A quantidade de gente, a igreja, o padre, as rezas, o volume de muletas, bengalas, sapatos ortopédicos, óculos, dentaduras, tipoias e até cadeiras de rodas, tudo aquilo na sala dos milagres, e a cada dia aumentando. A mulher que perdeu o sapato se conformou e falou alto:

— É capaz que vão achar meu sapato e colocar com as muletas, achando ter sido milagre.

— Verdade — completou a amiga. — O pior é que foi prejuízo.

— Pra não perder de tudo, a senhora pode vender esse seu sapato pra mulher do Saci — falou, rindo, o ajudante Jovino.

— Não brinca assim, seu debochado — retrucou a mulher, olhando o pé descalço e mexendo os dedos.

As peregrinas exibiam rosários, medalhinhas, flâmulas, correntinhas, crucifixos e outras aquisições. O retorno, agora com todos cansados, seria mais difícil. Uns já foram sentando no assoalho da carroceria, querendo deitar debaixo dos bancos, mas não havia bom espaço. O caminhão rodava. Depois de um tempo, alguns ainda conversavam animados, outros já cochilavam. A noite chegara e seria longa. Havia os que apenas estavam quietos, alguns rezavam baixinho. Mas não demorou e só o ruído do motor delatava o caminhão atravessando a noite, os faróis iluminando a estrada.

Na volta, as paradas foram várias para o alívio das necessidades, pois esse dia diferente, com tantos doces, água, salgadinhos, sanduíches e refrigerantes tinha deixado os romeiros meio descalibrados. Na terceira vez em pouco tempo que pediram para parar, o motorista "queimou o pé" e, chegando ao posto, esbravejou:

— Vamos descer todo mundo, já tô de saco cheio de tira escada, põe escada, tira escada e põe escada.

— Calma, seu Zé! — exclamou sorrindo a mulher gorda.

— Tem gente dormindo! — alguém gritou lá no banco da frente.

— Chacoalha ela aí, senão ali adiante vai acordar e me toca parar de novo. Na próxima viagem vou colocar banheiro no caminhão, vai ser um penico.

— Credo, seu Zé, ainda bem que não venho mais! — exclamou a mulher gorda, se escorando para descer a escada.

Eram três horas da madrugada quando o motor foi desligado no centro da Encruzilhada. As pessoas pouco falavam, apenas desciam e abraçavam os que estavam esperando. Logo iam todos se despedindo, rumando a suas casas, sonolentos e trôpegos.

No dia seguinte, pelas dez horas, Jerônimo chegava à casa do amigo para buscar a esposa e a filha. Enquanto a mulher se despedia, o marido foi até o armazém buscar algo que havia encomendado, mas logo estavam na estrada, voltando para casa.

— Olha, Jerônimo, você precisa ir, é uma multidão, só vendo mesmo. Dentro da igreja quase não foi possível entrar, mas conseguimos, e é bonito ver a fé do povo.

O homem conduzia a camioneta e não disse nada. A mulher continuou:

— Gente de todos os cantos, e a quantidade de muletas deixadas lá é impressionante.

— Já ouvi falar isso, mas acho que quem deixou de usar a muleta devia era ficar com ela em casa, pra lembrar sempre da cura por um milagre. Ouvi falar que lá só se veem as muletas, mas nunca quem deixou. Deus me perdoe, mas desconfio disso.

— Não sei de nada, só sei que gostamos de ir; trouxemos água benta e na hora que você tiver uma febre te dou um gole.

— Humm, não quero abusar dessas crenças, então se precisar eu tomo, pois mal não há de fazer.

— Pai, o senhor precisa ir, pra conhecer, mas me leve junto, gostei demais desse passeio.

— Tem muita gente mesmo?

— Vixi se tem!

— Então não vou!

— Credo, pai! Se for, vai gostar.

— Vocês devem é estar cansadas dessa viajona num tempo tão curto e ainda por cima em pau de arara.

— Também nem que quisesse dormir lá na cidade não havia de ter jeito, é muita gente. Dalgiza, vou pedir pra você passar água benta nas minhas costas, tá uma dor só.

— Credo, mãe, essa água é pra beber, não pra tomar banho.

— É mesmo — concordou o pai —, se fosse pra tomar banho tinha que trazer um caminhão pipa.

E lá se foi a família fazendo seus comentários sobre a viagem, o povo, o padre, os milagres. E essa conversa animada tornou rápida a chegada em casa. Com o passar dos dias, aquilo tudo foi ficando para trás, virando história.

A olaria

Jerônimo voltava da invernada aonde fora levar sal para o gado. Conceição foi encontrá-lo no portão. Estava agitada e, com os olhos arregalados, disparou:

— O presidente Getúlio morreu, ele se matou, escutei no rádio!

O marido ficou parado um instante e, sem falar, atravessou o jardim, subiu as escadas, foi até a sala e, de pé junto ao aparelho, ficou ouvindo os comentários sobre o acontecido. Nisso chegaram os filhos, e toda a família passou a acompanhar a transmissão.

— Bem que falavam dos acontecimentos agitados na política da capital — lamentou Jerônimo. — Agora tá aí, o homem se matou. Se é que não foi assassinado.

— Não, no rádio foi falado que se matou mesmo. Vai ter guerra de novo? — perguntou, alarmada, Conceição.

— Não vai ter guerra nenhuma. Assume o vice, e no ano que vem tem eleições, outro presidente toma posse e a vida continua.

— Mas pro homem se matar — admirou-se Gregório — é porque a coisa tá feia.

— A política é feia quando a sede de poder é grande. Conceição, prepare o almoço, pois na política nós estamos lá atrás, como a maioria do povo, que só é lembrado na hora do voto.

— Então no próximo ano vão se lembrar de nós — disse Conceição, com um sorriso.

— Isso mesmo, e nem sabemos ainda quais são os candidatos.

— Pai, eles não têm que se lembrar de nós — proferiu Gregório. — Nem conhecem a gente. Precisam é trabalhar direito, fazer estradas, escolas, pagar professores, cuidar da saúde, segurança, e muitas outras coisas; são tantas, nem alcançamos falar.

— Concordo com você, e num país grande como o nosso são muitas coisas mesmo que precisam ser feitas.

Na manhã seguinte, João Carreiro chegou cheio de conversa sobre o acontecido.

— Que coisa danada aconteceu, não é? Só fiquei sabendo quando cheguei ontem no laticínio, mas o rapaz de lá não soube contar direito e ainda exagerou, dizendo que tinham dado uns dez tiros no presidente. Me assustou aquilo, depois levei uma carga de lenha até a olaria e aí me contaram o certo.

— Estão fazendo uma queima de tijolos?

— Sim, e o trabalho é puxado, mas o pessoal procura facilitar fazendo uma carne com mandioca, que passam a noite beliscando, hoje vão comer um tatu. O Anésio levou o rádio e fiquei horas ouvindo as notícias da morte e as conversas deles enquanto alimentavam os fornos para a queima.

— Quando que fecharam o forno?

— Eles acabaram de colocar os tijolos crus na segunda-feira, ontem estavam lacrando e barreando as portas na parte da manhã, e à tarde puseram fogo na lenha das três bocas. Hoje vou levar mais viagens de madeira, mas o Sebastião Silva também está levando com o carretão dele. São três dias de fogo. Além dos que trabalham, toda vez que fazem a queima de tijolos ou telhas tem gente ajudando. Levam comida e bebida e passam o tempo conversando, contando histórias, enquanto participam no trabalho de pegar madeira no lenheiro pra colocar nas bocas do forno.

— Mas passam a noite?

— As visitas ficam até por volta da meia-noite, os que trabalham efetivos são três. Quando os amigos vão embora, eles se revezam, sempre estando dois acordados.

— Também não é fácil esse trabalho, e é demorado o processo.

— Depois de iniciada a queima, não podem parar, é o fogo aceso durante três dias e três noites. Aí começa o período de esfriamento, que dura quase uma semana. Mas olha, seu Jerônimo, além de ser um serviço pesado, é perigoso, pois no lenheiro pode ter cobra, e no escuro é facinho de o sujeito pôr a mão numa serpente que está dormindo.

— É mesmo, nesses lenheiros sempre tem cascavel. São os riscos da vida; mas me fale: aquele barro branco lá dá um bom tijolo, né?

— O melhor de toda a região, mas trabalhar com ele não é fácil, o barro tem muito pó de mico.

— Verdade, dá uma coceira danada.

— Nem me fale naquela coceira! A conversa lá ontem era a morte do Getúlio, o rádio não parava de falar. Uns estavam sentidos pela morte, outros não gostam dele, mas acham que não precisavam apertar tanto pro homem chegar a esse ponto.

— Getúlio era de opinião e disse mesmo que, se quisessem forçar pra ele sair antes, só sairia morto.

— É, nesse país ainda tem gente séria, só que morre cedo.

— Vamos ver quem o povo vai eleger nas próximas eleições.

— Sim, seu Jerônimo, nós, o povo, votamos elegendo os políticos e suamos no batente para pagar impostos e engordar certos descarados que entram só pra tirar proveito.

— Mas também não deve ser fácil, já escutei histórias de gente que entrou na política e se danou, perdeu tudo.

— É, nas eleições sempre tem vários candidatos e só um ganha. Os outros ficam no prejuízo.

— Aí é jogo, o pior são aqueles que se elegem, não trabalham como deveriam e ainda roubam.

— Para esses o dia do juízo final há de ser aqui na Terra, quando os honestos tomarem conta de tudo.

— As gerações futuras verão, porque por enquanto o povo não está preparado, pouco estudo e muita engabelação. Muita gente vota na necessidade própria, imediata.

— Concordo, seu Jerônimo, a caminhada é lenta e tá dum jeito que quem mente mais ganha.

— Um dia isso há de mudar, para o bem das próximas gerações.

— Deus te ouça e que estas gerações venham armadas... de sabedoria.

O mascate

Acabava o mês de outubro, a tarde estava tranquila na fazenda. Faísca, deitado na varanda, se levantou, rosnou e latiu. Dona Conceição, que fazia crochê sentada na rede, levantou a cabeça e olhou para a porteira lá na estrada, entre as duas moitas de bambu. O cavaleiro acabava de entrar montado em um dos dois animais e, caminhando lentamente rumo à sede, puxava o de trás, que trazia carga. A mulher firmou a vista, pensou alguns instantes e chamou Adalgiza:

— Filha, olhe quem vem lá, é seu Nagib.

Uma alegria correu por dentro da moça, e as duas mulheres foram até o portão receber o mascate, que chegou sorrindo amigavelmente.

— Boa tarde, senhoras!

— Boa tarde, seu Nagib, trouxe umas coisas bonitas pra gente ver?

— Sim, dona Conceição, bonitas coisas para o Natal. Seu Jerônimo está em casa ou longe?

— Não está longe, logo vem.

— Posso descer as malas de mercadorias?

— Pode sim, seu Nagib. Adalgiza, segure o cabresto pra descer as malas, depois ele amarra as éguas lá na árvore, para deixar as pobrezinhas descansarem na sombra.

O mascate tirou as malas do lombo da égua e puxou os animais para debaixo da mangueira. Com uma mala em cada mão, atravessou o jardim e arfou ao subir as escadas até o alpendre. Colocou-as no assoalho, passou o lenço na testa, no rosto, no pescoço, e exclamou:

— Que calor!

— O senhor aceita uma água?

— Bondade da senhora, aceito, sim, muito agradecido.

Enquanto Adalgiza foi buscar a água, o homem se abanou com o chapéu e, olhando em volta, exclamou, lançando ao derredor um olhar feliz:

— Muito bonito isto aqui, que beleza de lugar! Já conheço o pomar de vocês, farturão, é de encher os olhos! *Allahu Akbar*.

— O que o senhor disse?

— Ah, desculpe, falei que Deus é grande.

Adalgiza trouxe um canecão com água e encheu um copo. O homem tomou e repetiu. Em seguida, viu Jerônimo chegar a cavalo e ir deixar o animal na sombra. Subindo as escadas, o dono da casa abraçou Nagib, exclamando:

— Muito bom ver o senhor, estava achando que não viria antes do Natal.

— Demorei, mas cheguei, não podia deixar de vir.

Com sua simpatia habitual, Nagib conversava e mostrava suas mercadorias: vestidos, saias, blusas, lenços coloridos, bijuterias. Entre os cortes de tecidos, tinha seda, musselina, cambraia, brim, flanela. Havia ainda produtos para homens, como calças, camisas, camisetas brancas e outras coisas.

Enquanto as mulheres comentavam as novidades e o que poderiam comprar, os dois homens conversavam.

— Como estão os negócios, seu Nagib, vendendo bem?

— No primeiro semestre estava melhor, agora sinto o povo meio sem vontade, pode ser influência da morte do presidente. Havia os que não gostavam dele, mas muita gente admirava e parece que se desanimaram um pouco.

— É, o tipo de morte chocou até os adversários dele. Mostrou mais uma vez ser um homem forte, e nas dificuldades de nosso país não se pode perder homens fortes.

— Por falar em morte, ficou sabendo do alemão lá da Encruzilhada?

— Não soube, não, o leiteiro esteve aqui de manhã e não trouxe nenhuma novidade.

— Descobriram hoje de manhã, ele se matou com formicida Tatu.

— Coitado do Floriano, acho que fez isso de tristeza, estava sempre isolado, chegou sozinho, ninguém sabe de onde, nem por quê, e muito menos o que fazia aqui, pois não fazia nada. Não conversava, quase nem se ajuntava, parecia não querer ter amigos. Morava só num quartinho de tábuas nos fundos do bar do Aristides. Uma vez por mês ia até a cidade.

— Sabe, seu Jerônimo, comenta-se que ele veio da Alemanha fugido da guerra, devia estar por aqui escondido nesse fim de mundo.

— Deve ser verdade mesmo, também já escutei isso, que era nazista e conseguiu escapar dos julgamentos fugindo pra essas lonjuras. Ouvi no rádio que muitos nazistas fugiram da Alemanha em submarinos e de avião em voos secretos, vindo para a América do Sul.

— Sim, muitos escaparam e estão esparramados aí pelo país, quase sempre sozinhos. Dizem que vários outros se suicidaram, aqui e em outros países. Eu também sou estrangeiro e é melhor não falar muito, mas vim de minha terra para cá pelo tamanho do Brasil e pelas possibilidades de trabalhar. Isso aqui, perto de onde vim, é uma largueza, verdadeiro paraíso. Nestas bandas o mundo é maior. Gosto de minha terra, mas lá é um lugar pequeno, antigo, muitas disputas, desentendimentos, guerras sem fim. Tem lugares lindos, oásis com tamareiras, contos sobre as mil e uma noites, poesia sobre os Jardins das Delícias, terras férteis, mas também muitos desertos, falta água, não é como aqui, onde tem água por todos os lados.

— Concordo, aqui tem tudo pra ser o paraíso, vamos torcer para que os políticos, saídos do povo, não o estraguem. Está chegando o tempo das eleições.

— Deus é grande e não vai descuidar do Brasil.

— Mas seu Nagib, não é Alá que o senhor fala?

— Seu Jerônimo, se estou perto da turma de Alá, digo Alá, se estou perto dos de Deus, digo Deus. Quando troco é por descuido. Preciso dos dois por estes caminhos solitários por onde ando.

— O senhor tem razão, não pode se descuidar. Vamos tomar um café com uns bolinhos que o bule quente está na mesa.

— Aqui é mesmo uma terra abençoada, até os bolinhos são de chuva.

Após as compras e pagamentos, o mascate Nagib estava de novo na estrada, olhando a caderneta com o próximo endereço, o nome da propriedade e dos donos, não podia errar. Ligeiro o seu Nagib.

***

Chegando dezembro, as animações do Natal e do Ano Novo eram sempre uma alegria, uma expectativa gostosa, com todos aqueles sabores e regalias, exageros de comida e bebida. O abate de gordos capados para as comilanças, fazer torresmo e armazenar em latas grandes a carne a ser conservada na banha. Nas grandes mesas das famílias, leitões assados inteiros ao lado de frango, peru, macarrão, saladas e frutas. Castanhas, uvas-passas, nozes e outras coisas só de período natalino. Momentos de felicidade ao alcance das mãos.

Na Encruzilhada, a criançada se empolgava com a vinda do Papai Noel, que descia pela chaminé e colocava presentes sobre os sapatinhos no rabo do fogão. Os adultos faziam visitas, encontros, desejos de bons tempos e renovadas esperanças. Época de enviar cartões de felicitações e também de humor.

Entrava-se no novo ano e se mantinha a rotina do sol nascendo, subindo e descendo do outro lado. Com as noites, vêm as estrelas e a lua entremeando as fases, a Terra flutuando no espaço vazio, girando entre a luz e a escuridão; e o povo, querendo ser feliz, vai se equilibrando na superfície.

Archimedes no internato

Após concluir o terceiro ano e passar o período das férias escolares, a vida de Archimedes se alterou: foi estudar na cidade, no semi-internato, e ia para casa nos finais de semana, no ônibus da linha entre a cidade e o bairro da Encruzilhada. Estudioso que era, sempre trazia livros na maleta. Num sábado à tarde, estavam todos a conversar na varanda.

— Cadê o Archimedes? — perguntou Jerônimo.

— Está no quarto — respondeu Adalgiza — lendo o livro dum Machado não sei quê.

— Archimedes! Ô Archimedes! — gritou o pai. — Vem cá, filho, vem contar pra nós como é sua escola na cidade.

Não demorou e o rapazinho apareceu, ficando em pé encostado no batente da porta.

— Você está estudando ou lendo livro? — se adiantou Gregório.

— Ler livro já é estudar, entender alguma coisa — respondeu o menino.

— Como é o nome do livro que você está lendo?

— *Memórias póstumas de Brás Cubas*, de Machado de Assis.

— E de ler um livro desses de nome comprido aprende alguma coisa?

— Os professores garantem que sim, os livros trazem muitos ensinamentos, muitas mensagens. O professor Ilco disse: "Ler um livro antigo é conversar com sábios do passado".

— Nos tempos antigos, na minha meninice, era mais difícil estudar, tudo muito custoso, sertão puro.

— As mudanças não param — interferiu Conceição. — Naquele tempo que você tá falando não tinha nem escola perto da gente. Nós mesmos nunca fomos numa. Agora tudo está melhorando. Quando a gente esperava de ter uma vitrola dessas que você comprou neste fim de ano, com esses discos e tantas músicas bonitas pra ouvir?

— É mesmo, pai — completou Adalgiza. — E a geladeira que o senhor comprou pra mãe. Uma beleza dessas, a querosene, mas como gela e conserva as coisas! Cadê que a vó tinha uma dessas? Nunquinha, nem sonhava existir.

— É, tudo vai mudando — ponderou Gregório. — Máquina de costura de pé, antes era só com a mão na manivela.

— Até trator já tem uns por aí — concordou Olegário.

— Pai — alertou Archimedes —, um professor, lá na escola, disse ter país onde as vacas dão trinta litros de leite por dia.

— Mentira! — protestou Gregório. — Onde já se viu uma vaca dar trinta litros? Que nada!

— Você é ignorante, fica aqui no meio do mato e não sabe o que acontece em outros lugares. Ou acha que não existem outros lugares, outras pessoas inventando e melhorando as coisas? Quando eu vier de novo, vou trazer uma revista lá da escola pra vocês verem a matéria sobre as vacas leiteiras. Aquelas, sim, produzem muito, dão leite duas vezes por dia, não essas nossas com média de três litros que vocês trabalham a noite inteira num esforço grande por pouca produção. E tem mais, não se tira leite usando as mãos, é só no aparelho.

— Eu também não sei nada de vaca moderna — raciocinou Jerônimo —, mas concordo, nossas vacas são fracas de leite, a maioria dá pouco mesmo, mas tem algumas, como a Grã-Fina, a Baixinha, a Lagoa, essas vacas quando estão paridas de novo dão oito litros.

— Isso é verdade — concordou Olegário —, mas é com a maioria de pouco leite que estamos vivendo.

— Então — continuou Jerônimo —, se nós aqui, sem seleção, sem nenhuma melhoria, temos essas vacas boas, se quem tem fazendas maiores, mais dinheiro, se fizer um trabalho de seleção, poderá ter o rebanho com mais produção, sim.

— É, só acredito vendo — resmungou Gregório.

— O professor falou sobre países mais ricos, mais adiantados, que fazem muitos estudos visando melhorar a produção, tanto de animais como das plantas, para não faltar comida, pois a população está crescendo rapidamente e por lá o povo está vivendo mais nas cidades, trabalhando nas indústrias e no comércio.

— Se todo mundo trabalhar na cidade — ponderou Olegário —, o povo vai é morrer de fome. Quem vai produzir comida? Eu prefiro a felicidade deste meio de mato a viver em beira de cidade.

— Sei nada de outros lugares — persistiu Gregório. — Só sei que se a gente não levantar cedo e trabalhar muito não come, fica sem nada e leva as brecas.

— Meu professor disse uma frase interessante e eu guardei: "Comida é importante, mas nem só de pão vive o homem" — argumentou Archimedes. — Teve uma palestra de outros assuntos em que foram apresentadas fotos do mar, aquilo, sim, que é uma água grande e com muitos peixes, uns enormes, além de outros animais que podem ser alimento.

— Como é esse mar? — perguntou Gregório. — É como um rio bem grande?

— Rio não, é muita água — explicou Archimedes. — É mais como uma lagoa sem fim, uma grande água azul, e some no horizonte da Terra, que é redonda.

— Capaz mesmo que a Terra seja redonda... Se fosse, essa água despejava toda pra baixo — argumentou Olegário.

— Se for redonda mesmo, nós vivemos na parte de cima — interveio, rindo, Adalgiza. — Já pensou quem mora na parte de baixo?

— Na palestra o professor explicou sobre a lei da gravidade, por causa dela as coisas ficam apoiadas no chão, e na Terra ninguém vive de ponta-cabeça.

— E quem fez essa lei? — perguntou Gregório, desconfiado.

— Não é lei escrita, a gravidade é uma força que a Terra tem pra puxar tudo pro centro dela. Olha — Archimedes pegou um chinelo e soltou no chão —, essa força faz o chinelo cair. Se não fosse isso, o chinelo ficaria flutuando, e nós também.

— Capaz que vou entender uma coisa dessas! — exclamou Baltazar, coçando a cabeça.

— Esse mundo é cheio de tantas coisas, a gente nem sonha aqui na nossa vida simples da roça — acrescentou Jerônimo. — Mas meu avô contava sobre quando vieram lá do estrangeiro, viajaram de navio, e comentou desse marzão. Falava sobre a viagem ter sido muito demorada e sofrida. Aconteciam mortes e os defuntos eram jogados no mar.

— Credo — Olegário se espantou. — Então não eram enterrados, eram mareados?

— Isso não sei, só dizia que jogavam os mortos na água e pronto, não dava nem pra fazer cruz.

— Não me conformo com esse negócio de a Terra ser redonda — insistiu Gregório. — Lembro-me de quando estava na escola e a professora falava isso, mas eu não acreditava e até esqueci.

— E a lua, você não vê ela redonda? Por que a Terra seria quadrada? Ou plana? — questionou Archimedes.

— Ah, não sei, eu não moro na lua.

— Mora mais do que pensa, pois quem não sabe direito as coisas do mundo onde vive, vive no mundo da lua — replicou o menino. — Vou estudar e me preparar para entrar no palco, participar do teatro da vida.

Falando assim, foi para o quarto. Adalgiza sorriu e foi atrás do irmão.

— Olegário ficou de boca aberta e disse:

— Abusadinho esse menino! Saindo agora do ovo e já tá aí cantando de galo, falando de "teatro da vida".

— Esse garoto gosta muito de ler — ponderou Jerônimo. — O professor Ilco me disse, quando fui lá na escola, que ele lê livros que são pros estudantes com idade acima da dele.

— Misericórdia! — exclamou Gregório. — Pra quem será que ele puxou? Só fala em ler livros, estudar.

— Sei não, deve de ter puxado a algum parente antigo — argumentou Conceição.

— Do seu lado não foi, aqueles seus tios são umas bestas — argumentou Jerônimo, rindo.

— Não fale assim dos meus, que não são diferentes dos seus.

— Tá bom, deve ter puxado pra alguém distante, daqui pra trás dá pra escolher até Adão e Eva.

— Vai ver que por influência da professora da escola da Encruzilhada ele tomou gosto disso, de ler, estudar, fazer conta — observou Conceição.

— Pra mim ele é um vagabundinho, não quer é pegar no pesado — acrescentou Gregório.

— Melhor pra ele, não vai ficar igual a nós — exclamou Olegário —, levantando na melhor hora pra dormir e andando nas friagens da noite pra tirar leite, com chuva e tudo, e sem folga de domingo, feriado, dia santo, nem no Natal a gente descansa.

— É, dizem que só estudando o homem se liberta da vida mais dura — ponderou Jerônimo.

— Sei não, a vida na moleza deve ter seu preço também — opinou Gregório.

— Aqui a gente tem a vida dura, mas tem as vantagens de viver da terra, tem sossego, matas boas pra umas caçadas, rios limpos e com muitos peixes. Nosso começo do dia é mesmo duro, mas na parte da tarde não é ruim não, eu gosto — concluiu Olegário.

— Dizem que a vida é dura pra quem trabalha pesado, mas também o sono é pesado e o travesseiro é feliz — argumentou Jerônimo.

— Boa assim pra quem se prepara, como o senhor fez — observou Gregório. — Sei de famílias por aí que passam muita necessidade, até fome, um pecado num país de tanta terra boa.

— É que as pessoas se deslocam de longe, tendo dificuldade pra achar espaço, ter trabalho e se ajeitar em terra estranha. Tem muita gente precisando, e a disputa é grande. Na vida as facilidades são demoradas.

— Concordo, precisa ser trabalhador e ter sorte — completou Olegário.

E, olhando para a irmã que voltara à varanda, completou:

— E você, Adalgiza, veja se tem a sorte de se casar com um homem rico, aí vai ter uma vida boa.

— Tá bom que enfiada aqui nessa beirada de mundo eu vou achar algum homem rico, se duvidar nem pobre eu acho — concluiu a irmã, dando risada.

As festas juninas

Em meados daquele ano de 1955, chegaram os meses mais frios, e no dia de Santo Antônio começaram os festejos juninos, com as alegrias das noites de fogueira, danças de quadrilha e quermesses que proporcionavam leilões animados em frente à igreja do bairro da Encruzilhada.

Eram distribuídos folhetos contendo os nomes dos festeiros de cada final de semana. Os moradores do povoado e de toda a redondeza se agitavam animados. Os responsáveis organizavam as ações de arrecadar prendas. Uns assavam frangos, outros cuidavam dos leitões, cabritos, carneiros. Mulheres faziam bolos e outros doces. Nos pratinhos de papelão, as prendas eram cobertas por papel crepom colorido, verde, azul, vermelho, amarelo, enfim, uma grande quantidade de bolos e assados cobertos por esses papéis coloridos, espetados com palitos para não voarem com o vento.

No alto do coreto, a mesa grande ficava repleta de prendas e cores. Na parte de baixo ficavam as doações vivas, como porcos, perus, patos, marrecos, galinhas. Se fosse garrote ou carneiro, ficava no gradeado de algum carroção. O padre, que vinha da cidade, agradecia a participação de todos na hora da oração e durante a animação geral. Aquela alegria aquecia as almas daquela gente simples e lutadora.

No coreto e nas imediações da capela, as bandeirolas coloridas coladas em barbantes deixavam o ambiente preparado para muita diversão, com músicas que o locutor do alto-falante anunciava: "O jovem Fulano de Tal oferece à senhorita Tal...". Ou ainda "Alguém oferece a próxima música à Fulana de Tal". Ou "Alguém oferece esta música para a moça de vestido cor-de-rosa".

Também os correios elegantes animavam a juventude. O agitado leiloeiro Anísio dava o toque de animação, fazendo o arremate das prendas ter um valor agradecido pela igreja.

A alegria ia abrandando no passar das horas e acabava no sábado logo depois da meia-noite, quando todos iam embora, mas voltava no domingo, acabando de novo depois da meia-noite e voltando no dia do santo seguinte: João. Finalmente, terminava de vez ao passar a festa de São Pedro, para só recomeçar no ano seguinte.

No dia de cada santo, a comunidade erguia o mastro com a imagem dele. Os adultos espocavam rojões e o povo se juntava para a oração.

Naquelas noites frias, o calor das fogueiras era uma festa à parte. Em frente às casas, elas ardiam na véspera de cada um dos três santos. Mas, nos três sábados de festa, a fogueira grande próxima ao coreto trazia uma alegria maior. Apresentavam-se as danças de quadrilhas, as crianças soltavam bombinhas, buscapés, "traques de velha" (traque da véia, era como se falava), fósforos coloridos e de estrelinhas. Comiam-se doces, pipoca e amendoim. Uma chaleira de quentão rodava de vez em quando. Também era costume puxar um tição e duas pessoas, dando-se as mãos direitas e colocando os pés direitos sobre a madeira fumegante, diziam as palavras certas e se tornavam primos ou padrinhos e afilhados.

Era simplesmente bonito ver o fogo amarelo, o braseiro vermelho, as faíscas coloridas subindo agitadas em meio à fumaça clara que flutuava e se misturava às fagulhas, brilhando e rebrilhando, estralando. Às vezes, à meia-noite, quando a fogueira desmoronava e ficava o braseiro, alguns homens passavam descalços vagarosamente por sobre as brasas vivas. Aquilo era incompreensível para as crianças, mas os adultos explicavam que os homens não se queimavam porque tinham a força da fé dentro do coração e na sola dos pés.

Depois da meia-noite, o fogo já diminuído, as brasas e cinzas quentes assavam batata-doce, mandioca e milho-verde. Geralmente isso era feito por quem morava por perto e por isso ficava mais tempo junto aos resquícios fumegantes.

Durante as festas, mais de uma vez Jerônimo conversou com conhecidos da região sobre pessoas que tinham vendido propriedades e partido para Mato Grosso, voltando à sua mente os preços baixos daquelas terras distantes. A ideia crescia, e ele pensava na possibilidade da mudança, na escola do filho, em tirar a família desse lugar de que gostavam tanto e levá-los a terras tão longínquas, lugares difíceis e onde não conheciam ninguém. Já tentara conversar mais de uma vez com Conceição sobre a possibilidade, mas ela não dava andamento à prosa. Quando pensava na quantidade de alqueires, aquela vontade ia crescendo em sua cabeça.

Depois das festas juninas, a vida voltava ao normal e se marchava rumo ao final do ano. Sempre assim. Mas naquele ano havia uma animação a mais: as eleições para escolher o presidente da República, já motivo de muitas conversas e discussões sobre os candidatos e o jogo de quem ganha e quem perde, embora fosse uma coisa não tão próxima a discussão política.

O tempo ia passando, e a monotonia do dia a dia às vezes era quebrada por um jogo de futebol em alguma fazenda ou, mais animado ainda, no campo da Encruzilhada. Aquilo se transformava em um domingo alegre, festivo mesmo, principalmente quando havia torneio e participavam muitos times, destacando-se o Lagoa Seca, o Corgo da Onça, o Encruzilhada, o Aidelândia, o Calegari e o Cana Verde, para citar os mais próximos. Além dos atletas de fim de semana, em volta do campo a juventude se divertia. As moças e os rapazes trocavam olhares quase sempre felizes e distantes. Namoros nasciam naquelas belas tardes de domingo. No campo, a bola rolava, e em volta garotos vendiam amendoim torrado, tangerina e biju. Na barraca dos promotores dos jogos era possível comer bolos, cocada, pé de moleque, e tomar refrigerante, cerveja e bebidas mais quentes, como fernet, cinzano, conhaque, rabo de galo e boas cangibrinas de algum alambique não distante.

Olegário gostava de jogar bola e participava do time principal da Encruzilhada, mas Gregório não se ligava no futebol, só de vez em quando acompanhava o irmão, mais para ver as moças. Ele gostava mesmo era de acompanhar o pai até o rio Feio, pescar durante o dia e caçar capivara à noite. Algumas vezes iam pescar nas águas do Lageado, rio onde fervilhavam lambaris.

Olegário sempre levava Adalgiza até o povoado quando ia a um jogo; a irmã estava de paquera com o Werner e se animava toda quando chegava o domingo de jogo ou missa.

Finalmente chegou o dia das eleições, e o alvoroço da campanha e da votação foi substituído pela apreensão da "marcha das apurações". Nos dias seguintes ao pleito, o povo ficava ao lado do rádio acompanhando a contagem dos votos, que durava vários dias. Na fazenda, Jerônimo e os seus também acompanhavam, mas seu candidato parecia cada vez mais longe na disputa. Era o paulista Ademar de Barros, que no final ficou em terceiro lugar. O vencedor foi o mineiro Juscelino Kubitschek, ganhando do cearense Juarez Távora.

A vida seguia. O mascate Nagib passou, anunciando estar próximo o Natal, e logo chegaram as festas de fim de ano. Na fazenda, as vacas continuavam parindo, os homens tirando leite e tudo se repetindo. Archimedes concluiu o quarto ano primário e começaria no ano seguinte a primeira série do ginásio.

Domingo na Encruzilhada

Nos dias de domingo, o bairro da Encruzilhada amanhecia sempre com cara de domingo, quando no alvorecer ouvia-se o sino da igreja dando o primeiro chamado para a missa. Badalava a cada meia hora, até as nove, quando começava a cerimônia religiosa. Em certas ocasiões, o padre trazia brinquedos aos pequenos, proporcionando uma imensa alegria entre as crianças. Depois da celebração, o sacerdote ia ao almoço na casa de alguém do bairro, geralmente na residência do homem desbravador do lugar, um valente nascido da terra, fazendo brotar o povoado que espalhou aos quatro ventos a fama de progresso e oportunidades.

As pessoas se levantavam não para ir ao trabalho, mas para vestir a roupa de passeio, era a "roupa de ver Deus", diziam. O povo morador das redondezas afluía ao vilarejo. Iam à missa, ou fazer compras, encontrar os amigos e assistir ao futebol na parte da tarde. Muitos iam apenas para ver os amigos ou participar de algum jogo de mesa ou de rua, como malha e bocha. Outros simplesmente ficavam nos bares vendo gente.

Era animada a Encruzilhada naqueles domingos, com pessoas de todos os tipos afluindo, às vezes sem perceber, em busca de prazeres simples da vida, só por costume mesmo. Aconteciam coisas boas e também as ruins, como bebedeiras descontroladas, brigas, assassinatos e outros dissabores.

Ficou marcado o domingo de missa quando um certo Átila comprou um quilo e meio de carne. Ia levando para casa, segurando nos dois dedos a rodilha de barbante que o açougueiro passava por dentro da carne com uma agulha grossa e dava dois nós, cortando à faca. Não era costume embrulhar a carne. O homem ia andando ali numa felicidade tranquila na manhã de sol, assobio nos lábios, os dedos na argolinha de barbante, os olhos distraídos, e, de repente, uma bocada na carne e um cachorro em disparada indo comer longe aquela fartura macia.

Átila ameaçou correr, mas se conteve, paralisado, de boca aberta, incrédulo. Ficou possesso com a perda do alimento e teve vergonha dos que viram o cachorro tomar-lhe facilmente a carne entre os dedos. Não teve dúvidas: voltou ligeiro ao açougue, comprou meio quilo de fígado e andou pela rua segurando a argolinha de barbante. O homem tremia, seus olhos estavam sanguíneos e chamejantes. De sua testa desciam gotas quentes de suor, com os olhos ligeiros vasculhando longe o vulto do cachorro gatuno. Pacientemente esperou, e de repente viu, a uns cinquenta metros da igreja, o cãozinho preto cheirando o chão e caminhando lentamente.

O homem apertou o passo e se aproximou do animal. Balançou o fígado na altura do joelho. Quando o cachorro sentiu o cheiro e viu aquilo balançando, seus olhos reluziram. O homem se preparou para dar o bote planejado, mas nisso ouviu um ruído na porta da igreja, olhou e percebeu o povo saindo da missa. Olhou o cachorro que se aproximava farejando a comida, era um animal nem gordo, nem magro, nem grande, nem pequeno, só um animal manso querendo comida para viver. Então o homem esqueceu o povo se aproximando, facilitou o fígado ao bichinho, que logo deu uma bocadinha, mas foi pego pelos dois pés, levantado bem alto e malhado no chão. O chapéu de Átila caiu, o animal gritava, o homem xingava, levantava-o e batia-o no chão, tudo muito rápido. O sangue espirrava.

O povo vindo da igreja se horrorizava diante da cena. O cachorro já não soltava nenhum grunhido. O homem suado bateu pela última vez, jogou o animal ensanguentado na beira da rua, ao lado do pedaço de fígado, catou o chapéu e foi-se embora com um olhar de fria indiferença, aliviado. O domingo foi sem graça na Encruzilhada e aquela cena ficou no imaginário popular por muito tempo. O homem não voltou a aparecer. Deve ter ido comprar carne em outra freguesia, mas certamente aquele cachorro iria acompanhá-lo por muito tempo, talvez para sempre.

A atuação do padre como mensageiro de Deus prevalecia no bairro, mas, num domingo calorento, foi se espalhando a notícia de que um pregador crente iria falar ao povo no meio da rua principal, quase a única. A conversa foi crescendo e virou convite que algumas pessoas desconhecidas foram fazendo. E às três da tarde lá estava, debaixo de uma grande árvore no meio da rua, o homem bem trajado, calça de tecido escuro, camisa branca de mangas compridas e colarinho abotoado, apertando o pescoço. Nos pés, meias brancas num par de sapatos pretos bem engraxados, mas se empoeirando. O rapaz alto e magro, com a cara cheia de espinhas, colocou um caixote, e o pregador se posicionou sobre ele. Tinha nas mãos um livro grosso e começou a falar:

— Uma boa tarde a todos, eu sou o pastor Josué e trago a vocês a palavra de Deus. Aqui em minhas mãos estão estas palavras, é o Livro Sagrado, a Bíblia.

Assim Josué falou longamente, explicando os caminhos da virtude e os despenhadeiros dos pecados, com todos os riscos de se chegar ao inferno e como se salvar e alcançar o paraíso. Falou, falou, e quando achou ter feito o suficiente, perguntou se alguém gostaria de participar da igreja que ele tinha projeto de implantar na Encruzilhada.

— Quem quiser levante a mão, não para mim, mas para Deus — reforçou.

Passaram-se longos segundos e ninguém levantou a mão. Ele repetiu o pedido e, na terceira vez, um rapaz ergueu o braço. Era pouco conhecido na Encruzilhada, tinha a pele quase parda, cabelos volumosos na parte de trás, e era cego de um olho. Foi o único que concordou em participar da nova igreja. Por longo tempo, o templo do pastor Josué não saiu do projeto. O povo do lugar era de forte raiz católica, o que tornava difícil a penetração das igrejas evangélicas. Questão de tempo, crescimento da população, suas necessidades e desconfortos nas dificuldades da vida.

Mas a Encruzilhada tinha outros acontecimentos aos domingos. Como era passagem para o rio Feio, pela manhã transitavam vários caminhões vindos das diversas fazendas das imediações, todos com muitos homens se equilibrando na carroceria, falando, gritando, cantando ou rindo. No fundo das carrocerias, nas duas laterais, com as pontas de fora, grossos feixes de longas varas de pescaria.

Na parte da tarde, os bares continuavam a ser frequentados por homens que jogavam cartas, sinuca, bocha no bar do Antônio e até malha numa rua lateral. Tudo aquilo animava homens cansados da labuta pesada do dia a dia no campo. Havia também as barganhas de éguas, relógios, esporas, arreios, até espingardas, revólveres e punhais. Não faltavam também os embriagados de fins de tarde, que se equilibravam em suas montarias e corriam de um lado para outro em demonstrações ridículas de valentia, força e outras babaquices das quais se envergonhavam na segunda-feira, mas, depois de algumas semanas de sumiço, voltavam e faziam tudo de novo.

Caçando no rio Feio

De raro em raro, Jerônimo e Gregório iam com alguns amigos ao rio Feio em dias de semana, quando tinha menos gente; na parte da tarde pescavam, entrando pela noite para caçar. Em certa ocasião foram em quatro. Um dos amigos tinha barco no rio, sob a guarda do Martinho, morador ribeirinho considerado o guardião daquele ponto. O homem vivia só num boteco rústico ao lado da ponte e servia bebidas e alguns itens alimentícios, só mesmo atendendo a algumas urgências dos pescadores e passantes da estrada.

Os quatro amigos, depois de colocar o motor no barco, navegaram rio acima nas águas volumosas e traiçoeiras — daí o apelido de rio Feio. Fizeram a primeira parada para pescar e até fisgaram alguns, mas estava fraco de peixe. Avançaram alguns quilômetros e apoitaram novamente. O sol declinava, mas ainda havia boa luz para navegar e pescar até escurecer de vez, para então caçar, que era o objetivo principal da saída.

Tudo estava calmo nas tranquilas águas daquele trecho. Fisgaram dourados, jaupocas e alguns pintados. Os homens falavam baixo. Estavam contentes com a pesca, e então Joaquim contou o acontecido não muito tempo antes, quando fora caçar acompanhando uns amigos:

— Estávamos eu, o delegado Alberico e o Gabriel Funileiro, era noite de lua nova e a escuridão dominava, enorme, breu puro! Lá depois da curva grande o delegado, jogando o facho de luz do cilibrim, balbuciou que estava vendo um bicho na água. Desligamos o motor e seguimos no remo, devagar. No foco da luz vi o bicho já perto, apontei a espingarda e preguei fogo. Pra quê? Era uma sucuri, e ela saltou pra dentro do barco. Nem falo o sufoco! No bate e rebate, escorrega, empurra e puxa, o cabo do cilibrim se soltou da bateria e ninguém viu mais nada naquela baita escuridão. A cobrona estava machucada, mas lutava querendo enrolar alguma coisa, quer dizer, um de nós. Bateu o rabo na cabeça do delegado e o chapéu foi pra longe no escuro do rio. A gente não podia pular do barco e cair na água, tinha que se segurar e dominar a fera se retorcendo com força. Ninguém via nada. Foi aquele deus nos acuda e seguramos a cobra. O Gabriel acendeu o farolete enquanto eu e o delegado seguramos a sucuri ferida. Em seguida o Funileiro ligou o cilibrim e jogou a luz na cara dela, que se aquietou. Ela baleada e nós sem fala. Amarramos a bichona e a levamos embora do rio, que em troca ficou com o chapéu do delegado. No dia seguinte o povo da Encruzilhada se extasiou vendo a cobra no meio da rua.

"A gente tentou curar, mas não teve jeito, foi uma pena, ela estava no lugar errado, na hora que foi um azar. Uma morte desnecessária. Mas fazer o quê? A gente toca a vida fazendo as coisas, assim como as situações acontecem. Muitas vezes vêm uns arrependimentos, só é bom matar algum animal quando dá pra aproveitar, mas no momento que atirei nem percebi que era uma sucuri, pensei em outro bicho, na verdade nem sei se pensei, só atirei."

— Vamos torcer então pra não aparecer uma cobra dessas na nossa canoa hoje — falou Jerônimo.

— Nem me fale uma coisa dessas — disse Gregório, batendo três vezes na borda do barco.

— Joaquim, sei que essa história é verdadeira porque o povo comentou muito e até vi a foto lá no bar do Aristides, mas o Martinho, o dono do boteco lá da ponte, gosta muito de contar umas histórias bem cabeludas, né?

— Se conta! Acho que por ele morar sozinho e viver na beira do rio tem tempo de inventar, e conta pra se divertir com a cara dos que estão escutando e também se divertindo.

— Lembra alguma história?

— Aqui na beira desse rio já escutei muitas dele. Estou me lembrando de uma que ouvi no bar do Antônio. A gente estava lá numa tarde muito quente e ele chegou, animado como sempre e bem alinhado em sua roupa de brim azul, o jaleco de vários bolsos, deixando ver o revólver na cintura. "Boa tarde pessoal, pelo jeito vocês não estão trabalhando hoje, hein, eita vida boa! Seu Antônio, me dê uma sodinha, bem fria que o calor tá de pelar." "Boa tarde, seu Martinho, tá quente mesmo. E aí, tem alguma novidade da beira do rio pra nós?" "Nem falo, nessa semana aconteceu uma coisa que fiquei besta de ver. Foi na segunda-feira, desci beirando o rio pra visitar um espinhel pra baixo da minha casa. Tinha andado uns cem metros e estava quase chegando ao ponto quando escutei uns ruídos, achei que fossem vozes. Parei e assuntei bem. Andei mais e vi que era uma cantoria meio atravessada. Cheguei mais perto e eram vozes de uma canção, mas era falhada, pois só cantava uma parte da letra, assim: 'tava na peneira', e parava e depois voltava: 'tava na peneira'. E repetia aquilo, sempre a mesma coisa, várias vezes. Então fui sentindo de onde vinha o som e me aproximei, aí percebi o disco quebrado num rodamoinho d'água, e quando a parte boa passava no espinho do galho, tocava aquela música 'Eu tava na peneira'. Pois não foi que no domingo um pessoal tinha feito piquenique rio acima e jogado o disco quebrado na água e ele parou lá no rodamoinho debaixo do espinheiro?".

Joaquim continuou:

— Todos em volta olhavam firme pra ele, tinham vontade de rir, mas se alguém risse, aí ele ficava uma fera, era capaz de dar uns tiros. "Mas que baita coincidência, seu Martinho!", incentivou o Antônio, "Achei mais interessante aquela história do seu relógio pendurado no galho e, quando o vento soprava, encostava no outro galho e dava corda. Conta aí pro pessoal, acho que não sabem." "Aquilo que eu vivi foi tão diferente e até parece mentira, mas foi pura verdade. Vou contar, mas outro dia, que agora o ônibus tá chegando. Seu Joaquim, pague aí minha sodinha, e que Deus lhe dê em dobro." Assim dizendo, correu pra não perder a condução. Uma vez eu conversei com ele, estávamos só nós dois lá no boteco na beira do rio, e ele falou, sério: "Sabe, seu Joaquim, a verdade é monótona, mas a mentira é vibrante, colorida, enfeitada, cheia de graça, modificada, melhorada, acrescentada, tem vida. A verdade é simples, única, não pode ser mexida, é sem graça e às vezes dolorida. É só o senhor ver, se fala uma verdade as pessoas abaixam a cabeça e seguem quietas, mas se for uma mentira as pessoas chegam a levantar as orelhas e saem espalhando. Dizem que a verdade é Deus e a mentira é o diabo, mas o povo abraça e distribui com língua de fogo. Das verdades que falo ninguém se lembra, mas as mentiras que contei vão ser comentadas por muito tempo".

— Sabe que é verdade? — concordou Jerônimo. — Então ele mente de propósito, assim deixa uma marca.

— Também acho isso, ele é sério e divertido — proferiu Joaquim. — Já pescamos vários peixes, vamos descer o rio.

— É, já podemos descer, ver se matamos alguma capivara, vamos!

— Agora todo silêncio é pouco — orientou Joaquim. — Eu vou jogando o foco de luz e quando perceber alguma caça eu aviso, vamos ficar atentos.

O pequeno barco descia lento, só no remo, e os ruídos abafados eram apenas da água batendo levemente no casco da embarcação. Depois de uns quinze minutos, Joaquim viu o brilho dos olhos de uma capivara. Segurou o facho de luz na posição e pediu para Jerônimo atirar. O animal, paralisado pelo foco da luz, apenas ouviu o som do tiro, ou melhor, não se sabe se ouviu, e afundou na água. Joaquim olhou o relógio e fez os cálculos.

O pequeno barco continuou a descer lentamente. Cerca de quinhentos metros rio abaixo, o foco da luz mostrou outra capivara. Agora quem iluminava era Jerônimo, e Gregório atirou. Joaquim fez o cálculo.

Seguiram remando, e logo Gregório focou outro animal. Joaquim atirou.

Quarenta e cinco minutos depois do primeiro tiro, os homens pararam o barco e se puseram a esperar, pois esse era o tempo que demorava para a caça flutuar. Logo apareceu uma delas e, na sequência, as outras duas também boiaram. Após recolherem os animais, os caçadores ligaram o motor e navegaram até o ponto de desembarque. Colocaram a caça no pequeno caminhão e se foram pela estrada no começo da madrugada. Era preciso chegar em casa e ajudar na ordenha. Mas, antes de partir, Joaquim cortou dois quartos de uma capivara e entregou a Martinho, que agradeceu e quis começar uma história, mas não deu tempo.

O madrugador

O dia acabara de clarear e Aristides, com uma pequena bacia, salpicava água no piso cimentado do bar, passava a vassoura, em seguida abria as portas de par em par. Como de costume, do outro lado da rua, sentado no banco, encostado na parede do armazém, estava o José Videira, homem forte, sacudido, de pele morena, bigode enorme na cara larga, chapéu de feltro e olhos espertos que corriam a rua constantemente nos dois sentidos. Era sujeito grande, largo nos ombros e um pouco impaciente ao puxar sempre as pernas da calça para o alto das canelas e voltá-las ao tornozelos.

O armazém do seu Abrão ainda estava fechado, mas o homem ficava ali, invariavelmente, todas as manhãs, esperando o movimento do dia acontecer.

Aristides começou a varrer a frente do bar e cumprimentou alto:

— Bom dia, seu Zé!

— Bom dia, Aristides!

— Como está a manhã hoje?

— Igual sempre, já esquentando.

— Chegou mais cedo?

— Não, no mesmo horário, você que levantou antes.

Aristides, terminando a varrição, atravessou a rua com a vassoura na mão e se aproximou de José.

— Parece que só nós dois estamos levantados.

— Verdade! O povo gosta da cama, só vi o seu Isaque passar por aqui.

— O senhor levanta muito cedo pra estar aqui a esta hora, e pela distância de onde mora.

— Minha natureza é assim, sempre foi. Quando eu trabalhava, era o primeiro a chegar ao serviço. Agora que não preciso trabalhar, levanto mais cedo ainda. Acordo meus filhos e eles vão trabalhar pra eu descansar aqui neste banco, olhando o movimento o dia inteiro.

— Tem razão, o senhor trabalhou muito, agora fica aí ajudando o João.

— Fico mesmo — confirmou José, com uma gargalhada.

E, levantando as duas pernas da calça, emendou:

— Eu aqui vou sabendo de tudo o que se passa. Ah, por falar em passar, ontem passaram vinte e três caminhões pintadinhos de amarelo, estavam vindo do porto de Santos e indo rumo a Presidente Prudente, perguntei pra um dos motoristas.

— Eu vi, foi forte o desfile de caminhões, bonito de ver aquela frota tão grande.

— O motorista me disse que estão se estruturando na área de transporte para a construção da nova capital, principalmente madeira do Sul, e disse que vão passar por aqui muitas dessas cargas que virão do Paraná.

— É, o Juscelino prometeu construir uma cidade em cinco anos, vai se chamar Brasília.

— Pelas conversas está indo muita gente pra lá.

— Está mesmo, o José Simi, antigo dono da olaria daqui, foi pra essa tal Brasília.

— Por isso gosto de ficar aqui, o movimento da estrada, essas novidades, tudo isso me distrai. Na semana passada, terça-feira, contei quarenta e um veículos vindo da Noroeste para a Paulista e trinta e nove no sentido inverso.

— Mas e os que passaram na hora do almoço?

— Naquele dia não fui almoçar, só de capricho. Comi por aqui mesmo, sanduíche de mortadela e uns pedaços de carne-seca.

— Natureza forte a sua! Deixe eu ir arrumar as coisas no bar, daqui a pouco chegam fregueses.

— Isso, vá trabalhar, você tem filho pra criar — ironizou José, pigarreando. Esfregou rapé no nariz, deu um espirro e puxou as pernas da calça acima das canelas, em seguida as desceu, e então repetiu o gesto, o que faria pelo dia afora.

As pessoas foram aparecendo, uns indo comprar pão, outros chegando à escola. Homens passavam rumo ao trabalho na olaria, na máquina de arroz, no laticínio, para onde se dirigiam também meninos conduzindo carriolas com latas e baldes em busca do líquido descartado do leite, o soro, destinado aos porcos nos chiqueiros dos quintais de cada casa. Outros passavam a cavalo para a lida em algum lugar. Os estabelecimentos comerciais foram abrindo. Mulheres varriam a frente de suas casas, deixando a limpeza como uma marca, e algumas até jogavam água, amainando a poeira.

Não demorou e as portas do armazém foram abertas. José entrou, cumprimentando os donos e indo até a cozinha tomar um gole de café, hábito diário. Voltando a sentar-se no banco, cumprimentava um, falava com outro e saudava os passageiros vindos no ônibus que seguia para a Noroeste.

A manhã ia alta e luminosa quando parou na frente do bar do Aristides o ônibus vindo no sentido contrário, entre as duas cidades. José Videira, sentado ali no banco, gostava era disso, desse movimento de gente indo e vindo, quebrando a monotonia de seu dia. Na parte da tarde, após desaparecer no horário do almoço, lá estava ele sentado do outro lado da rua, em frente à barbearia do Antenor, onde tinha sombra. Cumprimentava todos, inclusive os desconhecidos que parassem por perto, e entabulava bons diálogos, contando situações vividas e procurando saber histórias distantes.

Atento a tudo à sua volta, José ouviu uma sineta tilintando ao longe, apurou o ouvido, levantou-se esticando o pescoço e teve certeza. Antenor estava cortando o cabelo de um garoto. José, pondo a cara na porta, disparou:

— Escute o cincerro, Antenor! Tá vindo uma comitiva.

O barbeiro, batendo a tesoura no pente, foi até a porta e olhou para o lado esquerdo, avistando, lá no começo da rua, uma tropa de animais vindo, conduzidos por dois homens. Eram os cozinheiros que traziam dois burros com cangalhas onde estavam acondicionados os apetrechos de cozinhar e os alimentos necessários para os peões de boiadeiro que, ainda longe, vinham tocando uma boiada. Demorariam a chegar, mas a comitiva, na frente, seguiria até um ponto determinado e então pararia, preparando o jantar no lugar do próximo ponto de pouso da boiada. Junto aos animais das cangalhas seguiam os de revezamento das montarias dos peões.

Quando os cozinheiros passaram, José perguntou alto:

— Ei, amigo, a boiada demora? São quantos bois?

Ao que o homem respondeu:

— Vai passar daqui a umas duas horas. Estão vindo uns mil bois.

— Viu só, Antenor, uns mil bois! Não vou embora sem olhar ela inteira, é bonito de ver tantos bois passando.

O garoto cujo cabelo Antenor cortava disse:

— Quero ver também, torcer pra boiada estourar.

— Que isso, menino? — espantou-se o barbeiro. — Não pode falar assim, os homens tão trabalhando. Você quer a boiada estourando e um boi brabo entrando na sua casa?

— Quero não! Quero ver estourando pro lado da casa dos outros.

— Não adianta, Antenor, o ser humano já é humano desde cedo, parece já nascer gostando do mal-feito. Tem uns chegando com o diabo no couro, Deus me defenda! Já ouvi falar mesmo que esse daí é danado.

— É, depois a vida vai acertando o passinho dele.

— Vai mesmo, deixa ele! Olha, moleque, escute bem, quem demora mais a se acertar padece mais.

O menino encolheu os ombros, sorriu levemente e disparou:

— Quero que um boi brabo entre na casa do senhor.

— Mas vigie só que língua! Credo em cruz — indignou-se José, persignando-se.

O bairro da Encruzilhada estava quente no meio da tarde, com muitas nuvens se avolumando e passando de alvas a escuras, sinalizando trovoadas no fim do dia. O sol estava já bem alto, começando a quebrar para a descida, e se ouviu ao longe o som de um berrante lamentoso.

Zé Videira olhou, prestando atenção, e ficando de pé viu, no começo do casario, a cortina de pó se levantando.

— Antenor — alertou ele —, a boiada apontou lá em cima.

Ouviam-se latidos também. Aquilo era um tormento na passagem de boiadas pelo povoado, pois os cachorros assustavam os bois, que às vezes estouravam e davam muito trabalho aos peões.

O som do berrante se aproximava e também o estalar dos chicotes empunhados pelos cavaleiros. Estes vinham sérios sobre seus bonitos cavalos bem arreados, alguns ornamentados por belos peitorais de argolas reluzentes. Trajavam sempre chapéu de aba larga, botas de cano alto, esporas, lenço no pescoço, guaiaca, revólver e uma capa bem dobrada, guardada no porta-capas amarrado na parte de trás da sela, em cuja lateral estava o laço de couro bem trançado e arrodilhado.

A boiada se deslocava lentamente pela rua, e como um rio de animais foi atravessando o casario. Os cachorros latiam mais e o berrante não parava de soar, procurando manter a atenção dos bois. Os peões ponteiros aceleravam mais o passo para atravessar logo aquele lugar que assustava os animais, e não deixavam de usar seus longos chicotes que estalavam continuamente no ar. Os condutores laterais estavam atentos e avançavam, recuando em seguida, encontrando os que vinham atrás para depois avançar novamente. Os estabelecimentos mantinham as portas fechadas, mas os moradores próximos queriam ver o passar dos bois e ficavam olhando pelas frestas. Outros espreitavam das janelas, principalmente as crianças. Alguns peraltas atiravam pedras nos bois que passavam muito perto. Não faltavam adolescentes jogando sal no fogo, na crendice de que isso faria acontecer o estouro da boiada.

Foi demorado passar aquela quantidade de animais. Eram bois bonitos, gordos e de cores variadas. Tinha brancos, amarelos, fumaça, pretos, pintados, araçás; várias eram as raças, muitos nelores, guzerás, caracus, gir, indubrasis, uma mistura. Por fim vinham os peões culatreiros estralando os relhos nos últimos bois; não podiam deixar voltar nenhum animal.

— Que beleza de boiada, hein, Antenor? — exclamou José, animado, olhando pela pequena abertura da porta da barbearia. — Os bois passando quase ao alcance das mãos. Muito boi mesmo!

— Grande riqueza indo pro frigorífico, comida pra quem tem dinheiro e pode comprar.

— Verdade, estão vindo de longe e vão ser embarcados no trem, lá na cidade.

Ficaram os dois olhando a boiada se afastando como uma mancha comprida sendo coberta por uma neblina marrom levantada pelos cascos. Homens e bois sumindo no pó. O berrante já não se ouvia do povoado. Em suas montarias, os peões seguiam sérios, de olhos vivos e atentos aos movimentos dos bois e às orelhas dos cavalos, que eram como antenas acompanhando cada detalhe.

Passado o povoado, os latidos dos cachorros foram ficando distantes, os animais se acalmando, e os vaqueiros, relaxando. A boiada andava vagarosamente pelo estradão, com a multidão de patas batendo no solo seco. O berrante tocava de vez em quando e alguns homens cantavam, assobiavam ou aboiavam. O rio de boi seguia lento para o ponto de pouso.

Ao longe, um trovão deu o sinal de possível aguaceiro, e José levantou rápido a sobrancelha direita, dizendo:

— Pelo barulho do céu, vai chover em cima daqueles bois.

— Ô seu Zé, falar em boi, ficou sabendo mais detalhes da morte do carreiro lá da Noroeste?

— Disseram que o carroção estava carregado de madeira pesada, umas toras, e aí, naquela descida comprida, bem depois do rio Feio, pra lá da curva grande, o carroção foi ganhando velocidade e o carreiro correndo ali ao lado, puxando o breque que pelo jeito estava gasto. Aí a coisa desembestou com o peso da carga, empurrando os bois para a beira da estrada, e subiu um pouco no barranco. Tombou, jogando a carga por cima do homem. Ele ficou imprensado entre a carga e o chão de terra, ainda mais vermelha, empapada de sangue.

— Morte triste a do carreiro — disse Antenor, pensativo, batendo o pente na tesoura.

— Mortes sempre são tristes, mas é mais triste quando é morte de assassinato, como daquele motorista de caminhão que deu carona pra dois sujeitos lá em Valparaíso.

— Como foi aquilo, seu Zé, o senhor sabe?

— Se comenta que o motorista do caminhão deu carona pra dois homens e, quando saíram da cidade, um dos dois, em cima da carga, bateu na cabine, pedindo pra parar. O motorista atendeu, os dois desceram e puxaram o coitado pra fora. Deram uma cacetada na cabeça dele, uma ou mais de uma, não se tem certeza.

— Que coisa medonha, onde já se viu, além de ajudar sofre uma morte assim.

— Pois é, não se pode confiar em desconhecidos.

— Ainda menos nas estradas por aí. Será que estavam bêbados?

— Não, foi só pra roubar mesmo, dizem que o do caminhão tinha dinheiro com ele.

— Judiação! Morre assim um trabalhador pai de família.

— Quanto mais a gente vive, mais vê coisas. Antigamente não tinha disso, não.

— Mas isso de morrer matado ou de algum acidente sempre teve — argumentou o homem que estava sentado na cadeira do barbeiro. — O mundo vai mudando e vão aparecendo novos jeitos de morrer: é de carro de boi, de caminhão, e atualmente, até de avião está morrendo gente, o que não existia antes.

— Barbaridade! Deus me defenda! Disso é que não morro mesmo — desconjurou José, batendo três vezes na madeira do batente da porta.

— Ah, você não sabe num avião, mas não escapa se um avião descer em cima de você.

— Vire essa boca pra lá, Antenor, só faltava essa, eu aqui nesse cu de mundo e um avião cair bem em cima de mim.

— Ué, não é nada difícil, aqui no campo já desceram alguns — insistiu o barbeiro. — Eles já estão aí por cima, vai ver até já passaram sobre a sua casa.

— Sabe que é verdade — concordou José —, outro dia quando desceu no campo fui lá. Olhei dentro e vi tanta engrenagem e relógios que quase tive uma vertigem. Muita gente foi lá, era uma multidão em volta do aparelho, e um pai levou uma criança pra dar uma volta. Dizem que voar ajuda a curar tosse comprida. Mas ó, o menino estava indo bonzinho, animadinho até, mas quando chegou na porta e viu aquela tranqueirada, aqueles óculos na testa do aviador, ah, o moleque refugou, aprontou um baita berreiro e esperneou, não queria mais entrar, mas não adiantou, o pai empurrou o embirradinho pra dentro e lá foi o bichinho gritando na orelha do piloto. Dei razão pro menininho, eu também não quero entrar naquilo, nem que morra de tossir.

— Muita gente vai morrer de avião ainda — profetizou o freguês na cadeira do Antenor.

— Que seja longe! Ah, eu não entro em avião nem que me paguem! Não é coisa de Deus aquilo de voar com tantas engrenagens, ferragens, combustível e gente. É muito peso, só pode cair mesmo.

— Mas, seu Zé, o mundo está mudando, a tecnologia traz coisas novas e tem segurança.

— Humm, segurança eu tenho é aqui no chão. A conversa tá boa mas vou-me embora. A boiada que eu queria ver já passou, o tempo está virando pra chuva, quero chegar em casa antes dela. Até amanhã, se Deus quiser.

— Até amanhã, seu Zé, mas aperte o passo, não demora e despenca água, o trovão está roncando perto — falou o barbeiro, chegando até a porta, batendo a tesoura no pente e olhando para as nuvens escuras.

José seguiu no caminho de casa em largas passadas. Olhando para trás, via o pretume do céu. Acelerou o passo, já ia quase correndo, sentia o vento, correu mais, mas não adiantou, a água bateu forte, e ele, num recurso derradeiro, encostou-se numa grossa árvore, achando-se protegido. Aumentaram os trovões, os raios e o vento, foi crescendo o rugido do temporal, e ele pensou: "*Só falta eu querer me proteger da água e essa árvore chamar um raio, prefiro me molhar a morrer*". Saiu andando no aguaceiro.

Na Encruzilhada, a pancada d'água lavou os telhados e logo se formou uma grossa enxurrada rumo à lagoa. Quando diminuiu a chuva, as crianças foram correr na água cor de chocolate. A felicidade estava ali, correndo entre os dedos dos pés.

Na estrada, a boiada caminhava na lama, quase já chegando ao local do pouso. Os peões, com suas longas capas Três Coqueiros, cavalgavam calmamente, acompanhando os bois em passos lentos. Um pouco adiante, o cozinheiro, sob uma tenda, queimava o alho.

O corretor

Em tranquilo fim de tarde na fazenda Paraíso, sentada na varanda, a família estava a conversar. A novidade era o que havia acontecido com o Zé Curador.

— A comadre Laurinda passou aqui hoje — comentou Conceição, sem tirar os olhos do bordado no bastidor. — Ela veio da casa da irmã que mora na cidade e ficou sabendo sobre a prisão do Zé Curador.

— Preso? — espantou-se Gregório. — Não falei que naquele angu tinha caroço?

— Que mais ela contou, mãe? — questionou Olegário.

— A polícia havia tempo estava de olho nele, mas só agora foi que pegaram. O danado curava dando uns comprimidos para as pessoas tomarem enquanto engrolava a língua, punha a mão na cabeça do paciente, sapateava em volta suspirando forte, fungando e benzendo com uns ramos verdes. Num princípio de noite, estava armando temporal e o curador fazia o trabalho em uma mulher. Explicou que ela estava tomada por uma coisa ruim e ele iria limpar o malfeito. Recomendou que no dia seguinte, quando obrasse, examinasse bem as fezes, que encontraria uns fios de cabelo. Aquilo era a maldade colocada nela, e com o trabalho dele, o mal estaria desfeito. Pôs o comprimido na mão da mulher e, enquanto foi buscar a água, deu enorme trovão, raio, e estralo estremecendo a casa. Apagou a luz, bateu vento forte e foi um deus nos acuda naquele barulhão. Enquanto o curador acudia a moradia, fechando as janelas, a mulher apavorada correu e, na pressa, saiu pela escuridão com o remédio na mão, em disparada pela rua, a chuva já começando. Chegando em casa, a luz já acesa de volta, achou o comprimido grande demais e resolveu dividir, mas quando cortou viu vários fios de cabelos enroladinhos em meio ao pó branco. Mostrou ao marido e explicou a orientação do curador. O esposo foi à delegacia e sem demora a polícia prendeu o velhaco.

— Eu sabia, é sempre assim, de vez em quando aparece um espertinho querendo enganar as pessoas. Pronto, acabou o tal de Zé Curaedor — pronunciou Gregório e advertiu — Mas fiquem de olho: não demora, em algum lugar, surge outro. Os larápios brotam diante das necessidades do povo.

— Falar em enganação — cortou Olegário —, estou lembrando daquele caso do dia de malhar o Judas.

— Que que tem isso a ver? — indagou Gregório, olhando de soslaio o irmão.

— Tem a ver com enganação! É o tipo de coisa que tem de todos os jeitos. Na última malhação do Judas, lá na Encruzilhada, fizeram um Judinha caprichado, bem ajeitado mesmo, vestido de roupa boa, até chapéu de palha novo na cabeça, que era uma cabaça de olhos grandes, sobrancelhas grossas e bocona bem aberta, quase num sorriso. O Judas era bem debochadinho. A maldade é que ao fazerem o boneco abriram a cabaça em duas partes e prenderam dentro um ninho de marimbondos. No momento da malhação, a molecada toda em volta, varas e paus nas mãos naquela euforia de sábado de aleluia. Começaram a bater e, quando acertaram a cabeça, os marimbondos avançaram pra cima da molecada, que abandonou o Judas correndo, gritando e se batendo para se livrar das ferroadas. A meninada passou a tarde toda de cara inchada. Tinha uma turma que só ria, mas ninguém nunca soube quem fez aquele Judas, bem cara de Judas mesmo.

— Agora entendi a enganação! — exclamou Adalgiza.

— Olegário — propôs Gregório —, amanhã precisamos cuidar da Azeitona, hoje vi um gavião carapinhé esgaravatando o lombo dela.

— É mesmo, vamos cuidar logo, senão vira bicheira.

— Está precisando também limpar com enxadão os leiteiros, estão crescendo e aumentando muito — aproveitou Jerônimo —, e roçar uma mancha de assa-peixe lá perto do açude.

— Seu Jerônimo — alertou Baltazar —, está vindo um carro lá na porteira.

— Você está esperando alguém? — perguntou Conceição.

— Não e não estou conhecendo aquele carro.

O veículo passou pela porteira e vagarosamente encostou na sede. Jerônimo estava na rede e, levantando-se, foi até a escada, onde esperou os visitantes e logo reconheceu Evaristo, o corretor de imóveis. Assim que os outros desceram do carro, viu também Eufrásio e Dorval, proprietários de terras no município.

— Que surpresa é esta? — indagou Jerônimo.

— Quem é vivo um dia aparece — respondeu Evaristo.

Todos se cumprimentaram e o anfitrião convidou os visitantes à varanda. As mulheres se retiraram, Baltazar e Olegário também se afastaram rumo ao paiol. Gregório puxou umas cadeiras para os recém-chegados.

Depois dos preâmbulos sobre o tempo, a estrada, o trabalho do presidente Juscelino, Brasília e a política, Jerônimo indagou:

— Que mal lhes pergunte, qual a novidade desta visita? Querem comprar gado ou terra?

— Nenhum dos dois. Queremos vender terra.

— Então vieram ao lugar errado, não estamos vendendo e muito menos comprando.

— Não chora que Deus não gosta! — brincou Evaristo, dando risada. — O senhor já sabe por que vim, conversamos mais de uma vez sobre as terras de Mato Grosso. Sabe, seu Jerônimo, a gente não pode ficar parado sempre na mesma, é preciso procurar melhora. Veja, quem chegou aqui na região logo no começo comprou muita terra porque eram bem baixos os preços. Hoje o barato está lá adiante, nas terras novas, na frente pioneira. Colosso de terras boas por pouco dinheiro. Tá certo que é por causa das dificuldades e da distância.

Adalgiza serviu refresco e não demorou até dona Conceição levar café feito na hora.

— Muito gostoso o café da senhora — elogiou Evaristo —, cheiroso de dar gosto, é comprado onde?

— Compro duma fazenda e Conceição torra aqui mesmo — respondeu Jerônimo.

E assim a conversa foi longe, o corretor explicando a Jerônimo as vantagens daquelas terras boas e baratas. Estava ali com dois interessados em fazer uma visita a Mato Grosso, Eufrásio e Dorval, e faltava um, por isso tinham ido convidá-lo, sem compromisso. Dividiriam as despesas e, se desse certo, bem; se não, pelo menos veriam as matas da Amazônia mato-grossense.

Jerônimo disse que gostaria de ter mais terras, mas não podia vender o gado e comprar uma outra propriedade.

Ao longo da prosa, ficou claro para Jerônimo que, se ele fosse e se interessasse pela aquisição, não seria difícil vender a propriedade atual, a fazenda Paraíso. Poderia fazer uma operação casada, vendendo uma e já comprando a outra, bem maior. Começaria derrubando árvores, fazendo toras e vendendo-as a um crescente mercado.

Estava escuro quando os visitantes se despediram. O carro foi se afastando com os faróis iluminando o carreador até a porteira. Jerônimo, encostado no pau da varanda, cofiava o bigode e viu a luz virar à direita e desaparecer na estrada municipal. Só então percebeu que Conceição estava ao seu lado, de olhos inquisidores. Ele balbuciou:

— Querem que eu vá junto ver as terras de Mato Grosso.

— E você vai? — perguntou a esposa, sentindo uma ruindade no coração.

— Pedi uma semana para pensar.

— Jerônimo, tudo tem vantagem e desvantagem, veja bem o que vai fazer.

— Se eu soubesse antes o resultado, já teria tomado a decisão. Mas veja, vendendo nossos cem alqueires aqui, poderemos comprar quase mil e quinhentos lá, é tentador.

— Mas aqui estamos perto de tudo, e naquelas distâncias vamos ficar longe de tudo.

— Não dá para falar sem ir ver. Hoje não quero mais falar disso, de amanhã em diante vou pensar no assunto e na semana que vem resolvo se vou ou não.

A semana foi transcorrendo e por várias vezes Jerônimo conversou com os filhos e a esposa sobre a possibilidade de vender tudo e ir para um futuro de mais terras e mais bois. Os rapazes achavam que seria ruim deixar os conhecidos e a tranquilidade de onde viviam, mas também poderia ser uma vida nova, diferente, sem precisar trabalhar na madrugada ordenhando tantas vacas. Lá na terra nova seria só engordar bois. Poderiam dormir melhor as noites, levantar mais tarde, por volta das seis horas. Todos da família concordavam que o trabalho de ordenha era muito sacrificante.

Dona Conceição e Adalgiza ficaram mais tranquilas quando Jerônimo esclareceu que, se desse certo de ir, pelo menos no início morariam na cidade. Mas Adalgiza pensava em Werner, a distância iria afastá-los, bem agora que estavam se aproximando mais.

Jerônimo passou a semana atormentado sobre a decisão a tomar. Na sexta-feira à tarde o carro do corretor estacionou à sombra da mangueira desceram Evaristo e Eufrásio. O dono da casa os recebeu no pé da escada e se acomodaram na varanda. Estavam ali ainda os dois filhos, Conceição em pé, encostada na porta, e Adalgiza debruçada na janela. Todos prestavam atenção à conversa dos homens.

Após tomar uma limonada, Evaristo perguntou:

— E então, seu Jerônimo, o que me diz? Tomou a decisão de ir com a gente conhecer as terras no Mato Grosso?

— Fale uma coisa, Evaristo — questionou Jerônimo, franzindo a testa. — Quando é que vocês estão pensando em ir?

— Está programado para, passando esta segunda-feira, a outra.

— Fale de novo: como é mesmo que a gente chega nas terras?

— Vocês três saem lá de Adamantina bem de madrugada, de carro. Passam em minha casa em Presidente Prudente, adiante atravessamos o rio Paraná, subimos até Campo Grande e seguimos a Cuiabá. Lá alugamos um avião e então chegaremos nas terras.

— Rapaz, avião é? Nunca andei nisso não, acho que não gosto.

Os rapazes trocaram leves sorrisos, Adalgiza arregalou os olhos e dona Conceição abanou a cabeça negativamente.

— Tenha medo não, pai — incentivou Gregório. — Dizem que é rápido ir de avião.

— Rápido, mas cai — advertiu Conceição.

— Que nada, lá em Cuiabá é direto avião subindo e descendo — tranquilizou Evaristo, cheio de segurança. — E olha, dona — continuou o corretor —, a senhora pode ficar morando em Cuiabá, uma bela e grande cidade.

— Sei não isso de morar em cidade grande, nem em pequena acho que não gosto.

— Bem, Evaristo — retomou Jerônimo —, sem compromisso eu vou para conhecer essas terras. Só pra eu saber, as despesas de viagem é por conta de cada um, ou como é que é?

— Gasolina, hotel e avião a gente divide entre os quatro. Comer, beber e outras despesas é por conta de cada um.

— Tá bom assim, eu vou. No outro domingo chego à noite em Adamantina.

— Tá combinado, a gente se encontra lá no Bar da Pedra e você vai dormir na minha casa — propôs Eufrásio.

Estando feita a combinação, os visitantes se foram, e Jerônimo ficou ali na varanda, pensativo. Depois de ver o carro desaparecer na estrada, ficou a contemplar o gado pastando tranquilo na colina distante.

Viagem a Mato Grosso

Na madrugada de segunda-feira, os três homens entraram no carro e, antes de o galo cantar pela primeira vez, já estavam na estrada. Passaram por Presidente Prudente, onde encontraram Evaristo, e seguiram viagem. Quando o sol despontou no horizonte, atravessavam de balsa o rio Paraná. Durante o dia, percorreram o cerrado rumo ao Norte, parando para dormir antes de chegar a Campo Grande. Na manhã seguinte, a viagem continuou no mesmo ritmo pelo cerradão. Admiravam aquela vegetação muito diferente da que conheciam. Depois de muitos quilômetros, já cansados, pararam na beira da estrada; queriam esticar as pernas. Jerônimo, percorrendo com os olhos o vasto horizonte em planuras tão distantes, admirou-se:

— Impressionante esta imensidão, aqui é que se vê o tamanho do mundo.

— Sim — completou Evaristo —, olha o comprimento da estrada, some no horizonte, é bela e estarrecedora esta vastidão, esse descampado parece mesmo um mundo sem fim.

O dia luminoso e áspero, soprando vento quente, o céu deserto de nuvens, aquele clima muito diferente, tudo aquilo causava estranheza nos três que não conheciam a região. Antes de entrarem no carro de novo, viram não longe um tamanduá, e mais adiante duas emas atravessavam a estrada.

Após o pequeno descanso, continuaram, e no final do dia se hospedaram num hotel à beira da estrada. Saíram bem cedo rumo a Cuiabá, onde chegaram à tarde, e se instalaram num hotel do centro, às margens do rio que dá nome à cidade.

Na manhã seguinte, conforme o combinado, chegaram ao aeroporto. Evaristo tinha reservado o voo por telefone e o piloto Jaci explicou que havia um problema no avião, mas que os mecânicos estavam fazendo os reparos e partiriam à tarde.

— Mas é tranquilo — assegurou Jaci — e o dia hoje está ótimo para voar.

Aquela palavra, "voar", passou uma impressão desagradável a Jerônimo, que sorriu por dentro, imaginando-se um pássaro. A ideia voou rápido para longe.

— Eu prefiro sempre ir na parte da manhã — observou Evaristo —, à tarde esquenta mais e pode ser maior o volume de nuvens.

Ouvindo essas palavras, Jerônimo tirou o chapéu e coçou a cabeça, fixando o olhar no piloto. Saíram dali e aproveitaram o tempo livre para dar um giro por Cuiabá, com Evaristo servindo de guia, pois conhecia a cidade. Após um passeio pela beira do rio, ele levou os companheiros a um restaurante. Dorval e Eufrásio, na caminhada, reclamavam do calor sufocante.

Após o almoço e o demorado café num bar do aeroporto, chegou o momento de partir, e finalmente embarcaram no pequeno avião. O veículo correu pela pista alçando voo, e Jerônimo experimentou seus primeiros momentos saindo do chão. Sentia-se flutuando. Fechou os olhos e a primeira sensação foi de arrependimento. Uma experiência inicialmente desagradável; queria segurar-se em algo, mas não conseguia apoio para se firmar. Era uma coisa muito diferente de tudo que já passara na vida. Um verdadeiro desconforto, mas logo percebeu que nada dependia dele, então procurou relaxar e observar o mundo lá embaixo ficando mais distante. A cidade ia se afastando e dali a pouco um manto verde forrou a terra: era a grande floresta.

"*É assombroso, onde foi que me meti?!*", pensou Jerônimo, com certo desalento por ter saído da tranquilidade e da segurança de sua fazenda e estar ali à mercê de um piloto manobrando aquele estranho aparelho. Um homem desconhecido tinha nas mãos a vida dele, que sempre achara ser dono de seu nariz e, agora, estava ali, sem controle nenhum.

Procurou não pensar mais e só olhar a mata lá embaixo e o céu cada vez mais perto, mas não conseguia dominar o pensamento. *"Tão perto do céu que só me resta me abraçar com Deus e não largar até descer desta merda."*

O pequeno avião avançou na tarde calma, no céu de nuvens brancas e serenas, trazendo tranquilidade aos homens após Jaci explicar os detalhes e começarem conversas mais amenas.

— É muito bonito esse mato todo — comentou o piloto com Evaristo, que ia sentado ao seu lado —, eu nunca enjoo de olhar.

No assento de trás, Eufrásio resmungou:

— Eu já tô enjoando.

A viagem seguia. Jerônimo, Eufrásio e Dorval, calados, observavam tudo lá embaixo. A floresta, os rios, algumas pastagens e raras sedes de fazendas.

— É — comentou Evaristo com o piloto —, daqui a alguns anos tudo isso aqui será lavoura e pastagem.

Quando os homens se calavam, só se ouvia o ruído do motor como um zumbido. No assento de trás havia certa tensão, mas não demorava e alguém puxava algum assunto. Depois de um tempo que pareceu a eternidade, Jerônimo perguntou:

— Falta muito pra chegar nas terras?

— Não falta, não — respondeu Evaristo. — Logo veremos o rio junto à gleba.

Tirando o mapa da maleta, mostrou para os de trás, dizendo:

— Estamos quase lá, vocês vão ver a maravilha de lugar, pura terra boa, matão colosso de grande, terra preta, muitas árvores altas, madeira de lei, no ponto de corte.

Os que iam atrás se entreolharam, esboçando leves sorrisos. Eufrásio ironizou:

— Papinho de vendedor.

Depois de mais um tempo, o avião foi diminuindo de altitude, avizinhando-se do local a ser visitado. Não demorou e o piloto disse:

— Olhem lá na frente o rio Sereno, estamos chegando.

— As terras são ali, depois do rio — disse Evaristo. — Jaci, vá mais pela direita pra gente dar a volta em toda a extensão que está à venda.

***

A pequena aeronave voou lentamente para um lado, foi longe sobre a mata, fez a curva, voltou pelo outro lado. E o Evaristo explicando as divisas, todas as qualidades da mata, da terra, o tamanho das árvores, falando das aguadas, enfim, colosso de terra, onde se poderia criar as quantidades de gado e plantações, aquilo era um montão de dinheiro. Uma beleza, o paraíso na Terra. O avião fez outro grande giro para alcançar os mais de quatro mil alqueires a serem mostrados aos três interessados. Cortou pelo meio, foi e voltou várias vezes, e o corretor explicando onde era a primeira gleba e onde ficavam as outras. O piloto fez voos rasantes sobre cada uma das três áreas onde foi feita a derrubada e plantado capim. Mostrou ainda a fazenda vizinha, na margem esquerda do rio, a Limoeiro, cujo proprietário era de Presidente Prudente.

— Vocês gostaram? Tá vista, Jerônimo? O que achou, Dorval? Não é que não é tão longe, Eufrásio? Vocês viram, em cada uma das três glebas já tem uma parte com capim plantado.

— Olha — respondeu Jerônimo —, visto aqui de cima, tá, mas preciso me animar em vir conhecer por baixo.

— Sim, precisamos marcar pra vir de carro — concordou Eufrásio.

— Agora, que é longe, ninguém pode negar — observou Dorval.

— Ah, não muda nada — retrucou Evaristo. — De avião se vê muito mais. De carro você não chega na fazenda, fica longe, em seguida tem que pegar um barco e subir o rio, só aí vai chegar nas terras. Descendo da embarcação não tem pra onde ir, porque não tem caminho nenhum, é como andar no escuro. É preciso comprar a terra e vir com gente pra chegar chegando, prevenido, fazendo picada, armar acampamento e começar a derrubar. Trabalho duro, mas vale a pena, pois o alqueire está muito barato. Chegar forte, derrubando árvores e vendendo madeira, muita madeira.

O piloto deu ainda mais umas três grandes voltas, depois foi se afastando.

No retorno a Cuiabá, o piloto percebeu o tempo mudando rápido. A tarde se tornara abafada e o céu se enchendo de nuvens o deixou preocupado. Depois de algum tempo, percebeu em sua rota um aumento de nuvens pesadas, escuras. Aproximando-se, viu que eram cinza-chumbo, e o vento empurrou o pensamento dele para contornar a enorme nuvem, já quase preta e crescendo, tudo muito rápido. Quanto mais contornava, mais se afastava da rota e mais a nuvem aumentava, quase voltando no rumo das terras visitadas; tentou achar uma brecha pelo outro lado, mas a tempestade, agora formada, cercou também por aquela banda, com mais nuvens gordas, inchadas, o vento crescendo, e a pequena aeronave principiou a corcovear.

Os homens estavam calados. Dorval rezava baixinho, de olhos fechados. Jerônimo, olhando o amigo bem amarelo, balbuciou:

— Agora não adianta mais rezar, a gente devia ter rezado pra não vir. Puta que pariu, onde fui me meter?!

Gotas de suor brotavam em sua testa. Olhou o vizinho e murmurou:

— Fale alguma coisa, Eufrásio.

— Só sei que meu coração está pulando — respondeu.

— Segure aí e fique quieto, cacete! — reclamou Dorval.

— Segurar onde, porra? — respondeu Eufrásio, ríspido. — Só se for no pescoço desse Evaristo que pôs a gente nesta fria.

— Fiquem tranquilos, já, já, passa — tentou animar Evaristo, com um sorriso falso.

— Passa uma pinoia, não passa nem agulha, isso sim — resmungou Eufrásio. — Acho que vou vomitar.

— Vira essa boca pra lá — disparou rispidamente Jerônimo, com o queixo trêmulo.

— Peguem os saquinhos — lembrou Evaristo, esticando a mão e entregando uma sacolinha para cada um dos de trás. Seguraram aquilo nas mãos, entreolharam-se e não souberam bem o que fazer, pálidos de pavor.

O avião empinava, subia e descia, num corcoveio sem fim. O piloto, firme no manche, lutava tentando controlar a máquina, mas sentia naquele sobe e desce um pequeno tempo enorme. O aparelho estava à mercê da fúria dos ventos, descendo e subindo em vácuos infinitos. Verdadeiro pesadelo acordado para quem tem sua primeira experiência em voo. Quando bateu a chuva pesada, o barulho foi aterrorizante, e aí é que não se via mais nada além dos raios. Os homens da frente estavam calados, e os de trás não sabiam como iniciar uma reza; achavam que já estavam chegando ao céu. Finalmente a tempestade foi amainando e a aeronave se estabilizando, o pior havia passado. Jaci procurava se orientar, tentando retomar o rumo, mas sentiu ter saído muito da rota. Murmurou para Evaristo que haviam se distanciado e por isso estava preocupado com o combustível. Os do assento de trás, pálidos e ligadíssimos na conversa dos dois, entenderam, e Jerônimo questionou asperamente:

— Que negócio é esse de faltar combustível? Tá louco? Colocar nós aqui em cima sem combustível?

— Crendiospai, tô tonto, já me sentindo morto — resmungou Dorval.

— Calma, gente, vou dar um jeito nisso, o problema foi voarmos muito sobre a fazenda. Não pensei que fosse fazer todas aquelas peripécias em volta das nuvens, aquilo forçou o avião e talvez o combustível não chegue a Cuiabá. Vai faltar pouco, mas não sei, não. Será preciso descer em algum campo de pouso aí na frente.

— Mas você não abasteceu total pra viagem? — perguntou Jerônimo, irritado.

— Não pensei que teria tempestade.

— Mas devia ter pensado, porra! Agora vamos cair aí nesse matão do cacete? É isso?

— Ara, esqueci, não pensei, sei lá! Só sei que preciso fazer igual das outras vezes, olhar lá embaixo e ver se enxergo um campo. E vocês, em vez de ficarem enchendo o meu saco, tratem de procurar também, porque se der merda vai ser pra todos. E pelo jeito aquela tempestade deixou a gente bem fora da rota.

— Fico aqui pensando — ironizou Jerônimo — como é que nessa idade eu fui me meter nessa arapuca com um piloto maluco desses que diz na maior cara de pau que vai fazer como das outras vezes. Não acredito!

— E me colocou nessa arapuca também! — exclamou Dorval. — Olhe lá embaixo, mato puro, vamos acabar engarranchados nas árvores.

— Nas árvores? Vamos acabar enganchados é no céu. O piloto não sei, não, ele não merece.

— Não brinca, Eufrásio, vira essa boca pra lá — vociferou Jerônimo, batendo três vezes no salto da bota.

— Se a gente cair, é capaz de assustar um monte de índios — debochou Dorval.

— Assustar índios? — rebateu Eufrásio. — Eles vão é ficar putos e mandar uma tempestade de flechas pro nosso lado.

— Se tiver sobrado algum vivo — ciciou Dorval, desolado.

— Bingo! — gritou animado o piloto. — Estou vendo uma pista no meio da mata, lá na frente.

Os de trás esticaram o pescoço para olhar e não viram nada além de mato. Evaristo, na frente, seguia quieto, com os olhos arregalados procurando o tal campo.

— Se segurem, vou aproximar e descer.

— Se segurem? Coisa mais besta de falar — resmungou Jerônimo —, só se for me segurar numa reza.

— Nem dá mais tempo de rezar, quero nem ver — falou Eufrásio, desanimado, mas com os olhos esbugalhados. — Me acorde depois, bom mesmo seria dormir.

— Acho que vou é desmaiar — balbuciou Dorval.

Lá embaixo o mato estava cada vez mais próximo, e todos ficaram calados. Um deles, com os dedos cruzados, mexia os lábios, certamente numa reza. Era grande o silêncio, só Jaci parecia falar consigo mesmo. O avião ia descendo rápido quando o piloto soltou um grito de espanto e, de olhos vidrados, arremeteu a aeronave, exclamando alto:

— Puta que pariu, tem buracos na pista! Devia ser usada por contrabandistas e foi explodida.

Nessa arremetida, todos os corações dispararam e os rostos ficaram pálidos como cera. Continuaram a voar, até que o piloto exclamou:

— Pior que logo vai escurecer!

— Mais essa, e o que vai acontecer se formos passar a noite aqui neste mato? — perguntou Eufrásio.

— Se a gente conseguir descer e ficar vivo, é só torcer pra não ter índio, onça, cobra, aí é só esperar amanhecer — disse Jerônimo, olhando lá embaixo o mato verde e sem graça.

— Fiquem tranquilos — animou o piloto —, ali na frente tem outro campo. Agora estou me lembrando, é de uma fazenda, deve ter combustível. Vou descer, espero não ter animais na pista.

— Era o que faltava, animais na pista! — lamentou Jerônimo, meneando a cabeça.

Depois de mais alguns minutos, o piloto sorriu e alertou, apontando com o dedo:

— Já estou vendo a pista, vou imbicar para pousar, segurem-se firme.

Na sequência, a pequena aeronave foi descendo e, quando estava quase encostando nas árvores, nova aflição tomou conta dos passageiros. Um rezava em silêncio, outro trancou os olhos, Jerônimo se persignou, Dorval murmurava alguma coisa em desespero. Então apareceu campo aberto, e o avião encostou no solo, percorrendo aos solavancos toda a extensão e se aproximando das instalações de uma fazenda.

Os homens, todos quietos, uns de olhos arregalados, outros de olhos fechados, estavam pálidos e molhados de suor. Depois de algum tempo Jaci quebrou o silêncio e bradou:

— Não falei que seria tranquilo?!

— Tranquilo?! — desabafou Evaristo. — Tranquilo agora no chão, quero nem lembrar isso de subir de novo. Vou tomar um ônibus.

— Então vai ficar morando aqui — retrucou Jerônimo.

— Não seja pessimista! — disse Jaci, entusiasmado, procurando animar os outros.

— Nós estamos é perdidos nos cafundós do mundo — replicou Jerônimo, desanimado.

— Cafundó é perto, estamos é no cu do mundo — vociferou Eufrásio, olhando o mato em volta através do vidro.

Dorval respirava fundo e, de olhos fechados, ficou um tempo alheio. Os outros o chamavam, mas ele ouvia apenas as batidas de seu coração, pensando: "*Parece tambor*". Lembrou-se, então, de quando era criança e batia tambor no quintal. Suas rápidas lembranças o levaram à mãe, e sentiu que tinha estado próximo da morte. Arrepiou-se e tentou descer do avião. As pernas estavam bambas, mas depois que conseguiu descer, aprumou-se.

— E agora, Jaci? — perguntou Jerônimo, meio desolado.

— Fica frio, vai dar tudo certo — respondeu o piloto, já fora do avião, olhando para o lado na direção da sede da fazenda. Os outros também desceram, e não demorou para que os moradores aparecessem e se aproximassem da aeronave.

— Boa tarde, pessoal — adiantou-se o piloto. — Fomos forçados a descer aqui na fazenda, pegamos uma tempestade lá atrás e faltou combustível. Se não fosse esse campo de vocês, não sei o que seria.

— Boa tarde — respondeu um homem alto, chegando acompanhado de vários outros. Trajava botas e chapéu. — De vez em quando acontece isso. Eu sou Adolfo, o capataz da fazenda, vocês estão indo pra onde?

— Cuiabá — disse o piloto. — Nossa demora é pouca, se vocês puderem arrumar combustível que dê pra chegar lá.

— Aqui nós não temos, só mesmo buscando na fazenda Beiradão. Lá deve ter, o patrão, dia desses, numa precisão, mandou a gente buscar lá e até já devolvemos.

— É longe essa fazenda? — perguntou Jerônimo. — Tem algum veículo em que se possa ir?

— Tem carreador que dá pra passar. Posso mandar o trator, mas não é perto, não. Dá pra ir hoje ainda, mas só retornarão à noite, o remédio é vocês dormirem aqui e irem embora amanhã.

— Que situação! — resmungou Dorval para os companheiros, procurando se afastar do piloto, que conversava com o capataz. — Dormir aqui, como?

— É mesmo, Dorval, sem pijama, escova de dente, sem nada! — reclamou Eufrásio.

— Que mané pijama, escova de dente, escovar o quê? Não vamos nem comer — rebateu Jerônimo.

— Devemos dar graças a Deus de estarmos vivos — lembrou Evaristo, animado —, e pra dormir é só baixar a capa dos olhos.

— Graças a Deus? — discordou Dorval — Deus devia era iluminar a cabeça desse piloto na hora de abastecer.

— É, ou a nossa na hora de pensar em vir — completou Eufrásio.

— Gente, já acertei com o senhor Adolfo — falou Jaci, sorrindo. — O tratorista da fazenda vai levar o Evaristo e eu, vamos buscar o combustível. O capataz vai orientar vocês, mostrando onde poderão descansar e depois dormir. Disse que não tem problema, pois no galpão há espaço de rede para todos, e não vai faltar comida, pois mataram um garrote ontem, disse ter fartura de mandioca, arroz e feijão.

O capataz, aproximando-se, acrescentou:

— Não se preocupem, pois comida aqui não é problema. Além disso que o piloto falou, vai ter peixe, daqui a pouco mando os meninos irem pegar ali no rio. Pra nós é uma alegria receber visitas neste oco de mundo. Só mesmo quando chega um avião extraviado, ou quando vem o patrão. No mais, só ficamos nós da fazenda. São poucas famílias, a maioria é a peãozada que vem para as derrubadas e o plantio de capim, índio é muito difícil aparecer.

— Ficamos muito contentes com sua recepção — disse Jerônimo —, esperamos não dar muito trabalho.

— Trabalho nenhum, é uma alegria, já falei, e é costume nosso aqui na região todos se ajudarem quando a necessidade aparece; mas vamos chegar pro rancho, descansar do susto, e aí vocês me contam como é que foi atravessar a tempestade.

Todos seguiram o encarregado e entraram no barracão. Evaristo e o piloto, após tomarem água, foram-se com o tratorista em busca de possível combustível.

O barracão era grande e espaçoso, lá se guardavam ferramentas, equipamentos, sacarias, e havia um amplo espaço servindo de garagem. Seria montada uma mesa de tábuas sobre cavaletes e, depois do jantar, as redes.

Adolfo era homem alto, sério, de jeito calmo e fala mansa, mas de olhos ligeiros para acompanhar todos os movimentos à sua volta. Era vivido na lida das fazendas que iam se abrindo na frente pioneira. Conhecedor e participante de muitas histórias, também era bom de prosa.

— Agora que vocês já tomaram água e relaxaram um pouco, aceitam uma branquinha pura, dessas feitas em alambique nas bandas do rio Cuiabá? É boa pra curar susto.

— O senhor falando assim, quem é que vai rejeitar? — assentiu Dorval, sorrindo de leve.

A conversa foi se arrastando e os homens acenderam o fogo ao lado da mesa onde estavam os espetos de carne, que, colocados em seguida a assar, deixavam cair gotas de gordura, dando um cheiro agradável ao ambiente.

— Essa carninha é só um tira-gosto — adiantou Adolfo. — O jantar vem mais tarde. Os meninos foram pegar uns pacus pra gente assar. O melhor aqui pra mexer nisso de assar boi e peixe é o Bituca, rapaz novo, mas já curtido em comitivas, tanto assa bem como faz um arroz tropeiro muito apreciado por todos.

A conversa foi boa e animada, com o senhor Adolfo contando passagens acontecidas na fazenda e tantas outras histórias sobre a vida naquelas bandas. Jerônimo analisava a situação e pensava: "*Isso tudo parece irreal, fora do combinado; o susto no avião, estar ali bem recebido e aquele delicioso aperitivo, saboreando boa cachaça, carne assada e mandioca. Pessoal simpático e hospitaleiro, este é nosso país, nosso povo. O que estou estranhando são esses mosquitos da boca da noite*".

Já estava escuro quando um dos rapazes alertou:

— Escutem o barulho do trator, estão chegando.

Não demorou e o piloto Jaci entrou sorrindo no galpão, dizendo que conseguira o combustível. Evaristo aparentava estar cansado e com fome.

— A gente estava esperando vocês chegarem pra jantar de verdade — falou Adolfo, contente —, pois até agora foi só aperitivo.

Serviram arroz, feijão, carne assada e peixe preparado na brasa. Enquanto comiam, as histórias foram se desenrolando, algumas sérias, outras divertidas. Depois de um tempo, o Bira, rapaz simpático e extrovertido, dedilhou o violão e pôs-se a cantar guarânias, alegrando mais ainda o ambiente.

Todos se fartaram, o pessoal da fazenda se retirou e os visitantes se espicharam nas redes. O silêncio no galpão só era quebrado pelo ressonar de alguns e pelo sono barulhento dos que roncavam. Dorval parecia um tigre e se acordava de vez em quando pelo trepidar de sua rede.

Horas depois, Jerônimo se levantou para se aliviar e deu uns passos cautelosos em meio à escuridão. Tateou o chão com os pés e sentiu o macio das folhas secas já fora do galpão. Era admirável o tamanho do silêncio que envolvia o lugar. Apurou os ouvidos e percebeu os sons do rio correndo lá no escuro entre as árvores. Levantou os olhos, maravilhando-se diante da quantidade de estrelas. Um pio triste e longo veio do fundo da mata do outro lado do rio. Voltou à rede.

Todos dormiam, e lá fora se ouviam alguns poucos ruídos noturnos em volta da sede da fazenda. Ora o grito do curiango, ora o pio de uma coruja e, distante, o grito do urutau. Da floresta vinham barulhos indistinguíveis para Dorval, que acordava de vez em quando, estranhando a rede. No meio da madrugada, ele e Evaristo acordaram assustados com o barulho de cachorros latindo e correndo entre o barracão, o curral e a mata próxima. Comentaram baixo sobre o que poderia ser, mas não chegaram a conclusão nenhuma e dormiram novamente. Pouco depois, Evaristo deu um grito e sentou-se na rede. Ficou perdido ali no escuro, tentando se localizar. Pôs-se em pé e acendeu o isqueiro.

— Que foi? — indagou Jerônimo.

— Nada não, só tive um sonho feio, acordei e senti sede.

Servindo-se da pequena luz do isqueiro, foi até o canto onde a jarra d'água estava sobre um toco, bebeu uma caneca e repetiu antes de voltar à rede.

O chilrear dos pássaros trouxe a manhã e o gostoso aroma da mata se iluminando no novo dia. A fazenda se movimentava com o pessoal saindo para o trabalho. Jerônimo foi o primeiro a acordar e a deixar o barracão, sentindo a luz suave da manhã ainda fresca.

Adolfo apareceu, procurando saber como as visitas haviam passado a noite. Em seguida, Bituca e Zezinho trouxeram café, leite, pão caseiro, tapioca e queijo feito por dona Margarida, a esposa do capataz.

Avião abastecido, todos se despediram, agradecendo pela acolhida.

— Sr. Adolfo — falou Jerônimo, colocando a mão no ombro do capataz —, foi muito bom ter acabado o nosso combustível. Assim conhecemos o senhor, sua família, seu pessoal e este lugar tão agradável. Mais importante, fazia muito tempo que eu não comia tanto e tão bem. Nunca vou esquecer de vocês, Deus lhes pague.

— O prazer foi nosso de ter conhecido vocês. Quem sabe compram as terras que foram ver e um dia a gente se encontra novamente.

— Vamos pôr nossos destinos nas mãos de Deus.

Todos foram se despedindo, e por fim Jaci agradeceu, dizendo:

— Seu Adolfo, qualquer dia desses, quando tiver uma folga e estiver passando por perto, apareço para abraçar vocês e pescar nesse rio bonito.

— Vai ser um prazer ver você de novo, rapaz. Admiro muito o seu trabalho e a sua coragem, venha sim.

O ronco do avião foi diminuindo na distância sobre a floresta, e ali no chão da fazenda Adolfo e Margarida, de pé na varanda, sentiram o gostinho de nostalgia chegando e se misturando na solidão que os envolveu. Ficaram quietos vendo o avião sumindo, e Adolfo disse:

— Gente desconhecida, mas parecem boas pessoas. Chegaram de repente e logo se foram, mas até parece que são velhos conhecidos. Tem horas que a gente se sente muito só, e aí batem uns tipos de lonjura, umas saudades, e, quando vem gente, desperta uma animação diferente. Eles se foram e a luta continua no nosso dia a dia, vamos em frente.

— É mesmo, igual a um sonho — ponderou Margarida. — Tudo muito rápido, e agora parece que a gente acordou e continuamos nossa vida do jeito de sempre.

Margarida então chamou as crianças para estudar a lição que tinha passado no dia anterior. Adolfo foi ao curral encilhar o cavalo.

***

Após a tensão durante o embalo da aeronave alçando voo no pequeno campo, quase tocando na copa das árvores, os homens respiraram aliviados. Com o dia claro, a viagem foi tranquila, e não demorou até pousarem em Cuiabá. Caminhando na pista em direção ao saguão do aeroporto, os viajantes falavam sobre o retorno para casa, ainda tão longe.

— Temos que buscar as bagagens e pegar o estradão — comentou Dorval.

— Mas tá cedo ainda, e temos direito de ficar no hotel até o meio-dia, então vamos aproveitar e tomar banho — sugeriu Evaristo.

— Concordo — exclamou Eufrásio —, estamos com a inhaca de ontem e ainda dormindo naquelas redes sem lençol. Dormi muito mal, eu queria mesmo era pegar uma cama macia. A valença foi tomar aquela cachaça, boa pra dar sono.

— E eu — emendou Evaristo —, dormi mal e me mexi a noite inteira naquela rede, tive uma sede danada e ainda sonhei que o avião estava caindo.

— Ah, tá explicado aquele seu baita grito! — exclamou Dorval.

— Não contei antes pra não assustar ainda mais vocês na hora de enfrentar o avião.

— Fez bem — disse Eufrásio —, eu estava me cagando com os olhos fechados na hora de subir hoje, nunca rezei tanto e tão depressa quanto quando o avião embalou naquele capim do campo. Achei que ia bater nas árvores, que não ia conseguir levantar. Pra falar a verdade, rezei quase voando, devo ter pulado uns pedaços. Nem sei se valeu, depois em casa vou organizar e fazer de novo aquela oração pra prevenir o futuro; vai que preciso voltar a voar.

— Acho bom você organizar essa reza já e completar o que faltou, pois estamos muito longe de casa — concluiu Dorval.

— Eufrásio — indagou Evaristo —, quando você vai pra Aparecida do Norte?

— Ué, não tenho viagem pra lá, não.

— Como não? Escutei você fazendo promessa na hora da tempestade.

— Ah, lembrei! Eu ia lhe falar quando a gente chegasse em casa. Na hora do sufoco fiz uma promessa de que, se o avião não caísse, você faria uma peregrinação a Aparecida do Norte em agradecimento.

— Tá louco, mané? Fazer promessa pra outro pagar?

— Você é quem sabe. Eu não venho mais mesmo pra voar por aí. Quem vai trazer comprador é você. Se não pagar a promessa, pode não ter a mesma sorte da próxima vez.

— Discordo! Jerônimo, você acha que o Eufrásio tá certo?

— Evaristo, o cliente sempre tem razão!

— Onde fui amarrar minha égua?!

— Sabe, Evaristo — propôs Jerônimo —, antes de pegar a estrada a gente podia ir a uma imobiliária especular sobre preços de casas, só pra ter uma noção, saber dos bairros.

— Também acho — concordou Eufrásio. — Não que eu queira mudar pra cá, mas é bom ter uma ideia, já tamos aqui mesmo.

Evaristo concordou e, após o almoço, foram a uma imobiliária, onde pegaram mapas da cidade e tiveram as primeiras noções sobre bairros da capital. Evaristo tinha alguns conhecimentos e ajudou os companheiros a entender melhor, deixando claro que, se algum deles quisesse adquirir ou alugar casa na região, estaria disposto a voltar para ajudar na pesquisa.

No percurso de volta, o assunto era a vastidão do cerrado, a efervescência de gente chegando naquelas terras de nova fronteira. Falavam também do início da construção de Brasília e que a mudança da capital federal iria favorecer o interior do país.

— Olha — dizia Evaristo, entusiasmado —, isso aqui vai explodir de cultivo. As terras no cerrado eram bem baratas pouco tempo atrás, e agora o preço está ficando salgado, bom mesmo está lá aonde vocês foram. O dinheiro da venda de um sítio pequeno em São Paulo dá pra comprar um fazendão naquelas matas, e olhe, escrituras garantidas, negócio bom mesmo, tudo passado em cartório, limpo.

— O que você está pensando, Eufrásio? — perguntou Jerônimo.

— Fiquei animado com a viagem, fora o avião, mas preciso analisar os prós e os contras.

— A gente deve se desapegar — argumentou Dorval —, a família não gosta muito por causa da distância. Eu quero comprar, sim, mas vou continuar tocando negócios no interior de São Paulo mesmo, por enquanto, mais pra frente venho pra cá, devagar. Agora os filhos estão pequenos, na escola, é meio complicado. E você, Jerônimo, o que está achando?

— Pra mim é tudo ou nada, preciso pensar bem, pois se for pra comprar, devo vender a fazendinha onde moro, aí viremos todos. Isso assusta minha esposa, ela está preocupada. Os filhos estão criados, só tem um pequeno na escola, os outros trabalham comigo, mas é serviço duro a ordenha. Às vezes tenho dó dos filhos numa luta dessas, e se fosse possível só recriar e engordar, seria mais leve. Fico aqui matutando se vendo tudo, terra, a boiada de corte e o gado leiteiro, o que possibilitaria adquirir uma grande quantidade de terras, uma boa casa em Cuiabá, e ainda sobraria dinheiro para investir na abertura da fazenda.

— Além disso, tem ótimas linhas de crédito que facilitam esse início — reforçou Evaristo. — O governo está incentivando muito a ocupação dessas áreas. Fora a madeira a ser extraída e valorizada com o mercado esquentando por causa da construção da capital.

E assim, trocando ideias e sonhos, comentando a paisagem do cerrado, os animais, as vilas, as cidades e os rios por onde passavam, percorreram sem percalços o demorado caminho de volta, pernoitando antes de Campo Grande e, depois, antes do rio Paraná.

A volta de Cuiabá

No final da tarde da segunda-feira, Jerônimo chegou de volta na fazenda Paraíso. No alpendre, sentados nas redes, os filhos chupavam cana e conversavam sobre a viagem do pai. Dona Conceição e Adalgiza, sentadas nos bancos e encostadas na parede, comiam pipoca e piruá, participando da conversa. A moça mostrava certa curiosidade pelo desconhecido, mas a mãe demonstrava preocupação por aquelas terras tão distantes. Archimedes, de folga da escola, lia um livro no quarto. De vez em quando ia até a varanda e pedia um pedaço de cana ao irmão.

— Mãe, lá vem o pai, está passando a porteira! — alertou Olegário.

A camioneta estacionou na frente da casa e o homem desceu sorridente.

— Olá, pessoal! Demorou, mas cheguei.

Após os cumprimentos, deu-se inquietante silêncio. Jerônimo pediu água e Adalgiza foi ligeira buscar. Archimedes veio e abraçou o pai, que disse:

— Eita, moleque, parece estar crescido, estão tratando bem de você lá na cidade?

O menino sorriu, confirmando com a cabeça, e se afastou para sentar-se na rede junto a Gregório.

Jerônimo voltou à camioneta, tirou a mala, pediu a Olegário que buscasse ainda alguns pacotes e, subindo à varanda, começou a abri-los. Todos estavam curiosos. Desembrulhou várias peças de artesanato indígena. Entregou alguns presentes ao caçula, à mulher e à filha. Desempacotou duas bonitas garrafas muito transparentes, com um líquido também incolor, o licor de pequi, tendo no interior galhinhos cristalizados. Aquilo deixou todos maravilhados pela beleza dos pequeninos grãos brilhantes grudados no fino galho ramificado, que ficava mais bonito quando era colocado contra a luz do sol. Logo uma garrafa foi aberta e todos experimentaram; até o menino Archimedes molhou os lábios e gostou do sabor adocicado, levemente picante, daquele líquido de aroma delicioso.

— Não é pra acostumar — advertiu o pai, meio sério, meio sorrindo.

— E aí, pai, cansado da viagem ou vai contar pra nós como foi? — questionou Gregório.

— É — reiterou Conceição —, queremos saber tudo.

Jerônimo sentou-se no banco e se encostou na parede, tirou o chapéu de feltro, mantendo-o nas mãos, e olhou tudo em volta. Parou os olhos no pasto lá longe, onde o gado pastava, e disse, sem fixar ninguém:

— O mundo é maior do que a gente imagina, vocês não têm noção do tamanho. É só sair de casa e ir vendo a imensidão de tudo, o comprimento das estradas, a largura dos rios, o tamanho das cidades e a coragem dos homens de entrar em pequenos aviões e enfrentar as tempestades. Olha, são tantas coisas vistas nesses poucos dias que nem sei por onde começar a contar.

— Pelo que o senhor trouxe, dá pra sentir as bonitezas dos lugares por onde andou — comentou Adalgiza.

— Vi muitas coisas interessantes, bonitas, horizontes sem fim, pessoas boas, mas senti muito medo também. Mas tudo isso vou contar devagar, não quero deixar nada pra trás.

— Pai, e as terras, gostou? — inquiriu Olegário.

— Vou falar tudo, mas antes vou tomar um banho e depois conto enquanto a gente janta. Olha, não falta é comida boa por aí, mas igual à da casa da gente não tem, porque ela vem acompanhada de sossego.

Após o banho e o descanso de alguns minutos na cama, olhando o teto, Jerônimo voltou à varanda e começou a narrar a viagem. Não demorou e Conceição chamou para o jantar, o esposo continuou a discorrer sobre todas as novidades acontecidas naquela inesquecível semana. Quando a narrativa se esgotou, Gregório perguntou:

— Mas, pai, e as terras, o senhor se interessou?

— Olha, filho, não são só as terras, é tudo aquilo cheirando a progresso, animação, gente de toda parte correndo pra crescer, multiplicar. Senti uma coisa forte, entusiasmante. Enfim, voltei animado, mas fazendo contas, analisando, tentando ver os riscos e medindo o tamanho do trabalho pra fazer aquela mata virar uma fazenda produtiva. É preciso começar tudo: derrubar, plantar, fazer cercas, curral, casa, estrada. Até barco tem que ter. Mas é um desafio...

— Eu tenho muita preocupação — interrompeu Conceição —, mas também acho a vida de vocês no trabalho do leite muito dura. Isso de levantar às duas horas da manhã não tá no calendário de Deus, ele fez a noite pra gente dormir.

— Que isso, mãe? — rebateu Adalgiza. — Deus quando fez o mundo nem sabia desse serviço de tirar leite, e menos ainda do João Carreiro passando às sete horas da manhã.

— Verdade! — anuiu Olegário. — Onde o carreiro passa com o sol já alto é mais fácil aos retireiros.

— Estou pensando, analisando — retomou Jerônimo —, como eu estava dizendo, é um desafio estimulante. A proposta do corretor é de ficar com estas terras aqui e passar pra nós mil e quinhentos alqueires lá, setenta já com pasto formado, mas sem curral, nem cerca, só capim mesmo.

— E o senhor viu esse capim plantado? — indagou Olegário.

— Vi o capim de cima, do avião. Olhando lá do alto me impressionou o verde-escuro da vegetação, daquelas matas sem fim, uma coisa de encher os olhos.

— E pra chegar lá tem estrada?

— Pela explicação do Evaristo, tem uma estrada de terra, mas boa, que vai de Cuiabá até Rondônia. Saindo da capital de Mato Grosso, você roda por ela cerca de seiscentos quilômetros, então entra numa via secundária uns setenta quilômetros e chega ao rio Sereno, então margeia uns cinco quilômetros em carreador até a sede de uma fazenda. Ali, com um barco, sobe o rio uns quatro quilômetros e então está na propriedade que pode me interessar. Mas tem projeto do governo de abrir uma estrada do outro lado do rio, e vai dar pra chegar de carro até a tal propriedade.

— E quando fica pronta essa estrada?

— Ainda não dá pra saber, mas, segundo falam, não demora.

— Conversa de vendedor — ironizou Gregório.

— Não dá pra adivinhar o futuro, pelo sim, pelo não, às vezes a gente deve pagar pra ver, ou ficar quieto no canto e deixar a vida seguir seu rumo sem tentar uma melhora maior.

— É mais seguro ficar quieto no lugar — contemporizou Conceição —, ou será que vale a pena tentar uma vida melhor, com mais terras, para o futuro da família?

— São situações sem resposta certa, mas estamos tendo a chance de oferta que só num país grande como o nosso é possível. Quem quiser pode arriscar. Vamos pensar e daqui a alguns dias o Evaristo volta e vamos conversar.

— Mas de avião deu pra ter uma boa noção das terras? — perguntou Gregório.

— Parece ser terrenão colosso, aquilo tudo desmatado, com pasto e cheio de gado, é um verdadeiro tesouro.

— Pai, por falar em tesouro, estou acabando de ler um livro que fala disso, é *A ilha do tesouro*! — exclamou Archimedes, empolgado.

— Eita, moleque, só pensa em ler, você não pensa em trabalhar, não? — indagou asperamente Gregório.

— Deixe ele, nossa vida melhorou e ele está podendo estudar — ponderou Conceição. — Tomara que ele não precise levantar às duas horas da manhã pra tirar leite, igual a vocês.

— Vamos ver no que vão dar esses estudos, moleque, vê se não perde tempo — brincou Olegário, farfalhando o cabelo do irmão mais novo.

— Ah, esse aí não precisa nem mandar — observou Adalgiza —, só pensa em estudar, em ler, nem dá pra saber a quem puxou.

— É mesmo, só tem burro na família — disparou Gregório.

— Não fale assim — retrucou Jerônimo —, a maioria do povo não estuda por falta de oportunidade, pois, morando na roça, como vai estudar, se as escolas estão na cidade? Vocês três estudaram o que foi possível aqui porque tinha escola até o terceiro ano, mas a mãe de vocês e eu nunca fomos a escola nenhuma, sabemos ler e escrever por curiosidade e por orientação de algumas pessoas da convivência ao longo do tempo. Pelos mais velhos só precisava decorar a tabuada pra fazer as quatro operações e assinar o nome.

— Tá certo, quem puder estudar tem que aproveitar e estudar mesmo. Quem estuda Deus ajuda — defendeu Conceição, puxando o menino e beijando-o no rosto.

— Pronto, lá vem com Deus de novo — objetou Jerônimo.

— Pois é verdade mesmo, e o padre sempre repete isso e eu acredito. Você mesmo não disse que no avião estavam todos rezando de medo? Então é assim, quem não reza por querer reza sem querer, no sufoco.

No dia seguinte, após o almoço, Jerônimo dormiu na rede e sonhou com o avião. Acordou falando coisas desconexas, debatendo-se, parecendo angustiado. Conceição, que estava na sala, chegou rápido e encontrou o marido sentado, suado, de cara assustada. Ele exclamou:

— Que alívio, ainda bem que era sonho, tá louco, nunca mais entro num avião!

Uma semana depois, Evaristo apareceu. Conversaram longamente, mas Jerônimo, apesar de ter a proposta mais clara na cabeça, precisava ainda de uns dias para decidir. Queria avaliar o preço do gado e dos compradores, depois então iria até a cidade e faria contato telefônico com o corretor.

Dias depois, Jerônimo conversou com a família e explicou como as coisas poderiam ser:

— Damos nossa fazenda pelas terras lá do Mato Grosso e ainda sobra dinheiro. Vendemos todo o nosso gado, compramos uma casa em Cuiabá e uma boiada magra pra engorda, mas antes de os bois chegarem temos que construir na fazenda um barraco, a cerca e o curral. Depois disso vamos trabalhando e o gado vai engordando. Qual a opinião de vocês?

— Fico de coração apertado — ponderou Conceição —, repartida entre ir e não ir, às vezes já vai me dando vontade de chorar, mas em outros momentos acho que pode ser bom e sinto uma alegria vindo. Estou dividida comigo mesma. Nem sei o que pensar.

— E os estudos do Archimedes? — perguntou Olegário.

— Isso não é problema, é solução, pois lá é a capital do Estado, tem mais escolas, e melhores, comparando com as da nossa cidade, que ainda é pequena.

— Isso é verdade — concordou Adalgiza, de ar alegre no rosto.

— Vou sentir saudades de tirar leite — refletiu Gregório.

— Vai sentir saudade uma pinoia — rebateu Olegário —, o que vai é aprender a acordar tarde.

— Mas pai, a fazenda fica a mais de seiscentos quilômetros de Cuiabá, como vai ser, nós vamos ficar lá e a mãe na cidade?

— Não precisamos ficar todos sempre na fazenda. Vamos ter os homens trabalhando na derrubada e na plantação de capim. Nós vamos tomar conta do gado e administrar, ficando o tempo necessário e nos revezando entre lá e a cidade. No começo vamos improvisar um barraco, mais tarde pensamos em fazer uma moradia boa. Vamos pagar o preço do pioneirismo.

Algum tempo depois, o negócio foi fechado, e em seguida Jerônimo, Conceição e a filha foram a Cuiabá comprar a casa. Tinham três em vista, e com a opinião da esposa e da filha adquiriram uma boa residência no bairro Jardim Itália.

A despedida

Conceição acordou triste e continuou na arrumação da mudança. Depois do almoço, foi ao jardim, colheu várias flores, compondo um buquê, e saiu rumo à Encruzilhada, onde a família iria se despedir dos amigos. Levaram a geladeira para doar a Irene. Ao entregar as flores, as duas choraram. Adalgiza não chorou, mas seus grandes olhos acinzentados ficaram marejados. Estavam todas tristes pela partida. Uma separação até pouco tempo antes sequer imaginada, e agora a enorme distância dava um sentimento ruim, parecendo uma despedida definitiva. Procuraram conversar, buscando motivos que as fortalecessem, mas sem muita certeza.

— Irene — começou Conceição —, tenho fé de que ainda venho pra irmos juntas visitar Aparecida do Norte e orar por nossa santa.

— Se Deus quiser vamos fazer essa viagem.

— Nossa Senhora de Aparecida vai fazer acontecer isso.

— O padre Donizetti também! Comadre, que grande presente vocês estão nos dando, nem sei como agradecer.

— Lá aonde vamos tem energia elétrica e Jerônimo vai comprar outra geladeira, assim vocês ficam com esta. Ele gosta muito de seu marido e quis presentear vocês.

— Nós agradecemos demais, a geladeira está novinha, faz pouco tempo que vocês compraram. Só é ruim vocês irem embora.

Irene amargava outros motivos de tristeza, pois João tinha boa quantia de dinheiro a receber do laticínio, que enfrentava cada vez mais dificuldades para pagar. Estavam correndo boatos sobre a possível falência da empresa.

— Está tudo tão difícil, e agora ainda perder vocês indo pra tão longe, não me conformo!

— Nem me fale, Irene, a gente também não sabe se vai dar certo, mas devemos tocar a vida. Outro dia ouvi no rádio um homem dizendo que a ilusão move o mundo, isso deve estar acontecendo com a gente.

Do lado de fora da casa, sentados no banco da calçada, Jerônimo e João conversavam, falando exatamente daquela situação.

— Sabe, seu Jerônimo, a situação está muito ruim mesmo de uns tempos pra cá, eu até já disse pro senhor, o laticínio começou a atrasar o pagamento, foi aumentando o que me devem e agora não estou aguentando mais. Tenho minhas contas, como todo mundo, e como pagar?

— É muito difícil mesmo, seu João! E quem quer receber não está nem aí se o laticínio paga ou não, cada um quer seu dinheiro.

— Verdade, homem! Fico de mãos na cabeça. Gente pobre não sabe dever. Quer pagar logo, mas como? Estou sem saber o que fazer. Se eu parar de transportar o leite, aí que não recebo mesmo. O escritório da empresa é na capital, cidade longe e grande demais, só de pensar nisso perco a vontade de ir. Não consigo falar com os chefes, o gerente do laticínio parece fugir de mim, está sempre em outro lugar e, se bobear, já, já, perde o emprego. Ou os administradores estão roubando ou são incompetentes, pois o queijo está indo sempre pra venda, todos os dias as caixas de queijo entram no trem lá na estação. Vão naquele das três e quarenta e cinco da tarde.

— E se o senhor receber em queijo e fizer a venda, recuperando o dinheiro?

— Já pensei em propor isso, mas pense bem, teria que vender na cidade, fazer a freguesia; pronto, é outro serviço e não é pra mim, eu sou carreiro e não comerciante. Não tem como.

— Não sei o que dizer, e não posso te ajudar, pois estou encaminhado lá pro Mato Grosso e já de partida.

— Sei, seu Jerônimo, o senhor se indo é muito ruim pra nós, um amigo a menos pra enfrentar tudo isso aqui. Às vezes penso em vender os bois carreiros, mas se fizer isso aí sim que me lasco, pois vou fazer o quê? Trabalhar de empregado e ganhar muito pouco? E a família?

— Seu João, e o transporte de lenha? A olaria está sempre precisando abastecer os fornos.

— É, isso tem me ajudado, não é serviço constante mas pode ser uma saída. E tem também alguns carretos de tijolos e telhas. Mas essa situação do laticínio me deixa preocupado pelo dinheiro e revoltado pelo trabalho que venho fazendo todo esse tempo com meus bois madrugada adentro; e agora não receber?

Os dois homens emudeceram por instantes. Jerônimo olhou para os lados do bar do Aristides, procurando os filhos, e João ficou de cabeça baixa, pensativo, depois disse:

— Não sei como agradecer pelo presentão que vocês deram pra nós, a geladeira, era uma vontade da Irene.

— Fico contente pela alegria de vocês e espero que as coisas se arrumem por aqui, e se forem pras bandas de Cuiabá não deixe de aparecer em casa, Conceição já deu o endereço pra dona Irene.

— Muito difícil uma viagem dessas pra nós.

— Nunca se sabe, João, nunca se sabe! E agora vou chamar Conceição, a despedida é sempre ruim, mas as horas não param e o tempo puxa a gente.

Jerônimo pôs a cabeça porta adentro e chamou a esposa:

— Ô Conceição, vamos, temos coisas a organizar ainda.

— Espere, seu Jerônimo — interferiu Irene —, o café está na mesa, venha comer bolo. Ô João, entrem vocês dois, cadê os meninos? Fale pra eles entrarem pra comer bolinho de chuva, tá quentim.

— Os rapazes foram ao bar se despedir do Aristides e de uns amigos. O Archimedes está chegando ali dos fundos. O que você está comendo, filho, com essa boca preta?

— Estou comendo maria-preta, e aqui no bolso tem um punhado de grão-de-galo, amora-branca e saco de bode. Estou aproveitando, não sei se aonde vamos tem essas frutinhas.

Após saborearem o café e os bolinhos, chegou a hora da despedida, e as mulheres voltaram a chorar abraçadas. Adalgiza saiu da casa. Enfim todos se abraçaram e os Bragante se foram, deixando os amigos envoltos na tarde triste. Irene se abraçou a Cleusa e foram chorar na cozinha. As duas soluçavam. João ficou em pé na porta da frente e abanou a mão ao amigo. Tinha no rosto um sorriso triste e pensou: *"Este país é tão grande que as despedidas parecem ser pra sempre nessas lonjuras"*.

Adalgiza deixou com Irene uma carta de despedida para ser entregue a Werner, pedindo desculpas por não se despedir pessoalmente e dizendo que nada seria possível entre eles, pois a distância que iria separá-los era muito grande: "Essa distância que nos separa é definitiva", dizia a missiva.

Mudança para Cuiabá

Chegou o último dia na fazenda Paraíso. O relógio despertou no horário de sempre e Jerônimo se levantou em silêncio. Estava triste, não acordou Conceição. Saiu pela porta dos fundos, afagou o cachorro e, já no terreiro, olhou o céu e viu a lua enorme como tantas vezes fizera. Era preciso ir em frente, mas estava dolorida a separação daquele chão onde vira nascerem os filhos e crescer a família. Retornou ao interior da casa e acordou todos. Só faltavam as camas e algumas roupas para colocar no caminhão.

A lua se fora e estava escuro quando os dois caminhões partiram. Em um deles estava tudo que era da casa. No outro, a mula, dois cavalos e os apetrechos de fazenda a serem utilizados na nova propriedade.

Na camioneta iam Jerônimo, Conceição e Adalgiza, e na carroceria os três cachorros. No primeiro caminhão, além do motorista, iam Gregório e Archimedes; e no outro, o motorista, Olegário e Baltazar. Na hora da partida, estavam sem vontade de conversar. Os caminhões saíram primeiro e passaram a porteira. Por último saiu a camioneta. Muito sério, Jerônimo não olhou mais nada, simplesmente fechou a porteira com os olhos nas tábuas e rapidamente entrou na cabine e acelerou.

Conceição chorava baixinho, e a filha a puxou para o ombro. Seguiram em silêncio e, depois de alguns quilômetros, o dia começou a clarear, mas o sol ainda não despontara no horizonte. Cerca de três horas mais tarde estavam na balsa atravessando o rio Paraná e admiravam a grandeza daquelas águas. À medida que avançavam rumo à outra margem, olhavam o

Estado de São Paulo ficando longe. Era como se aquelas águas, descendo lentas, levassem com elas as tristezas da partida e trouxessem renovadas energias para o desconhecido. Dali a pouco voltaram a conversar e sorrir novamente. Após a travessia, fizeram uma parada sob uma grande árvore, onde lancharam enquanto olhavam as terras paulistas do outro lado do rio, que corria muito largo e manso.

Quilômetros adiante, entraram na estrada rumo ao Norte, e no fim da tarde pararam em um posto de serviço, onde dormiram. Jerônimo e as duas mulheres ficaram no hotel, e os outros pernoitaram nos caminhões. Estava escura a madrugada quando retomaram a viagem. Fizeram ainda outro pernoite antes de chegar a Cuiabá no final do dia seguinte, a tempo de descarregar o essencial para a refeição e arrumar as camas onde descansariam à noite.

Jerônimo abriu o portão, passou pelo pequeno jardim e, na área, acendeu a luz, o que causou um rumor de alegria entre todos. Abrindo a porta, acendeu outras lâmpadas e clareou todos os cômodos. Depois comentou que, quando tinham estado ali para comprar a casa, haviam deixado as lâmpadas instaladas. Enquanto todos ficaram organizando a casa, Jerônimo foi comprar lanches e bebidas. Os rapazes reforçaram a ração e a água dos animais no caminhão, pois, enquanto o que trouxera a mudança voltaria para São Paulo, o outro seguiria viagem até a fazenda.

A casa era grande, e as camas foram armadas nos quartos onde ficariam em definitivo, mas as outras coisas foram apenas colocadas para dentro; só no dia seguinte é que iriam ajeitar tudo em seus devidos lugares. Os dois motoristas dormiriam nas cabines dos caminhões, tomando conta da carga. Gregório também ficaria lá fora, no caminhão, com o restante da mudança.

Depois de tudo mais ou menos ajeitado, todos se espalharam pela sala, uns à mesa, outros pelas cadeiras e bancos. Cansados, mas contentes, fizeram uma refeição acompanhada de refrigerante e cerveja, comemorando a boa viagem realizada, e comentaram a paisagem tão diferente do cerrado.

Na manhã seguinte, enquanto os rapazes e Adalgiza organizavam a casa, Jerônimo e Conceição levaram Archimedes e os documentos de transferência à escola, que não era longe. Acertados os papéis, o menino começaria a frequentar as aulas dali a dois dias. Enquanto conversavam, trovões ecoaram, e um manto de chuva cobriu a cidade no calor da manhã. Água passageira.

Após a chuva, saíram da escola e retornaram à casa a tempo de se despedir do motorista do caminhão. Adalgiza então acompanhou os pais e foram conhecer o armazém mais próximo da residência, onde fizeram as compras de alimentos necessários à casa e o que seria levado à fazenda. No comércio, adquiriram algumas panelas e outras coisas para os primeiros tempos na fazenda, e ainda compraram dois botijões de gás para completar a cozinha de Conceição. O fogão foi adquirido em Adamantina. Comprou ainda a geladeira nova que os rapazes da loja colocaram na camioneta. Foram ainda à imobiliária, para Adalgiza ficar sabendo onde era e tomar providências caso tivesse alguma necessidade em relação a água, luz e outras coisas. Enfim, era um ponto de referência.

— Agora está tudo muito corrido — observou Jerônimo —, mas vocês já sabem onde é a escola e onde tem comida. Quando eu vier daqui a alguns dias, vamos comprar o que falta. Hoje à tarde vamos seguir e não sabemos quando volto, pois é começo, temos tudo a fazer, mas primeiro tomar posse, então vocês três precisam estar unidos e cuidando uns dos outros. O Archimedes vai estar todos os dias em casa, como antes, já é uma primeira vantagem.

— Disso eu gostei! Mas aqui é tudo diferente, não sei se acostumo, não! E esse fogão a gás, credo, tenho medo de uma explosão.

— Calma, mãe — disse Adalgiza. — Já entendi como funcionam esses botões e como troca o botijão, logo a senhora também vai aprender. Com o tempo vamos andar pelas redondezas, descobrindo o que tem, e vamos devagar conhecendo os vizinhos. Se tanta gente mora assim, nós também podemos.

— É isso aí, Adalgiza! — concordou Jerônimo. — Vocês logo vão se acostumar e verão que será bom.

Todos trabalharam duro organizando a casa, mas foi demorado, e Jerônimo achou melhor não sair no fim do dia, mas sim na madrugada seguinte, pois a estrada não era asfaltada e, se partissem ao cair da noite, logo precisariam parar para dormir. Assim, ficou mais um tempo, e a esposa se animou a fazer a janta. Os cavalos estavam bem acomodados no caminhão, tinham espaço onde se deitar e ração suficiente.

A caminho da fazenda Floresta

Na madrugada os veículos partiram. No portão, Conceição e Adalgiza acenavam. Iam no caminhão o motorista, Baltazar e Gregório. Jerônimo, dirigindo a camioneta, saiu na frente, acompanhado de Olegário. A viagem foi vagarosa na estrada sem pavimento e com trechos lamacentos por conta da chuva que caíra no dia anterior. Já à tarde, muitos quilômetros depois e sob sol forte, tiveram dificuldades em trechos com facões formados de areia, nos quais os veículos se enroscavam, e era preciso ajudar para livrar o caminho. Quando chegaram num acanhado restaurante o almoço foi uma comida caseira deliciosa, que deixou os viajantes felizes. Lá puderam também descansar um tempo. Jerônimo adormeceu e Olegário ficou conversando com o irmão sobre o que estavam vivendo.

— Gregório, você está meio quieto. Está preocupado diante da possibilidade de não estarmos fazendo o certo?

— Não é isso, estou só matutando umas coisas e olhando atrás, analisando o tempo, as distâncias percorridas, nós sendo empurrados cada vez mais longe do mar que o Archimedes falou. Tive vontade de conhecer aquilo, o mar, mas a distância está aumentando, o sentimento é de estarmos indo para o isolamento da floresta, cada vez mais longe de tudo, e que nunca vou conhecer aquela água grande, azul.

Depois de um breve silêncio, Gregório continuou:

— Na verdade não é só isso, penso em como é nosso tipo de vida trabalhando a terra, já era difícil lá em São Paulo e será muito mais nessa empreitada que vamos enfrentar.

— Concordo, mas isso de mar não é pra nós, quem sabe um dia num passeio. Nossa vida mesmo é o sertão.

— O Archimedes falou do mar, disse que tem muitas ondas grandes, que balançam e levam as coisas de um lado pro outro, parece até nossas vidas sendo levadas sem termos controle sobre o movimento.

— Somos novos ainda, como será nosso balançar nessas ondas da vida?

— Só espero que entrando por esse mundão sem fim a gente não vá embrutecer ainda mais as nossas almas.

Jerônimo despertou e eles seguiram viagem Mato Grosso adentro. Já estava escuro quando pararam num posto de serviço, jantaram no restaurante e ali passaram a noite. Sob a luz da manhã, seguiram viagem até uma corrutela chamada bairro Areia Preta. Num posto de combustível, Jerônimo se informou sobre o vale do rio Sereno. Trocou ideias com o homem do posto, olhou o mapa e, agradecendo, continuou viagem, para em seguida deixar a estrada principal e avançar pelo planalto até começar a descer a serrinha e alcançar o vale. Depois que haviam percorrido cerca de setenta quilômetros, chegaram nas proximidades do rio Sereno. O calor era sufocante dentro dos veículos.

O mapa indicava o local de saída da estrada, e o caminho era seguir pelo carreador margeando rio acima. Assim que iniciaram o trecho, esbarraram numa porteira em cuja placa se lia "Fazenda Limoeiro". Não havia cadeado, apenas uma tranca de ferro. Passaram e continuaram por três quilômetros até chegar à sede da propriedade de um tal Valdomiro Alencar, morador de Presidente Prudente, cujo administrador era o senhor Benedito Neves.

A casa, a uns quarenta metros do rio, estava sobre um platô, sem risco de enchente. O administrador, em pé na varanda, vendo o veículo se aproximar, desceu as escadas para encontrar quem chegava. O ronco do caminhão lá atrás chamou sua atenção.

— Boa tarde, o senhor é o encarregado, Benedito Neves? — perguntou Jerônimo, aproximando-se do homem que lhe estendia a mão.

— Boa tarde — respondeu Benedito, olhando para Jerônimo e observando o caminhão.

— O senhor não me conhece, meu nome é Jerônimo de Souza Bragante, venho de São Paulo. Comprei umas terras rio acima e conversei com seu patrão, o senhor Valdomiro, homem muito simpático comigo, que deve ter passado mensagem ao senhor sobre minha vinda e que precisaria de seu apoio nestes primeiros tempos.

— Ah, sim, recebi o recado — confirmou Benedito, apertando firme a mão de Jerônimo e em seguida a de Olegário. — Aqui a gente recebe ajuda e dá ajuda, pois nós dependemos uns dos outros, o governo chega é depois.

— Verdade, primeiro os impostos, bem mais tarde as melhorias.

— Bem isso, no pioneirismo é assim mesmo, e a gente vem sabendo o que vai enfrentar. A região aqui é difícil, mas com esforço se superam os obstáculos. Fico contente, a vinda de vocês ajuda a animar nosso lugar. Vamos chegar, tomar uma água e ver no que posso ser útil — propôs, cumprimentando os outros três, que se aproximavam vindos do caminhão.

Acomodaram-se na varanda, e Jerônimo, após elogiar a casa, o rio e o curral próximo, abriu o mapa e solicitou a Benedito orientação de como chegar à sua propriedade.

— Pela experiência, digo pro senhor, é preciso primeiro não ter pressa, aqui a natureza é forte e exige de nós muita paciência, o ritmo é outro, diferente de São Paulo. É difícil pra quem vem de lá, mas a pessoa acaba se adaptando, acostumando-se com o calor e depois com todo o resto. O senhor pode deixar no galpão tudo o que não precisar levar já, fica seguro aqui, não se preocupe. O melhor é ir conhecer a propriedade antes. Eu levo o senhor de barco, conheço o lugar. Tem pasto formado, só falta limpar umas moitas pequenas. O rancho velho usado na época da derrubada não vai prestar, está uma tapera, então vai ser preciso armar uma barraca de lona onde se abrigarão nos primeiros dias até fazerem um rancho com material da mata, só usando madeira e folhas de palmeiras. O que ficar aqui no barracão depois vai levando, conforme a precisão.

Jerônimo e os filhos ouviam em silêncio. Baltazar e o motorista voltaram até o caminhão para ver como estavam os cavalos e a mula.

— E os animais, qual conselho o senhor me dá? — perguntou Jerônimo.

— Não se preocupe, deixe eles aqui uns dias até ter condições de levar, no momento certo mando um rapaz tocá-los pelo caminho beirando o rio, e no ponto de travessia eles passam a nado. O que precisa é vocês fazerem o piquete para eles não irem longe. Trouxeram arame?

— Sim — respondeu Jerônimo —, temos vários rolos e todo o equipamento necessário no trabalho de cerca.

— Vamos conversando e desembarcar logo estes animais.

Assim falando Benedito desceu as escadas e orientou o motorista:

— Siga por aqui, encoste no desembarcadouro para os animais descerem. Como ia dizendo pro senhor — continuou virando-se para Jerônimo —, conheço bem aquela propriedade, peguei a empreitada da derrubada e do plantio do capim, já faz uns par de anos.

— Muito bom o senhor conhecer bem, isso vai me ajudar.

— A gente subindo de barco, vou pilotando e mostro direitinho o limite e o melhor lugar para se instalarem. Vocês estão em quatro, se precisar de mais alguém eu mando avisar um vizinho, não longe daqui, onde tem dois homens que estavam procurando serviço. Não conheço eles, só estou falando sobre a possibilidade, se o senhor quiser, mas também não sei se estão disponíveis ou se já estão trabalhando em alguma fazenda.

— É, nesses primeiros dias, pra gente se instalar, vamos nos virando, depois vou precisar empreitar as cercas da pastagem e também derrubadas. Agradeço sua boa vontade e vou precisar muito de seus conselhos.

O motorista, seguindo as instruções, encostou o caminhão no desembarcadouro, e eles soltaram os animais, que estavam cansados depois de tantos dias naquele aperto. Assim que se viram na largueza do curral, foram logo rolando no chão, esponjando-se, levantando poeira. Não demorou e estavam no piquete comendo capim verde e macio.

— Pronto, os animais estão soltos, vamos chegar ali pra casa, tomar um cafezinho.

Benedito tinha aspecto de homem firme e rosto severo, era de natureza reta e honrada, mas não deixava de ser uma pessoa agradável e de boa conversa. Era um homem negro, alto, forte, e sempre que estava a prosear de pé mantinha os braços cruzados e as pernas um pouco afastadas.

Após o café, Benedito mostrou o lugar onde poderiam descarregar o que ficaria no galpão; só precisaram mudar umas coisas de lugar para abrir mais espaço. Jerônimo foi apontando o que deveria ir na primeira viagem de barco. Depois dos trabalhos de arrumação, acharam melhor fazer a travessia na manhã seguinte, pois a tarde estava curta. Até o motorista do caminhão preferiu dormir e começar a viagem de volta no alvorecer.

A tarde foi chegando ao fim. Alguns empregados da fazenda pescavam no rio ali ao lado e outros preparavam os esquemas simples para o jantar. O fogo foi aceso e pintados estavam na grelha. A esposa do capataz, dona Petronila, apareceu portando uma travessa de mandioca frita, e em uma grande panela trazia mandioca cozida. Benedito trouxe boa aguardente, todos experimentaram. Durante o jantar, Jerônimo abriu sua garrafa de Tatuzinho, igualmente apreciada com o peixe.

— Seu Benedito — perguntou Olegário, espantando os insetos —, que mosquito é este? Tem sempre por aqui?

— Esse é o pólvora, mas é só na boca da noite, daqui a pouco passa.

— E o da maleita? — indagou Gregório.

— Sempre tem, é o mosquito-prego, mas pra passar a malária ele precisa estar infectado.

— Acontecem casos dessa doença na região?

— Vez ou outra alguém cai de cama, mas com tratamento logo sara.

— Fora o pintado, quais outros peixes tem por aqui? — perguntou Gregório, interessado.

— Ah! Muitos — respondeu Benedito. — Pacu, surubim, tucunaré, e lá na lagoa da fazenda de vocês tem muito trairão e jacaré também, e dos grandes!

Conversaram ainda algum tempo, até que o cansaço foi empurrando todos ao repouso. O capataz ofereceu a casa, mas recusaram e agradeceram, preferiram não incomodar a família.

No galpão armaram-se três redes. O motorista preferiu dormir na cabine do caminhão; e Baltazar, na carroceria. Jerônimo, na rede, demorou a conciliar o sono. Ouviu trovão longínquo e pensou na fazenda Paraíso, na família em Cuiabá. Depois de um tempo, ferrou no sono, mas pelo meio da madrugada acordou e saiu do galpão para se aliviar atrás do caminhão. O escuro da noite era um abismo de profundo. Não havia mais trovões, apenas curtos relâmpagos azuis riscavam o céu. Teve vontade de ir até o rio, mas achou melhor voltar à rede.

— No clarear do dia, estavam todos de pé. Benedito e um empregado chegaram ao barracão, tendo nas mãos um grande bule de café e uma vasilha com leite fervido. Para comer trouxeram mandioca cozida. Alguns comeram farinha de mandioca no leite. Um dos camaradas da fazenda tomou leite com sal; diante do estranhamento dos recém-chegados, disse ser costume na terra dele. Olegário quis experimentar, mas, ao levar a caneca aos lábios, abanou a cabeça negativamente. Gervásio, o que usava sal, deu uma gargalhada e disse:

— É mais saudável que açúcar.

Após a refeição, o motorista esquentou o caminhão e se foi vagarosamente pelo carreador, iniciando a longa viagem de volta. Ninguém ficou parado. O barco foi sendo carregado com a parte a ser transportada. Embarcaram Benedito, Jerônimo e Gregório; Olegário, Baltazar e os dois cachorros iriam na segunda viagem.

O rio Sereno

Na suave luz da manhã, o barco subia o rio Sereno com Benedito no leme e Jerônimo sentado perto, ouvindo detalhes sobre o desconhecido. O caudal de águas calmas e escuras tinha suas margens cobertas por grandes árvores, várias se debruçando sobre a corrente, de onde, de vez em quando, caíam frutas, provocando a agitação dos peixes. Os novatos observavam os muitos pássaros que alçavam voo conforme o barco avançava. De repente, em velocidade, passaram araras vermelhas e amarelas fazendo uma algazarra no céu alto e azul. Pássaros coloridos voavam em várias direções. Mais de uma vez, jacarés deslizaram suavemente entre as canaranas. De sob um grande pé de ingá, duas capivaras correram, pulando n'água. Os homens ficaram boquiabertos ao ver uma grande nuvem de borboletas amarelas surgir por entre as árvores e cruzar lentamente o rio. Gregório e o pai olhavam aquilo tudo com encantamento, era tudo muito diferente.

Depois de subir o rio por quase quatro quilômetros, Benedito explicou:
— Aqui começa a fazenda, qualquer dia mostro o marco da divisa. Vamos subir mais um pouco até o melhor lugar para o desembarque.

Chegando onde era apropriado, o barco reduziu a velocidade e, enfiando-se pelo capim navalha-de-macaco, encostou na margem. Gregório, na proa, saltou com a corda na mão e rapidamente amarrou a embarcação num pé de pau. Jerônimo desceu em seguida, e os dois foram limpando o espaço à frente com as foices, até que, superando um pequeno barranco, viram o capim plantado.

Olharam tudo em volta. Do lado direito, a uns cem metros, estava a borda da mata fechada. Benedito, aproximando-se, explicou, apontando com a mão:

— Essa faixa de pasto começa estreita aqui no rio, vai se alargando bem lá na frente até encostar naquela mata do fundo. Pra fazer a barraca, aconselho vocês a limparem deste lado, lá perto das árvores, depois da tapera, já próximo ao mato, assim não fica muito próximo do rio, mas também não fica longe, pois vocês vão precisar de água. Tem uma trilha velha seguindo ali até o mato, se vocês batendo a foice não demora a ficar pronto o caminho, então vão poder transportar o que trouxeram. Muito cuidado com cobra na roçada e também quando vierem buscar as coisas. Olhem sempre cada objeto a levantar pra não jogarem uma cobra nas costas, como já aconteceu. Vocês devem levantar uma barraca, onde se abrigarão por uns dias, e depois fazer um barraco melhor, ter mais proteção.

Nisso ouviram um barulho alto rio acima, que o capataz explicou ser o grasnado de patos selvagens na lagoa não distante dali. Jerônimo ficou parado e, em silêncio, olhou longamente o pasto e a floresta em volta, no que foi acompanhado por Gregório, enquanto Benedito, respeitando aquele momento, voltava ao barco.

Diante do silêncio do filho, Jerônimo perguntou:

— O que está achando, Gregório?

— Me deu saudade das vacas de leite.

— Agora estamos aqui e não tem volta, é enfrentar ou enfrentar.

Gregório começou a roçar o capim para desembarcar os pertences. Jerônimo ouvia as orientações de Benedito quando a conversa foi cortada pela algazarra de um bando de pássaros cruzando o rio rumo ao leste. Em seguida, os três descarregaram tudo o que haviam trazido e colocaram no limpado. O capataz acelerou o barco e se foi rio abaixo buscar os outros.

Pai e filho passavam as limas nas foices e escutavam o barulho do motor se afastando, o ruído diminuindo, sumindo em meio a um silêncio muito diverso. Os dois quedaram momentos sem dizer nada, olhando tudo em volta, até que Jerônimo proferiu:

— Estamos na boca do sertão, já ouvi muito falar, mas não pensei que fosse entrar nela.

— Aqui pelo jeito a pessoa não tem direito de desanimar, é muito diferente e duro de enfrentar.

— Então vamos à luta, não se tem tempo de esmorecer.

Começaram a limpar o antigo caminho e chegaram à pequena elevação próxima à mata. Nesse ponto, ampliaram a roçada, e não demorou até um bom espaço estar demarcado para a barraca. O calor aumentou, e os homens suados mataram a sede na água fresca da moringa guardada sob a sombra de uma moita próxima. Voltaram ao rio e começaram a transportar o que haviam trazido, então chegou o barco com a segunda viagem. Benedito ficou de voltar no dia seguinte.

Enquanto Baltazar capinava o que seria o piso da barraca, os outros três foram rumo à mata, roçando o capim e pisando com muito cuidado. Os cachorros acompanharam. Gregório ia na frente, cortando o capim alto, e os de trás melhoravam, alargando a trilha, até que entraram na mata onde começariam as primeiras explorações, de onde tirariam a madeira necessária para fazer a cobertura de lona. Portavam facões e machados. Já dentro da mata, olhavam o alto das enormes árvores e ouviam o estridente som das cigarras. Emudeceram como num encantamento por se encontrarem dentro da grande floresta. Era o aroma, o calor úmido, o silêncio entrecortado pelos ruídos desconhecidos.

Caminhavam cautelosamente, olhando para o chão, para as moitas e para o alto, de onde vinha um sussurrar de folhas mexidas pelo vento leve nas copas. Os homens sentiram o fascínio de algo novo, e suas narinas se encheram com o bafo morno do mato verde. Andavam em silêncio, ouvindo os barulhinhos daquele mundo tão diferente, aspirando os perfumes desconhecidos, e então ouviram bem perto o canto do capitão-do-mato, e em seguida outro cantando mais longe em resposta. Sem a experiência de andar naquele ambiente, os homens davam seus passos cautelosamente, de olhar atento aos troncos, aos galhos e a cada espaço onde colocavam os pés. Rica era a vida fervilhando por ali, onde poderiam surgir formigas, abelhas, taturanas, cobras, lagartos, tatus, sucuris, jaguatiricas e muitos outros moradores.

Um bando de araras passou em grande e alegre ruído. Depois de se admirarem com a beleza reinante, os homens começaram a escolher e cortar a madeira necessária para a tenda e os paus de esteio, conforme a orientação de Jerônimo, enquanto ele pensava no desenho do que seria feito. Em seguida cortaram as varas de sustentação da lona. Olegário começou a carregar a madeira, e Baltazar, após limpar o terreno, foi ajudar. De repente ouviram, não longe, barulho de animais. Ficaram imóveis e em silêncio, procurando entender. O ruído parecia estar no solo e, de repente, no alto das árvores. Faísca, de pelos eriçados, rosnou e emitiu um grunhido. Fumaça ganiu inquieto. Aquele som aumentava, diminuía, então voltava a aumentar e foi ficando menor, mais distante, sumindo. Os homens, encafifados, voltaram a trabalhar, inquietos, não por querer, mas por instinto.

A barraca

Quando toda a madeira estava amontoada no limpado, discutiram e demarcaram a posição dos buracos. A cavadeira entraria em ação após o almoço, e a refeição foi à base do que haviam levado da cidade: pão, sardinha em lata, mortadela e uma penca de bananas dada por Benedito.

Após se alimentarem e descansarem um pouco, os quatro homens voltaram a trabalhar silenciosamente, abrindo buracos, fincando e socando os paus de esteio, colocando as travessas e pregando madeira fina para sustentação da cobertura. Não demorou e a tenda estava armada. Com o machado providenciaram dois troncos curtos, que colocados no chão serviriam de fogão para as primeiras refeições. Benedito havia lhes dado uma lata de vinte litros, que, cortada e pregada, fez a proteção das laterais dos troncos sobre os quais se colocou a chapa de ferro.

Com o dia chegando ao fim, os quatro homens foram ao rio e antes do banho cortaram o capim navalha-de-macaco da margem, limpando o local. Fumaça ficara para trás e latia, acuando algum bicho na tapera. Apoiando-se numa árvore tombada sobre as águas, os homens tomavam banho.

— Vamos cautelosos nesta beirada de rio — alertou Jerônimo. — Aqui não conhecemos nada e os perigos estão por perto. É cobra, jacaré, sucuri, onça, lagarta-de-fogo, aranha e até a própria água do rio é sempre traiçoeira e pode ter piranha e candiru.

— É mesmo — concordou Baltazar —, vamos olhar pra todos os lados que ainda é pouco, o senhor esqueceu das abelhas e dos marimbondos.

— Não exagere, só vai aumentar o medo — atalhou Olegário.

— Não é medo — rebateu Jerônimo —, é cuidado, atenção, precaução, veja, não temos injeção contra picada de cobra. Não esqueci, só não tinha pensado nisso. Chegando aqui é que se vê o tamanho da encrenca, a grande distância de tudo e o risco de cada momento.

— Ainda bem que temos aquelas duas espingardas — contemporizou Olegário. — Já pensou uma onça atacar a gente e nós aqui sem uma arma de fogo?

— E ainda pelado dentro d'água! — brincou Olegário.

— Se pegar você pelado, melhor pra ela, não mastiga pano — rebateu Baltazar.

— Onça? Arma de fogo aqui acho que é mais pra se proteger de gente — opinou Gregório. — Por estes recantos do mundo devem viver muitos tipos de criminosos, assassinos escondidos.

— Que bocada viemos enfrentar, né? — admirou-se Olegário. — Lá na Paraíso era dura a tiração de leite mas não se convivia com estes montes de riscos, até perigos de morte.

— É um dos preços do pioneirismo! — proclamou Gregório.

— Vocês se esqueceram de falar dos índios, aquele rapaz que trabalha na fazenda comentou serem brabos mesmo.

— Disse isso pra te aperrear, Baltazar.

— Seu Jerônimo, o senhor falou dum perigo aqui na água, o tal candiru, mas não explicou o que é.

— Também não sei direito, o seu Benedito estava explicando, mas mudamos de assunto e não voltamos a falar, depois pergunto.

— Me parece — retrucou Baltazar — que esse perigo é maior que os outros, pois a gente nem sabe como é, aí fica difícil pra se defender.

— Terá piranha? — indagou Olegário.

— Deus nos livre, só faltava ter piranha aí nessa água. Se tiver não entro, vou tomar banho de bacia.

— Tá bom, Baltazar, na minha ida a Cuiabá vou comprar uma bacia bem grande pra você.

Encheram as moringas e levaram ainda um galão d'água para a barraca, aonde chegaram com o sol já descambando rumo ao horizonte.

Na volta, Fumaça tornou a latir na tapera e Jerônimo comentou:

— Pode ser teiú ou cobra, acho melhor colocarmos fogo neste barraco velho, se for alguma serpente ela vai embora.

— É mesmo — concordou Gregório. — Mas pior se ela se proteger na nossa barraca.

Assim, conversando sobre as novas situações, cada um foi providenciar o necessário para o jantar e para passar a primeira noite. Armaram as redes. Enquanto Olegário e Baltazar ajeitavam melhor os troncos do fogão, Gregório acendeu o lampião a querosene e Jerônimo, encostado no esteio, olhava a mata mais distante. Apontando ao longe, comentou:

— Dizem que o Brasil acaba lá depois daquela mata onde o sol está se escondendo, na beira do mundo.

— Não sei se é verdade — opinou Gregório —, o Brasil é muito grande, a gente viaja, viaja e nunca acaba.

— Dizem que pra trás dessas matas está o Peru ou a Bolívia, não sei direito. Estou aqui é pensando na sua mãe e na Adalgiza, como estão longe!

— Logo o senhor vai pra Cuiabá — contemporizou Gregório.

Jerônimo puxou um toco, sentou-se, acendeu o cigarro e pitou, olhando a fumaça do palheiro e a luz mortiça da tarde, o dia perdendo a luz.

Tendo juntado lenha, Baltazar e Olegário cuidavam de acender o fogo. Um deles bateu a pedra da binga, cuja chama principiou na palha de capim seco e esquentou os gravetos. Antes de a lenha se aquecer, a fumaça ajudou a espantar os mosquitos. Olegário assoprou e a labareda jogou luz na barraca. Na mata, assobios fortes interromperam a conversa, e Baltazar lembrou:

— Quando a gente estava subindo o rio, ouvimos esse assobio, o homem explicou que é o macaco-prego.

— Mas o barulho daquela hora no mato não era esse macaco-prego, não, porque eles são pequenos. Se era macaco só podia ser dos grandes, talvez bugios — opinou Gregório.

— Pior se fosse queixada — retrucou Olegário.

— Você é burro? Só faltava queixada subir em árvore — devolveu o irmão.

— Quero dizer que era bugio por cima e queixada por baixo.

— Melhor escutar merda do que ser surdo!

— Cada um coloca seus bichos onde quer e pronto — encerrou Olegário, rindo.

A débil luz do fim do dia trazia um princípio de solidão. Os homens estavam em silêncio e a barraca foi invadida por uma melancolia naquele primeiro entardecer solitário, com a copa das árvores recebendo a escuridão.

O crepúsculo trouxe as derradeiras e sombrias luzes do dia. Jerônimo se lembrou do pulsar de vida nos fins de tarde na fazenda Paraíso, e agora estava ali, naquele silêncio, e em sua vista só havia o escuro no contorno do mato. Ouvia o arrulho dos pássaros se preparando para dormir, mas lhe parecia um ruído triste. As últimas garças voavam rumo ao ninhal próximo à lagoa, de onde vinha o alvoroço das aves se acomodando nos galhos. Dali a pouco, só o imenso silêncio, já não se ouviam os passarinhos. A noite desceu sobre a floresta. Jerônimo viu piscarem os primeiros vaga-lumes. Entrou na barraca.

Tudo foi envolvido pelas sombras da noite. A amarela chama do lampião iluminou aquela primeira de muitas noites nas vidas daqueles homens desbravadores, trazendo para a beira da mata os sinais da civilização e empurrando a pureza do ambiente natural ainda mais longe do Atlântico.

O fogo estava alto, e logo as brasas se formariam, facilitando o preparo de algum alimento e o chá. De repente, ouviu-se ao longe um barulho alto. Gregório e Baltazar saíram da tenda e olharam a mata, mas não conseguiam distinguir o que poderia ser o rugido.

— Será onça? — perguntou Baltazar.

— Vai saber! Só devemos ficar prevenidos para qualquer coisa.

— Como prevenidos? Não vamos dormir? — indagou Olegário.

— Vamos, sim, quero dizer que espingarda, facão e foice devem estar no jeito.

— Tudo isso? Então é guerra!

— Calma, nós chegamos agora — argumentou Jerônimo. — Os moradores aí na mata ao lado não sei se estão só incomodados ou com medo de nós. Não adianta esquentar a cabeça, deixe pra lá, temos que nos acostumar neste ambiente. Como dizia meu pai, vamos comer alguma coisa, pois saco vazio não para em pé. Olha, amanhã a gente vai estabelecer uma rotina mais adequada de alimentação, mas agora é comer de novo estes enlatados, mortadela e banana.

Jerônimo abriu duas latas de salsicha, que foram ferventadas, e também latas de sardinha, colocadas num prato onde estavam cebolas fatiadas salpicadas de sal. Os acompanhamentos foram pão sovado, biscoitos e chá mate.

Depois da refeição, deram de comer aos cachorros e Olegário fez mais um pouco de café para arrematar o jantar. Sentaram-se em volta do pequeno fogão. Das brasas vinha o reflexo avermelhado, colorindo os rostos sérios dos homens cansados da viagem, da tensão e do trabalho daquele primeiro dia.

— Não cozinhamos a mandioca que seu Benedito deu — lembrou Gregório.

— Amanhã comemos com linguiça — disse o pai. — Precisamos pedir pra ele umas ramas e plantar essa mandioca amarelinha do jantar de ontem na casa dele, é muito boa.

Mais tarde, estavam todos do lado de fora apreciando o entorno no escuro da noite. Olhavam o vulto da mata próxima e da mais distante, depois do capinzal. Do lado esquerdo, o rio corria silencioso dentro da floresta. Da parte de trás vinham sons da cantoria dos sapos na lagoa. No céu de lua nova, uma multidão de estrelas. Os quatro homens não falavam nada, apenas olhavam tudo o que era possível ver no escuro da noite, com seus ruídos, os astros do céu, vultos, vaga-lumes dispersos, voos rápidos de morcegos, sons de curiangos e de outros pássaros noturnos.

Os quatro se recolheram em suas redes, uns deitados e outros sentados. No fogão, o braseiro deixava rubro o teto de lona que de vez em quando era iluminado por pequenas labaredas amarelas; e de repente um grito veio da escuridão. Os dois cachorros ficaram em pé e rosnaram com os dorsos eriçados. Os homens continuaram calados. O horrível grito não se repetiu. Tinham dúvidas se algo se aproximava ou se afastava. Na frágil barraca, os homens estavam inquietos. Jerônimo saiu da rede e lá fora jogou a luz do farolete nas imediações, procurando algum vulto, mas nada viu e voltou à rede.

Na noite quente, Gregório apagou o fogo e foi o último a se deitar. Antes de dormir, perguntou:

— Pai, qual é o plano amanhã?

— É amanhã que a nova vida começa mesmo, acordando no novo cotidiano. Estou aqui pensando e procurando o fio da meada nesta enorme terra, agora nossa. Eu gostaria de ver todas as divisas, mas isso será no futuro. Precisamos pensar bem pra não perder tempo nem fazer coisas e depois desmanchar. Vamos tirar madeira, fazer o piquete e trazer os cavalos. Já falei com o Benedito e ele vai me indicar alguém para a empreitada da cerca grande. Esse vizinho parece ser um homem muito bom e prestativo, gostei do jeito dele.

— Parece mesmo — concordou Gregório. — Foi importante a ajuda dele hoje. Se não fosse ele, como a gente ia se virar? Trazer tudo isso nas costas beirando o rio e ainda atravessar numa jangada a ser feita.

— Nem fale uma coisa dessas — disparou Olegário. — Pai, o seu Benedito comentou sobre a motosserra, o pessoal usa na derrubada de árvores, muito mais rápido que trançador, como é isso?

— Vou ver essa máquina em Cuiabá, e se trouxer, vamos aprender a manejar, entender o funcionamento. Vejo isso quando for comprar o material da cerca, pois arame e grampos trouxemos pouco, só dá pro pastinho dos cavalos.

— Não pode deixar de comprar marreta e um conjunto de cunhas para fazer lascas e outras coisas. Melhor anotar tudo, senão vai esquecer.

— Amanhã, enquanto dois limpam por onde vai passar a cerca, os outros vão tirando madeira — opinou Gregório.

— Sim — concordou Jerônimo —, eu e o Olegário vamos limpar onde será a cerca, você e o Baltazar vão tirar madeira. Não precisa ser um pasto grande, não, são só três animais.

Olegário adormeceu, a conversa dos outros foi diminuindo, e dali a pouco o ressonar dos homens e dos cachorros era o único ruído que Jerônimo ouvia sob a tenda. Da mata, barulhos diferentes chamavam sua atenção. Eram barulhos estranhos, aos quais ele teria de se acostumar. Estava quase cochilando quando um urro enorme veio da banda do rio. Olegário sentou-se na rede e, com o coração aos saltos, exclamou espantado:

— Pai, o senhor ouviu isso? O que será? É onça?

— Com certeza não sei, mas veio do lado do rio, pode ser jacaré.

— Credo, foi tão alto, até me acordou.

— Durma tranquilo, Faísca e Fumaça estão aí pra nos proteger.

— Tá bom, se o bicho pegar mesmo vão ser os primeiros a correr!

Os cachorros tinham acordado, e por alguns momentos ficaram de cabeça erguida e rosnaram inquietos, mas logo se aquietaram. Todos estavam cansados, e no ar morno da noite dormiam em ronco puxado, não percebendo a aproximação de um animal que, despertando os cachorros mais uma vez, provocou grande alarido, mas se afastou rápido por causa dos latidos e avanços de Fumaça e Faísca.

Jerônimo e Baltazar se levantaram rápido e saíram da barraca empunhando as espingardas, mas nada viram; o animal já havia se embrenhado de volta na mata. Chamaram e assoviaram para os cães, que logo retornaram. Ainda rosnando, os animais entraram na barraca e se acomodaram, sendo acalmados por Baltazar. Este logo adormeceu novamente, mas Jerônimo, ali no silêncio da rede, tinha os olhos abertos, ouvindo o vento soprando leve vindo das copas das árvores. Imaginou o balanço das copas, pensou em Conceição e adormeceu.

Após o sono pesado do início da noite, os homens tiveram uma madrugada agitada, com gritos de animais na floresta, jacarés na lagoa e o canto dos pássaros gorjeando nas primeiras luzes do amanhecer.

Gregório, o primeiro a saltar da rede, saiu da barraca, viu o dia clareando e o sol se levantando, esparramando uma forte luz dourada sobre a mata. Admirou tudo em volta. Um vento fresco soprava, e isso o animou. Nas árvores ao lado, vários pássaros cantavam. Na barraca, os outros homens acordavam aos gemidos.

— Segunda noite na rede — lamentou Olegário. — Não sei não se vou me acostumar, dói o meu corpo inteiro.

— Conforme a vida, a gente se acostuma com o desconforto — reagiu Jerônimo. — São pequenos tormentos das primeiras noites maldormidas, mas pegando o ritmo do trabalho pesado dorme-se bem em qualquer lugar.

— Ah, acostuma — concordou Baltazar. — Aqui a gente acostuma, não tem outro jeito. Vai deitar onde, no chão? Vem cobra, formiga, aranha, taturana e sei lá mais o quê!

— Como se esses bichos não viessem na rede. Vêm sim! — insistiu Olegário.

— Vocês ouviram o tamanho do urro? Será jacaré? — indagou Baltazar.

— O tamanho não vi, sei que foi alto — disparou Olegário.

— Vamos ser otimistas, pois pelo urro, sendo jacaré, teremos chance de pegar o bicho e comer muita carne — animou-se Jerônimo.

Saindo da barraca, os homens sentiram o aroma gostoso da floresta ao amanhecer, de perfume fresco e diferente. Olegário, empunhando a foice, foi até o rio lavar o rosto e viu numa árvore um pássaro tranquilo bicando uma fruta na calma da manhã. Quando voltou, descreveu o pássaro, mas ninguém soube dizer qual seria. Fizeram a primeira refeição do dia e saíram para o trabalho de definir e limpar a linha da cerca do piquete, tirar a madeira, transportá-la nas costas e esticar o arame.

O piquete

Dois dias depois, Benedito apareceu com mais uma parte do material que tinha ficado no barracão. Jerônimo trabalhava na cerca do piquete e, ao ouvir o motor do barco, foi ao encontro do vizinho.
— Bom dia, seu Jerônimo, como foram estes primeiros dias?
— Bom dia, seu Benedito, vamos aqui sobrevivendo e nos adaptando, sabe como é, a gente sempre estranha.
— Verdade, também estranhei no começo, até esqueci de falar sobre essas coisas daqui, os ruídos noturnos na mata.
— Exatamente isso que estranhamos, uns barulhos grandes durante a noite.
— A maior parte é de macaco, não se preocupe, não tem perigo. Onça às vezes esturra próximo, mas não chega a vir ao barraco. O mais perigoso é jacaré, mas só na beira d'água mesmo.
— Fazem mesmo muito barulho na lagoa ali pra cima.
— Sabe, seu Jerônimo, procurei aqueles dois homens da empreita, mas não encontrei. Parece que foram pro centro, pra uma fazenda lá do outro lado.

Jerônimo propôs a Benedito um pagamento para transportar tudo o que tinha ficado no galpão e também os cavalos, quando chegasse a hora.
— Não, o senhor não precisa pagar nada, não.
— Não está direito todo esse trabalho que o senhor está tendo com as nossas coisas. Faça preço, assim me sinto melhor, não se pode explorar a boa vontade de um vizinho.

— O senhor me dá só o combustível.

— Nada disso, quero pagar remuneração justa pelo trabalho, assim vai lhe sobrar combustível para vir me visitar mais vezes.

Acertado o valor, Benedito fez o transporte, no dia seguinte, do restante, trazendo uma parte numa canoa de madeira rebocada, que deixou com os recém-chegados. Só ficaram ainda na fazenda Limoeiro os cavalos, que viriam outro dia, quando o piquete estivesse pronto.

Depois de transportar a carga para a barraca, os homens proseavam. Benedito falava sobre o ambiente que os envolvia. Era um fim de tarde, estavam todos nas proximidades da barraca, uns dentro, outros fora, "matando o bicho" com a caninha Tatuzinho. Olegário fritava uns lambaris para aperitivo.

— Sabe, seu Jerônimo, pra quem não se acostuma no agito de cidade aqui é o melhor que se pode ter. É tranquilo, mas, claro, tem seus problemas.

— Concordo, o sossego cobra seu preço.

— Sim, é preciso estar atento com tudo em volta, pois o perigo maior não está nas coisas da natureza, está é no ser humano mesmo. A lei existe, porém é distante, demorada. É lugar de aparecerem pessoas não muito educadas e respeitadoras das normas e das leis. Aqui se tem é exatamente o contrário, gente que não quer saber de lei nenhuma, muitos estão é fugindo delas. Não é que só apareça gente ruim, não, vêm os bons também, na esperança de ter trabalho. Mas não se pode facilitar, há muita ignorância. Por qualquer besteira se fala em matar, e matam mesmo, quer dizer, matam e morrem.

— Tem acontecido alguma morte ultimamente? — perguntou Jerônimo.

— A três por dois acontece. Muitas vezes nem se fica sabendo, pois ocorrem nessas bibocas do sertão e é demorado alguém sair do mato noticiando. As pessoas se calam pra não se envolver. Mas de vez em quando corre notícia de entreveros e mortes, algumas de origens antigas, acertos de contas ou de bobeiras em bebedeiras, ignorância e maludeza.

— Aqui é muito isolado, pelo jeito não se tem nem o direito de ficar doente — atalhou Gregório.

— Verdade — concordou Benedito. — Não tem médico, hospital, farmácia, nada disso. Tudo muito longe. Como sempre foi nos lugares distantes e ermos. Na venda lá em cima, na Areia Preta, podem-se encontrar antiácido, analgésico, xarope, purgante, biotônico, essas poucas coisas simples. O povo daqui se vira mais mesmo é com plantas medicinais, ervas e raízes.

— Outro dia o senhor falou dos perigos daqui, só não explicou o candiru. Que bicho é esse? — perguntou Olegário.

— Sim, acabei não falando sobre o peixinho. É raro, mas pode aparecer e acontecem alguns casos. É bem pequenininho o tal peixe — Benedito abre o indicador e o polegar, mostrando o tamanho do peixe —, o danado entra nos buracos que a pessoa tem no corpo e é muito dificultoso tirar, só médico mesmo.

— Barbaridade! — exclamou Baltazar, espantado. — Isso não é peixe, é o demônio. Nunca mais entro no rio.

— Não é tanto assim, é muito difícil acontecer. Basta evitar urinar pelado na água.

— Ué, que tem isso de urinar na água? — indagou Gregório.

— Geralmente é nessa hora que o peixinho entra no canal da urina.

— Vixi, aí lascou mesmo — explodiu Baltazar. — E não dá pra puxar ele pelo rabo?

— Quando ele entra — explicou Benedito — se abre um tipo de guarda-chuva, e o danado não sai pra trás, só vai pra frente, entrando mais, aí só cirurgia.

— Crendiospai, até me arrepiei inteiro — indignou-se Baltazar. — Como é que Deus deixou criar uma coisa dessas?

— É um desassossego, mas não é o fim do mundo, vamos tomar cuidado e tocar a vida — argumentou Jerônimo.

— Taí — disparou Gregório —, não queriam saber o que era o candiru? Agora sabem.

— É interessante saber as coisas da região, as ruins e as boas, principalmente os ensinamentos nas artes de trabalhar a floresta — declarou Jerônimo. — Mas me fale, seu Benedito, como consigo empreiteiro pra fazer a cerca do pasto e o curral?

— Por aqui é difícil, pode ser que tenha lá na Areia Preta, onde tem posto de gasolina e restaurante. São muitos moradores, e é possível achar gente pro trabalho. Chegando lá, procure um gato, que é o homem organizador da contratação de trabalhadores.

— Quando for a Cuiabá, vou parar lá e dar uma sondada.

— O senhor está pensando em trazer gado logo e aproveitar estes pastos?

— O mais depressa possível, pois enquanto o gado não começar a engordar só estamos gastando dinheiro.

— Já sabe onde vai comprar o gado?

— Nessa minha ida a Cuiabá vou especular, tenho dois endereços onde procurar gente do ramo.

— Não é difícil, tem aumentado muito a criação de gado.

— Mas me fale, seu Benedito, aparecem índios por aqui?

— Não, vez ou outra eles andam por aí caçando; a aldeia deles é bem longe, uma tribo distante. O senhor vai precisar comprar motosserra, isso de trançador e machado não dá mais, com o motor o serviço rende e cansa menos o trabalhador.

— Estou mesmo pensando nisso.

— Como vocês não têm essa prática, é preciso pedir uma boa instrução para manejar o equipamento e saber entender o mecanismo do motor, que às vezes emperra e não funciona. Outra coisa é trazer lima apropriada no serviço de amolar a corrente. O bom mesmo é o senhor comprar duas motosserras, uma de sabre pequeno e outra de sabre grande, pra árvores grossas.

— Fico muito agradecido pelas suas orientações, vou atrás disso sem falta.

— Também meu pessoal pode ajudar na orientação do manejo. Não é difícil, só precisa alguém explicar e depois é a prática que vai dar o verdadeiro ensinamento. Ah, vocês precisam conhecer as árvores, saber qual madeira tirar, qual é melhor pro curral, pra tábua de casa, pra cocho e outras utilidades.

— Verdade — concordou Gregório —, essa parte não é fácil.

— O senhor há de ter alguém que possa trabalhar uns dias aqui fazendo esses ensinamentos, se não for pedir demais.

— Fique tranquilo, tem o Florentino, que é muito conhecedor. Rapaz bom e prestativo; falo com ele e quando o senhor quiser ele vem e anda pela mata orientando vocês, explicando.

Depois de prosearem ainda um pouco, fumarem e tomarem a saideira, Jerônimo pagou o combinado pelo transporte e Benedito se foi, dizendo, já dentro do barco:

— A camioneta está lá bem guardada, não se preocupem. E se precisarem de alguma coisa urgente, já sabem o caminho. Esta canoinha eu trouxe pra emergências enquanto vocês não têm uma. Podem usar à vontade, temos outras lá.

Jerônimo e Baltazar, ali na beira do rio, acenaram, e quando o barco ia se afastando, Jerônimo comentou:

— Do jeito que ele fala do povo ruim daqui, tivemos uma baita sorte de ter ele como vizinho, um homem decente, parece ser muito bom.

— É mesmo bom, mas não significa que não seja bravo, já olhou bem nos olhos dele? — perguntou Baltazar. — Vi sangue naqueles olhos, é pessoa boa por conveniência, por boa vizinhança, mas se errar o passo com ele, tem troco!

— Neste fim de mundo, parece que as pessoas precisam ser ruins, quem não é vai ficando.

— Pelo jeito Deus está longe daqui.

— Nessas distâncias é tudo assim, Baltazar, não se pode vacilar um milímetro, seja com gente, mato, bicho, tudo. Estamos aqui no jardim onde Deus soltou Adão, desamparo sem fim.

— A gente precisa se amparar uns nos outros.

— Acho bom combinar isso com os índios! — exclamou Jerônimo.

— Misericórdia, nem fale uma coisa dessas, quero nem saber de índios.

— Por quê, Baltazar? São gente também, só um tipo de vida diferente.

— Sei não, pelos comentários só andam com arco e flecha — disse pensativo o rapaz.

— E os brancos, que só andam armados de punhais, revólveres e espingardas?

— Agora sim! Não sei o que é pior.

Assim, conversando, chegaram à tenda e foram cuidar do necessário para o final do dia.

O barraco

Dias depois, os camaradas de Benedito levaram os cavalos, que atravessaram o rio e foram colocados no piquete. Após terem feito a cerca, Jerônimo e os rapazes passaram a trabalhar na construção de um barraco melhor, ainda rústico, mas tendo o mínimo de comodidade e com porta, que usariam até ser feita a casa, o que demoraria.

    O cotidiano foi se estabelecendo. Os quatro se levantavam no clarear do dia, lavavam o rosto na bacia, preparavam a primeira refeição e saíam para o trabalho. Estavam se acostumando a entrar na mata, a cortar madeira, primeiro para a cerca e agora para o barraco. Exploravam pouco a pouco os detalhes da mata. Mal podiam ver os bichos que corriam. Eram lagartos, tatus, catetos, capivaras e outros em disparada, só restando perceber os vultos, ou quase nem isso, apenas o ruído ligeiro. Os mais lentos eram tamanduá, porco-espinho e bicho-preguiça. Os macacos apareciam em bandos, mas eram de famílias diferentes. Muitos eram os pássaros que cantavam sozinhos ou em bandos alegres, como as araras-azuis, amarelas e vermelhas. O capitão-do-mato, com seu canto constante, recebia resposta de longe na mata. As flores frescas banhadas pela luz dourada da manhã recebiam os beija-flores que as visitavam em busca do néctar, competindo com as abelhas que passavam zunindo, sempre animadas no trabalho diário.

    No mato, os homens constantemente portavam uma espingarda por segurança ou para matar alguma caça, o que, no entanto, ainda não havia acontecido. Após o dia pesado de trabalho, banhavam-se no rio, em seguida se revezavam na labuta entre acender o fogo e preparar o jantar sob a luz do lampião e das lamparinas. Vinham as brumas do entardecer e a melancolia dos cantos de pássaros noturnos. Após jantar, os quatro entabulavam alguma conversa, já deitados em suas redes ou às vezes fora da barraca, ao pé do fogo, com os tições a soltar faíscas estalantes e coloridas. À medida que o sono ia chegando, o último a ficar acordado apagava o lampião.

Numa alta noite, todos dormiam quando, rasgando o silêncio, um grito longo e feio acordou os de sono mais leve. Gregório saltou da rede, saiu da barraca. Lá fora, só o silêncio. Queria ouvir aquilo novamente, mas escutava apenas as batidas fortes do coração. Faísca e Fumaça ganiam inquietos.

— Que barulho foi esse? — perguntou Jerônimo, mexendo-se na rede.

— Não sei, pai, só sei que levei um baita susto. Pode ter sido um jacaré.

— Volte pra rede, a gente vai se acostumar.

— Não sei se me acostumo a levar susto.

— Se a gente não se acostumar, então vamos pegar o jacaré.

— Acho que é isso mesmo, além de ele não assustar mais a gente, ainda comemos a carne.

— A batata dele está assando.

Após quatro dias de trabalho, o barraco ficou pronto. O piso de terra batida mantinha no interior um frescor agradável. As paredes feitas com rachas de palmeiras foram barreadas por dentro e por fora, vedando bem as frestas. A porta era removível, pois não tinha dobradiça. Das palmeiras eram também as folhas da cobertura. O fogão era de madeira, recoberto por grossa camada de barro e com uma chapa de três bocas, que viera da fazenda Paraíso. O espaço da moradia era bem amplo, suficiente para as quatro redes ficarem recolhidas durante o dia e estendidas à noite ou nos momentos de descanso. Nos fundos, atrás do barraco, mais do lado direito, na parte inclinada do terreno, foi feito o buraco razoavelmente fundo destinado a ser fossa da casinha, que cercaram e cobriram com folhagem. A tarefa seguinte seria cavar o poço na parte um pouco mais alta, no lado oposto e distante da casinha.

No dia seguinte ao término do barraco os quatro desceram o rio na canoa emprestada pelo vizinho. Era uma canoa boa, firme e suave naquelas águas mansas. Os homens pouco falavam, pois prestavam atenção às árvores das margens e à quantidade de pássaros que voavam ou cantavam. De vez em quando passavam borboletas coloridas; encantaram-se com as lontras, parecia que brincavam atravessando o rio. Foi divertido o percurso, e não demoraram a chegar à sede da fazenda Limoeiro. Encontraram Benedito em casa, e enquanto Olegário funcionava a camioneta, Jerônimo conversava com o capataz, mas logo se despediu. Iriam à capital.

Gregório e Baltazar remavam rio acima, enquanto Jerônimo e Olegário seguiam pelo carreador, margeando o rio. Passando pela porteira, alcançaram a estrada melhor, mas ainda assim precária, pois a chuva da noite a deixara molhada, e era difícil secar, por conta da sombra da floresta ao redor. Viajando em baixa velocidade, subiram a serrinha e chegaram à rodovia principal, onde pararam no bairro Areia Preta.

Abasteceram a camioneta e entraram no acanhado restaurante de nome Churrasco com Mandioca. Várias pessoas almoçavam e outras estavam no balcão a conversar, umas tomando café; outras, cerveja ou cachaça.

Jerônimo pediu o almoço para dois e perguntou sobre o dono do lugar. Depois, enquanto almoçavam, chegou à mesa um senhor alto, branco-avermelhado e simpático, perguntando:

— O amigo procura por mim? Eu sou Luiz Gaudério, o dono da casa.

— Ah, sim — falou Jerônimo, estendendo a mão para os cumprimentos. — É hora de seu trabalho e não quero atrapalhar, mas se depois tiver um tempinho gostaria de pedir umas informações, sou novo aqui.

— Está bem, quando vocês terminarem de almoçar a gente conversa.

Assim que tiraram os pratos, o próprio Luiz veio trazer o café, e Jerônimo perguntou:

— Senhor Luiz, acabo de chegar, comprei umas terras no vale do rio Sereno e preciso ir me entrosando. Como o senhor está estabelecido aqui, talvez me ajude.

— Sim, tchê, estou aqui há alguns anos, o que o amigo está precisando saber de imediato?

— Primeiro quero cumprimentar pelo almoço, esta costela com mandioca está supimpa.

— Obrigado, eu mesmo cuido dessa parte, mas tenho guris bons na cozinha. O movimento da estrada está aumentando, temos que cuidar bem do negócio.

— Como ia lhe falando, no momento estou precisando conhecer alguém para empreitada de cerca, por acaso pode indicar alguém?

— Não é difícil, ali no balcão está o Josemar, que é gato, empreiteiro de derrubada, ele pode informar sobre um fazedor de cerca. Vou já chamá-lo, assim vocês conversam.

Josemar conversava ruidosamente com dois homens no balcão, falava e gesticulava. Era um sujeito alto, forte, trajava chapéu grande, de aba larga, vestia uma camisa xadrez, bota preta de cano alto, na cintura uma guaiaca repleta de balas e um revólver. Quando conversava ou sorria, deixava ver dois dentes de ouro, um de cada lado da boca.

Dali a alguns minutos, o gato chegou à mesa de Jerônimo, levantou o chapéu na testa, cumprimentou com jeito sério e perguntou:

— Os senhores estão me procurando?

— Sim, perguntei ao dono do restaurante se conhecia alguém para uma empreitada e ele me falou do senhor. Puxe a cadeira, sente-se.

Josemar sentou-se, pôs o chapéu no joelho e perguntou:

— É empreitada do quê e onde?

— São cercas numa fazenda no vale do rio Sereno.

— Olha, moço, sou mais é de derrubada, lá não vai precisar?

— Sim, mas primeiro quero aproveitar o pasto pronto, por isso a cerca antes, e se der o curral, em segundo plano está a derrubada.

— Sendo assim podemos conversar sobre as duas coisas ou três. O senhor me fala a metragem, eu arrumo os trabalhadores, fazemos as cercas e depois começamos a derrubada.

— Mas o pessoal é o mesmo?

— O povo quer trabalhar, faz qualquer serviço. A gente vê quem é especialista em cerca e começamos com eles, depois cuidamos de ter os mais inclinados a derrubar árvores, mas a maioria vai é no embalo da orientação. Tem gente pra tudo que é precisão, até para fazer madeirame de curral só na agilidade da motosserra. O senhor acredite, profissional de primeira, as tábuas ficam iguais às de serraria. É de ficar bobo de ver a perfeição das réguas amontoadas no meio da mata, de uma árvore que no dia anterior estava em pé.

— Muito bom saber disso. Mas primeiro vamos tratar da cerca, combinar o preço na metragem. Estou indo para Cuiabá e vou trazer os rolos de arame e os grampos.

Logo acertaram os valores e combinaram o dia de se encontrarem na volta de Jerônimo. Pai e filho, após os agradecimentos a Luiz pela aproximação com Josemar, seguiram viagem.

Passeando em Cuiabá

Foi grande a satisfação de Conceição e Adalgiza ao verem os dois entrando em casa.

— Oi, homem, que alegria! — exclamou Conceição. — A chegada de vocês alegra meu coração, nunca ficamos separados tanto tempo.

— Verdade! São fases da vida, logo vamos acostumar com esse vai e vem.

— Conta pra gente, pai, como é tudo lá no mato — solicitou, curiosa, Adalgiza.

Eram muitas novidades para contar, tanto dos que chegavam como das duas, sobre a vizinhança, a cidade, as ruas do centro, as estreitas, o movimento, os mercados, as praças, as igrejas, as casas antigas, o comércio, o rio Cuiabá e o porto. Tantas coisas...

As duas queriam saber tudo sobre os acontecimentos vividos na nova fazenda. Assim, passaram horas conversando as novidades. Archimedes, que chegava da biblioteca, aonde estava indo todas as tardes, também quis saber das coisas da floresta, se havia índios, bichos, rios, cachoeiras, tudo.

Após o jantar, a euforia dos encontros havia passado e todos conversavam na sala. Archimedes estudava no quarto. Conceição e a filha comentavam sobre as vantagens do fogão a gás, da luz elétrica, da água encanada e da privada dentro de casa. Estavam encantadas com tudo aquilo.

Jerônimo falava sobre a vida na nova fazenda:

— No trabalho não tem vida fácil, lá na Paraíso a tiração de leite era uma atividade dura; agora, naquele mato, a rudeza daquilo tudo é também uma atividade muito difícil. Não sei se estamos certos, mas a gente quer uma possibilidade de vida melhor para a família, um crescimento, e toda aquela terra é a possibilidade que encontramos. Na verdade é uma aposta, e espero estarmos certos. É mais difícil no começo, depois tudo vai melhorar e aí teremos muito mais pastagens e quantidade de bois engordando. A fazenda de São Paulo tinha perto de cem alqueires, e lá nas terras novas, só de pasto pronto, tem setenta. É bem animador — concluiu.

— Mas é mato — retrucou Conceição —, muito mato, e a lei fala que não se pode derrubar tudo. A metade não pode derrubar.

— Mais tarde acaba mudando a lei e vai poder derrubar mais, foi o que aquele empreiteiro comentou; concordo, não se pode derrubar tudo mesmo, e pra nós, com setecentos alqueires de pastagens, já vai ser bom demais, deixe o outro tanto preservado para contribuição à natureza.

— E derrubar esse mato vai dar muita despesa, onde você vai arrumar dinheiro pra fazer isso tudo?

— Vamos com calma. As árvores são um verdadeiro tesouro. É preciso ir vendendo toras. Tem muita madeira boa, madeira de lei, aquilo vale muito dinheiro.

— Você disse que não tem estrada e que ainda precisa de barco, como é que vai tirar as toras?

— Pelo explicado estão fazendo uma estrada da banda de lá do rio, e então vai chegar na fazenda, diminuindo boa parte das dificuldades.

— Mas tudo isso demora, e nem a estrada principal é muito boa.

— Verdade, essas estradas todas de terra são um impedimento ao progresso, mas são assim as coisas, fazer o quê? Se fossem asfaltadas, não seria fácil comprar as terras. Não é possível se adiantar, tem que ir no ritmo. Nós não nascemos no futuro, estamos aqui agora, este é o nosso tempo.

— Beleza era aquela estrada que ia pra Tambaú — lembrou Adalgiza.

— São Paulo é um Estado de mais riqueza, e mesmo assim nem na região da Alta Paulista todas as estradas têm asfalto. Aqui demora ainda mais, mas acredito que com a mudança da capital pra Brasília o interior vai ter uma grande melhora, o progresso vai acontecer.

— É muito dura essa luta toda — rebateu Conceição.

— É preciso paciência, alguém tem que fazer isso. Eu me acho com forças pra iniciar, os filhos também vão ter um trabalho sofrido, mas depois o progresso chegará e as gerações futuras terão uma vida menos sacrificante.

— Tudo isso demora tanto que quando chegarem essas melhorias estaremos todos mortos — ironizou Adalgiza, sorrindo.

— Vira essa boca pra lá, menina — reagiu Conceição.

— Se eu deixar essa grande fazenda para meus netos, morro feliz. Comigo não estou preocupado, minha vida sempre foi esta, de dureza, de luta, não me abalo, quero é ver as coisas sendo feitas, e vamos fazer. A perseverança nos dá força e superação sobre todas as dificuldades.

— É isso aí, pai — apoiou Olegário. — Vamos fazer, sim. Lá é sofrido, mas é interessante, muito diferente de onde a gente vivia. Na mata sinto uma coisa forte empurrando a gente. Tem aquela solidão de silêncio que é de outro jeito, pois na Paraíso também era solitário, só que era mais aberto. Aqui não, com aquela mata ali do lado, os bichos fazendo seus barulhos, é muito estranho mesmo.

— Você não sente muita solidão, Olegário? — perguntou Adalgiza.

— Tem uns momentos chatos, mas estamos sempre juntos, só quando se vai dormir que a solidão fica dentro da gente, e vêm os barulhos noturnos: o estralar dos tições de fogo, sons de bichos na mata, o ruído de um trovão distante, o vento e a chuva. Essas coisas ajudam a espantar a solidão.

Archimedes, que saíra do quarto e ouvia a conversa, pediu:

— Quero ir lá ver como é esse lugar. O senhor me leva, pai?

— Sim, filho, nas férias levo você comigo. As mulheres vão esperar mais, só quando tiver uma casa pra ficar decentemente, por enquanto está tudo muito difícil. E você, já se entrosou bem na escola? Está gostando?

— A escola é bem legal, muito maior que a minha antiga, e tem uma biblioteca grande. É animada, tem muito mais alunos e vai ter uma excursão na próxima semana pra gente visitar um museu.

— Que bom o Archimedes estar gostando! E vocês duas, como é que estão vendo as coisas? Está pior ou melhor?

— Olha — respondeu Conceição —, aqui é mais quente, Deus me livre, que calor medonho, mas é movimentado, gente pra todo lado, barulho de carros, de aviões. É muito diferente, acho que com o tempo a gente se acostuma, já andamos mais longe conhecendo o centro, você precisa ver as igrejas antigas, como são lindas, um encanto, nunca imaginei tanta beleza. Visitamos umas quatro, até já fomos na missa em uma delas.

— Nós vamos levar o senhor pra conhecer — disse a filha —, sei que vai gostar.

— Jerônimo, você precisa ver as lojas, vixi! São tantas coisas bonitas. A Adalgiza fica encantada com tudo. Mas de vez em quando sinto saudades do sossego da roça.

— Estou gostando, pai, pena que o senhor não está aqui pra gente sair junto e ir mais longe, conhecer melhor a beira do rio Cuiabá. Tem também o rio Coxipó, que ainda não vimos, e queremos descobrir outras coisas.

— Pode deixar, por esses dias vamos dar um passeio pela cidade, também quero conhecer.

— Vocês vão ficar quantos dias? — perguntou a esposa.

— O tempo de fazer contato com uns homens do negócio de gado pra ver se compro uma boiadinha. E vamos juntos comprar um jogo de sofá e mais umas coisinhas aqui pra casa, conforme conversamos naquele dia. Preciso também providenciar material pra fazer a cerca e uma porção de coisas mais, além de mantimentos que deem pra passar uns tempos lá na fazenda, sementes de hortaliças e galinhas poedeiras. Depois você me faça uma lista de alguns remédios mais simples pra alguma precisão e vou levar também soro antiofídico. Lá é muito sertão, se uma cobra pica um de nós, sem o soro é praticamente fatal. Foi descuido já não ter levado. Por isso também não posso demorar muito pra voltar.

— Nem me fale uma coisa dessas com aqueles dois lá no desamparo.

— Não pense nisso. Na verdade eu nem deveria ter falado, pra não deixar você preocupada. Mas o senhor Benedito, um vizinho, tem ajudado muito a gente, ele disse que é raro alguém ser picado por cobra, mais fácil ser engolido por uma sucuri.

— Credo! — gritou Adalgiza. — Nunca que vou lá!

— Misericórdia, santa mãe de Deus, que lugarzinho vocês se meteram!

— Lascou mesmo, eu quis consertar e piorei a situação — falou Jerônimo, rindo. — Mas tá tudo bem, vamos pensar em ganhar dinheiro pra vida ser sempre boa, só isso, né, filho?

Jerônimo passou a mão na cabeça de Archimedes e emendou:

— Conte alguma coisa aí de seus estudos.

— Estou aprendendo muita coisa em várias áreas, e até trouxe hoje um mapa da América do Sul e estava tentando localizar a fazenda.

O menino buscou o mapa e o abriu sobre a mesa, apontando onde poderia estar a fazenda Floresta. Olegário se aproximou da mesa, olhou demoradamente o mapa e pediu:

— Archimedes, mostre onde é o mar que você falou aquele dia.

— Aqui ó, oceano Atlântico — mostrou o menino, apontando com o dedo no mapa.

— Mas do outro lado, esse azul aqui, também é mar?

— Sim, é o oceano Pacífico. Da fazenda, se vocês forem reto, chegam ao Peru, que é banhado pelo Pacífico.

— Então, pelo que estou vendo no mapa, nós estamos mais perto do Pacífico e mais longe do Atlântico?

— Sim, é só pegar a régua e fazer os cálculos, assim.

Archimedes buscou a régua, mediu e explicou:

— De onde vocês estão, lá na fazenda, até o Atlântico, são mais de quatro mil quilômetros, e do Pacífico só uns mil, talvez nem isso.

Olegário se lembrou da conversa que tivera com Gregório e sorriu satisfeito, mas não disse nada.

***

Jerônimo procurou o endereço dado por Evaristo, do senhor Alcides Godoi, e no dia seguinte, acompanhado de Olegário, foi procurá-lo à hora do almoço, mas não o encontrou e foi informado de que ele só chegaria no final do dia.

Voltando para o centro da cidade, pai e filho se puseram a conhecer o comércio e a comprar o que estava na lista. No fim do dia, voltaram à casa de Alcides e o encontraram.

— Boa tarde, é o senhor Alcides Godoi?

— Sim, sou eu, o senhor é o invernista que esteve aqui pela manhã?

— Sim, meu nome é Jerônimo, estou querendo comprar uns boizinhos pra engordar.

Conversaram longamente sobre as características do gado que ele queria e tudo ficou acertado para o mês seguinte, quando iriam a uma fazenda ver uma boiada e talvez fazer negócio.

Nos poucos dias que ficou em Cuiabá, Jerônimo saiu a passear com a esposa e a filha. Conheceram a cidade velha, o jardim municipal, o rio Cuiabá e o Coxipó. Foram ao cinema e ao bosque, visitaram igrejas, tomaram sorvete e deram risada. Nesse meio-tempo, compraram sofás de vime e bonitas almofadas, três cortinas, redes a serem colocadas na varanda, duas samambaias e sementes de flores que Conceição queria para um jardim na frente da casa.

Passearam num feriado municipal. Nas ruas, havia bandas de música, carros alegóricos, fanfarras e desfile de estudantes. Archimedes participou do desfile. A família estava na praça, e todos aplaudiram o menino, que os viu na beira da calçada. Um dia feliz na vida dos Bragante.

O gato

Após alguns dias e tendo feito o que precisavam, Jerônimo e Olegário, com a camioneta carregada, estavam novamente na estrada, saindo numa manhãzinha quando o sol começava a despontar. No fim da tarde, pararam num posto onde abasteceram e jantaram antes de pernoitar. No dia seguinte, no Churrasco com Mandioca, Luiz Gaudério, o dono do restaurante, passou-lhes um recado de Josemar: "Que deixasse avisado se tinha chegado o arame, e em caso positivo, ele, dentro de poucos dias, desceria para a fazenda levando os trabalhadores". Após comerem alguma coisa, Jerônimo e Olegário continuaram a viagem e, no fim da tarde, estacionaram na fazenda Limoeiro. Benedito chegava do trabalho.

— Boa tarde, seu Jerônimo, boa tarde, Olegário — cumprimentou, estendendo a mão aos dois. — Fizeram boa viagem?

— Boa tarde — responderam os dois. — Sim, foi muito boa a viagem, e bom encontrar o senhor para tratarmos de um arranjo.

— Já sei, levar vocês lá na fazenda. É pra já, mas antes vamos matar o bicho.

— Matar o bicho é relaxante e agradeço, mas quero falar sobre contratar um pequeno serviço seu.

— Pode falar, o que for possível a gente faz.

— Será possível o senhor transportar no carro de boi pelo carreador até em frente à fazenda estes rolos de arame e outras coisas vindas de Cuiabá?

— Pode deixar. Amanhã mesmo o Dado, meu carreiro, faz o transporte. É bom mesmo pra fazer exercício, há dias ele não põe os bois na canga.

— O senhor põe preço no serviço.

— Depois a gente vê isso, vamos tomar uma cachacinha — convidou Benedito, já entrando em casa e pedindo para Petronila, sua esposa, providenciar uns copos. — Me fale, homem, como é que está Cuiabá?

— Cidade boa, quente e com muita gente, até que me agrada.

— Boa mesmo, porém muito quente, movimentada, não é pra mim, não. Gosto mesmo é daqui do mato, que é quente também, mas o arvoredo ajuda a suportar o calor e é muito sossegado.

— Também prefiro a tranquilidade do campo, com a do mato ainda não estou acostumado.

— O senhor ficando um tempo aqui e outro lá, vai se acostumar com os dois.

— Ou com nenhum dos dois.

E os três deram risada. Até dona Petronila, que viera trazer os copos, riu também.

— Seu Benedito, comprei as duas motosserras, conforme seu conselho. Olegário e eu ouvimos as explicações dos técnicos da loja e vamos ver na prática como a gente se vira.

— No começo vão ter as dificuldades normais, mas logo dominarão. É só ir praticando no mais simples, em madeiras finas; e quando precisarem me falem que vou dar uma mão, eu e o Florentino.

Não demorou e Benedito estava conduzindo os dois e parte das compras para as terras de Jerônimo, a fazenda Floresta. Lá chegando, os rapazes, que estavam no barraco, vieram ajudar a descarregar. Benedito se despediu e logo seu barco acelerava, descendo o rio. O dia perdia as últimas luzes.

— E aí, pai? — perguntou Gregório. — Lembrou-se do querosene, né?

— Sim, acho que não esqueci de nada. Na ida, quando ia lembrando, falava e o seu irmão anotava. Veio querosene, fumo-de-corda, jabá, sal pro gado, cunhas, marreta e muitas outras coisas, até soro contra picada de cobra.

— Até galinha veio. É pra comer?

— Não, pra botar ovo! Pra comer ovo e pra nascerem pintinhos. Trouxe um punhado de sementes para fazermos uma horta. Vamos preparar o limpado, plantar milho, abóbora, verdura, pimenta e até a semente de bucha que trouxemos na mudança e esquecemos em Cuiabá. Bem, de horta o Baltazar entende! Precisamos é buscar a rama de mandioca, já falei com o Benedito. Quando a gente estiver produzindo milho, mandioca e abóbora, vamos criar uns porcos.

— Pai, viu algum lote de gado por lá? — perguntou Gregório.

— Gado mesmo não vi, mas deixei engatilhado um encontro pra ver uns bois no ponto de invernada, com um homem que o Evaristo me indicou e deu o endereço, o tal Alcides Godoi. Na próxima ida, você vai comigo e vamos ver os animais.

— E aí, Olegário — perguntou Gregório para o irmão —, gostou do passeio? Conta as novidades.

— Não gostei de duas coisas: calor e movimento. Calor a gente até aguenta, mas aquele monte de carro correndo pelas ruas, assustando a gente, um quase me pega, gelei até. Nas calçadas, então, o povaréu andando rápido, atropelando, me pisando nos calcanhares. Não, aquilo não é pra mim. Ali, bobeou, morre! Ou se quebra inteiro. Mas gostei de outras coisas; as praças e os jardins, os bares na beira do rio, as moças bonitas e bem-vestidas. Eu me diverti indo ao cinema. Queria ver o circo, mas não foi dessa vez. Tomei sorvete numa praça bonita na frente de uma igreja muito bonita e antiga.

— Não tomou cerveja?

— Na beira do rio, não, eu estava com o Archimedes, a Adalgiza e a mãe. Cerveja eu e o pai tomamos em outro bar, lá perto de casa. O que eu achei bacana foi um desfile, até o Archimedes participou. Tinha banda de música, fanfarra, muitas coisas bonitas, e mais ainda as meninas, balizas das fanfarras. Lindas e vestindo umas sainhas curtinhas, branquinhas; lembrando daqui parece sonho.

— Tá bom, agora acorde e pare de deixar a gente com inveja.

— Gregório, você se lembra de que falou, naquele primeiro dia de nossa vinda, lá na estrada, de nós estarmos ficando cada vez mais longe do mar?

— Sim, eu me lembro, que tem isso?

— Vi um mapa do Archimedes, e desse lado de cá tem um mar mais perto de nós do que a gente estava pensando. Você disse que a gente estava se afastando do mar, mas é o contrário.

— Será possível?

— A gente não sabe de nada quase, mas quando você for a Cuiabá pergunte pro Archimedes, ele explica e te mostra o mapa.

Gregório ficou quieto, pensando no que o irmão falara. Sentiu-se no escuro, perdido em sua ignorância, no meio do mato e sem saber direito onde estava no mundo. Gostaria de ter um mapa para se situar.

— Sabe, Olegário, parece que quanto mais a gente sabe das coisas, mais sofre.

— Na verdade a gente não pode pensar muito. Estamos sem escola, sem igreja, sem amigos, sem diversão, só nos resta o trabalho. Essa mudança bagunçou nossa cabeça, mas se o caminho é este, vamos trabalhar e varar este tempo difícil.

— É mesmo, vamos dar duro e pensar que podemos continuar indo em frente e chegar no mar lá pra onde o sol se põe. O Archimedes disse que é num país chamado Peru.

— Peru, estranho um país ter o nome de Peru.

— Falei isso pro Archimedes e ele me respondeu que tem país chamado Angola, outro Camarões. Aquele menino está aprendendo muita coisa mesmo.

Depois da refeição, Baltazar já ressonava na rede, Jerônimo pitava um cigarrinho na luz do fogo e os dois irmãos conversavam baixo. Gregório chamou:

— Olegário, tá acordado?

— Tô, que foi?

— No cinema, qual filme você viu?

— Assisti dois, era sessão dupla, um de faroeste e o outro do Carlito.

— Gostou?

— Sim, eu me diverti, dei muita risada com o Carlito. Na próxima vez você vai e aproveita o cinema, e quem sabe também vai ao circo.

— Tinha moça bonita no cinema?

— Naquele escuro você acha que eu vi?

— Na hora de entrar, tô falando.

— Na hora de entrar fui meio empurrado, quando vi já tava lá dentro e logo tudo escureceu, só vi vulto de gente. Moças bonitas só vi mesmo nas ruas, no desfile. Quando você for, vai ver. Vou contar os dias pra voltar, pra ver melhor.

— Ué, você falou que é muito quente, tem muito carro, muita gente, e já tá pensando em voltar?

— Pra ter a carne assada é preciso enfrentar o calor do braseiro. Vamos dormir que estou já cochilando.

Três dias depois do retorno de Jerônimo à fazenda, chegaram Josemar e seus homens. Foi indicado onde poderiam fazer o acampamento, devidamente afastado, para evitar possíveis dissabores com tantos homens por perto, mas poderiam usar a casinha, que seria comum.

Josemar, o empreiteiro, era um tipo parrudo, um tanto estourado, homem de jeito rude, estúpido e de difícil trato. Era duro com seus trabalhadores, pagava pouco, exigia muito e os alimentava mal. Costumava dizer que com aquele tipo de gente não tinha como ser bonzinho.

— O bonzinho aqui não se cria — repetia de vez em quando.

— Senhor Jerônimo, foi bom ter acertado com seu vizinho pra trazer nossas tralhas de barco, são muitas coisas e a pé por esta beirada de rio carregando nas costas não ia ser fácil. Essa gente está acostumada a superar todo tipo de dificuldade, mas vir caminhando sem carregar peso é mais fácil.

— Ainda bem que chegaram e já estão montando o acampamento. Estive olhando seus homens, bem sacudidos eles, são todos daqui da região?

— São de todos os lugares, alguns conheço bem, pois trabalham comigo há tempos, mas a maioria não sei quem são, é gente que aparece com necessidade de trabalhar e se sujeita às duras condições oferecidas por aqui. Pessoas ali, na beira do caminho, à espera do destino, e vêm.

— Gente perigosa, pelo jeito.

— Digo mais, seu Jerônimo, o homem de caráter indomável e de fraca inteligência é uma bomba ambulante. É preciso saber levar na chincha, ser firme e duro. O Genildo, meu encarregado, trabalha comigo há muito tempo, daqui a pouco vou lhe apresentar. Ele fica com a turma e é rigoroso na medida certa. Eu vou atrás de contratar outros trabalhos e fiscalizar minhas empreitas, pois "cobra que não anda não engole sapo".

Genildo distribuiu as tarefas e os homens se espalharam, uns cortando madeira, outros fazendo o limpado, cavando buracos, transportando paus e varas, e logo duas tendas estavam sendo erguidas, com as redes sendo esticadas, o fogo aceso e o cozinheiro providenciando a refeição.

Josemar chamou Genildo e o apresentou a Jerônimo, mas não conversaram muito, apenas o necessário sobre o aceiro, que começaria no dia seguinte em volta do pasto existente, onde se colocaria fogo antes de começar a fazer a cerca. Em seguida o gato se juntou aos homens no barraco onde esperavam a boia.

Terminando de comer, Josemar reuniu todos para avisar que ia embora e passar algumas recomendações.

— Vocês vieram aqui trabalhar, e é isso que vão fazer. Obedeçam às ordens do Genildo, não fiquem de corpo mole e não exagerem na cachaça. Trouxemos pouco, só o necessário pra matar o bicho no fim do dia. Eu estou indo, mas logo volto. Seguindo as instruções do encarregado tudo vai melhor. Não briguem, não quero saber de confusão.

Após passar as instruções, ele se foi na canoa de madeira, levado por Baltazar e Olegário até seu veículo na sede da Limoeiro.

Após atenderem às instruções de Genildo e prepararem as ferramentas, amolando enxadas e foices, os homens aproveitaram o restante da tarde a descansar. Uns deitaram nas redes, outros foram tomar banho no rio e alguns tentavam fisgar uns peixes. Dois deles foram até a lagoa jogar anzol de linha grossa e ver se à noite um jacaré engoliria a isca.

Genildo era alto, musculoso. Tinha cabelos pretos volumosos, pescoço grosso, rosto rude, sobrancelhas fartas e testa pequena, aspecto brutal mesmo, muito sério, nunca sorria. Usava chapéu grande, botinas e revólver na cintura.

No dia seguinte, nas primeiras luzes, dois homens saíram do barraco rumo à lagoa. Um pouco depois, outros também saíram e foram se preparar para o trabalho. Durante a refeição, olhando todos, Genildo observou que faltava gente e perguntou alto:

— Cadê o Tião e o Valdomiro?

— Saíram bem cedo e foram ver se tinha jacaré no anzol — respondeu o cozinheiro.

— Olhe lá eles! — gritou Laurindo. — Estão vindo com o jacaré nas costas.

— Rapaz, não é que pegaram mesmo?! — exclamou Genildo, admirado. — Pronto, Zinho, você tem serviço e comida boa pro almoço.

O jacaré era grande e foi colocado na frente do barraco. Todos foram admirar o bicho e ouvir as explicações dos dois que, entusiasmados, contavam como tinham conseguido tirar a fera da água.

Jerônimo e os seus ouviram o alvoroço e foram ver o animal abatido. Conversaram um pouco com Genildo e logo todos estavam saindo para o eito, cujo primeiro objetivo era o aceiro, limpado a ser feito entre o capim plantado e a mata. O encarregado tinha como missão não deixar faltar água nas moringas. Fazia isso enquanto fiscalizava o trabalho.

Alguns roçavam o capim alto com as foices e outros usavam as enxadas na capina. Jerônimo, observando o trabalho, comentou:

— Eles trabalham bem, o aceiro bom é fundamental para o fogo não escapar de controle. Em poucos dias vamos poder fazer a queimada, esse capim vai crescer rápido e não demora para podermos trazer a boiada.

— Não vejo a hora de jogar os bois na água, para atravessarem o rio e entrarem no pasto verde — comentou Gregório.

— Seu Jerônimo, a cerca sai daqui da beira do rio e, acompanhando o mato, vai até lá longe e desce voltando até chegar no rio, mas quantos pastos vão ser? — perguntou Baltazar.

— Uma divisória vai ser lá naquela parte — Jerônimo apontou com a mão para o capinzal mais distante. — É preciso aproveitar a água do ribeirão que passa naquele canto, ficando um pasto mais perto da mata de cima, o mais distante. Depois duas cercas descem desse pasto até o rio e ficam três pastagens com bebedouro no rio.

— Acho que vai ficar bom mesmo ter quatro pastos — concordou Gregório —, assim não precisa fazer corredor pra bebedouro.

— Exato! Então vamos trabalhar, pois temos muito que fazer — chamou Jerônimo, e foram cuidar de preparar espaços onde plantar.

No final do dia, os homens de Josemar chegavam cansados para o banho no rio, o descanso nas redes e o jantar enriquecido com o apetitoso churrasco de jacaré acompanhado de histórias ao pé do fogo.

— Ô seu Genildo, já tomei banho, tá na hora de uma branquinha pra tirar o cansaço do dia e abrir o apetite — lembrou animado o Florisval.

— Tá bem, não deve ser só você que quer.

— Concordo — reforçou em voz alta o Zé Maria. — Vamos dar uma talagada que estou sentindo saudades da branquinha, desde ontem sem a gente se encontrar.

Genildo abriu um garrafão e o copo cheio passou de mão em mão até ser esvaziado e reabastecido.

Todos já tinham se banhado no rio, e o cozinheiro Zinho alertou que já podiam se servir. Os homens, de pratos nas mãos, foram em fila tirando a comida dos caldeirões: feijão, arroz, carne cozida com batata, farinha de mandioca e jacaré assado. Tinha ainda boa pimenta.

Após comerem, espicharam-se nas redes. Alguns jogavam damas no tabuleiro que Zinho trouxera. Foi feita uma mesa com madeira fincada no chão e tampo de varas finas, sobre o qual um pano azul desbotado tornava possível jogar dominó.

Zé Maria gostava de fazer chá e já conseguira casca de imburana, que colocou no caldeirão preto, e logo o chá ficou pronto. Não demorou e alguns estavam tomando chá, remexendo os tições do lado de fora da tenda e conversando junto ao calor do fogo.

— Olha — lamentou Raimundo —, hoje foi puxado, fazia dias que eu não trampava, o corpo está bem dolorido.

— Também, aguentar o cabo do guatambu com um solão desses o dia inteiro! — concordou Severino. — Quando a gente trabalha na mata é melhor porque tem sombra, mas assim no relento é cruel!

— Nem me fale, ainda bem que tem a noite, senão nós tava era lascado, trabalhando direto.

— Tá louco, nem pense numa coisa dessas, uma vida sem noite pra descansar.

— Imagine então se fosse só noite e não precisasse trabalhar, aí nós tava mais lascados ainda, como é que ia comer?

— Para de bestagem, não inventa moda — rebateu Florisval. — Alguém trouxe violão pra gente cantar?

— Acho que ninguém trouxe, não vi nenhum.

— Ô Vanderlan, cadê sua gaita de boca?

— Tá guardada, na hora que me der vontade assopro.

Depois de alguns segundos em silêncio, Valdomiro opinou:

— Amanhã vai chover.

— Por que está falando isso? Você agora é o homem do tempo?

— Quando os pássaros se recolhem tarde no final do dia é porque no outro dia vai chover, e hoje os pássaros estavam agitados até agorinha.

— Nada a ver, estavam contentes porque é noite de lua — retrucou Tião.

— Você não entende nada de pássaros. Nas noites de lua clara, os pássaros que cantam são coruja, bacurau e mãe-da-lua, e não eram eles cantando, eram os outros, os alegres.

— Raimundo, já que você é entendido dessas coisas do mato, conta aí pra nós sobre a mãe da mata — pediu Laurindo.

— Sei história, não, só sei que a mãe da mata dá uma surra de cipó em quem caça muito, bate com o cipó de fogo, esse corta, queima e arde demais.

— Vige Maria, quem caça jacaré também é pego? — perguntou Tião.

— Matar jacaré é pior ainda.

— Sai fora, vamos mudar o rumo dessa prosa. Ô Florisval, conte aí uma daquelas histórias que você sabe.

— Qual?

— Qualquer uma, só pra gente escutar você mentir.

— Sai dessa, se fosse mentira eu não contava. Eu não invento, conto o que me contaram ou li em livros.

— Tá bom, nós acreditamos, então conta, vai.

— Vou falar de um homem que viveu, viveu, viveu, viveu e morreu!

— Ué, isso todo mundo faz, viver e morrer.

— Ah! Mas esse viveu, viveu e viveu.

— Também sei de uma porção de gente que vive até noventa, cem anos.

— Mas esse viveu muito mais. Estou falando do Matusalém, viveu mais de novecentos anos.

— Que isso? Tá brincando? Ninguém vive tanto tempo.

— Pai amado, que idade é essa? — disse uma voz vinda de dentro da tenda.

— Bem, não inventei, tá lá na Bíblia!

— Sei não, a contagem era diferente.

— É, tô pensando aqui... Que contagem era essa? — resmungou Valdomiro.

— Vai saber! Eu até não acredito, mas acho que não é mentira.

— Ah, conta outra!

— Você, ô Vanderlan, conte aquela história que começou naquele dia e parou, a do poço.

— Eu era sacana na infância, como são muitas crianças. Certa vez eu, já rapazinho taludo, estava tirando água do poço. Desci o balde, que se encheu, e comecei a girar o sarilho, a corda enrolando e a água subindo. De repente, pimba: o balde escapou e caiu. Meu irmão, mais velho, se debruçou na beira do poço e, com o gancho na ponta de uma corda, tentava pegar o balde pela alça. Eu segurei as pernas dele pra ajudar a ir um pouco mais pra baixo e fui empurrando ele dentro do poço, pura malvadeza. Ele começou a gritar e eu ria, e ficamos ali certo tempo. Eu pensando o que ia fazer quando ele ficasse em pé e ele dizendo que ia me matar.

— E aí, como foi? — Zé Maria perguntou.

— Foi aí que garrei a pensar *"E agora? Se eu soltar mato ele, se eu puxar ele me mata"*. Então tive uma ideia. Segurei ele firme com uma mão, usando a outra peguei a corda do sarilho, amarrei bem as pernas dele e fui puxando pra fora. Quando ele saiu, estava amarrado e brabo, então corri pra longe e fiquei sumido uns dois dias até ele se acalmar.

— Melhor você contar mentiras engraçadas que essas verdades malvadas — disparou Raimundo.

As conversas e as histórias continuaram em volta do fogo. Fizeram mais chá e aos poucos todos foram se recolhendo.

Jerônimo conversava com os seus no escuro, todos já nas redes.

— Estes homens são mesmo muito trabalhadores.

— Também — observou Olegário —, o encarregado fica em cima.

— Claro — opinou Gregório. — É empreita, e quanto antes acabarem mais o gato ganha.

— É mesmo — concordou Baltazar —, o tal de Genildo faz os caras trabalharem até a última gota de suor.

— Mas quando chove o serviço para, ninguém trabalha — ponderou Gregório.

— Isso é verdade, faz parte — acrescentou Jerônimo. — Parece que são todos homens sem família, meio perdidos nessas lonjuras.

— Como é que vêm parar aqui sozinhos, neste fim de mundo? — indagou Baltazar.

— Não são sozinhos, são pessoas presas umas às outras pela pobreza, um amigo ou parente traz o outro.

— É uma vida muito dura, para muitos deles a companhia é a solidão — ponderou Olegário.

— Deus dá a cruz e a energia pra carregar — acrescentou Jerônimo, bocejando. — Vou dormir, boa noite pra vocês.

— Só de falar em cruz já fico cansado, boa noite — emendou Gregório.

Os outros responderam e ninguém disse mais nada, só se ouviam os ruídos da noite lá fora. De repente, veio de longe um grito ou assovio, ninguém sabia ao certo o que poderia ser. Quem não tinha dormido ainda percebeu e murmurou alguma coisa. Não demorou e, na calmaria do mato, ecoou o grito dos macacos.

No barraco do empreiteiro alguém disparou:

— Lá vêm eles, só falta essa macacada pular aqui dentro.

— A macacada não é nada, você vai ver a merda pegar preço se entrar jacaré.

— Nem fale uma doideira dessas, agora mesmo ouvi o urro de um, pelo jeito é dos cabeludos.

— Deve estar sentindo falta do companheiro que o Tião e o Valdomiro pegaram.

— Melhor a gente comer ele logo também.

— Sabe que é mesmo! Não demora e o Tião vai lá cuidar dele.

— Ocês parem aí de conversar, vamos dormir que já passou da hora — reclamou uma voz.

— Sai fora, zé ruela! — resmungou Laurindo, tá me estranhando?

Ninguém disse mais nada, ouviram-se apenas uns sussurros abafados.

O silêncio voltou no barraco, e só os ruídos esparsos da noite continuaram lá fora. A lua cheia começava a subir no horizonte, clareando devagar a mata inteira. Uma estrela cadente riscou o céu, mas ninguém ali viu.

Passada a noite, o brilho da manhãzinha foi aos poucos levando para fora dos barracos os homens, que lavaram o rosto, foram à casinha e alguns ao rio se lavar e verificar se os espinhéis haviam pegado peixes. O Zé Maria voltou de lá trazendo vários num balde.

Enquanto o pessoal ia se levantando, Zinho acendeu o fogo e preparou a primeira refeição do dia. Em seguida, os homens foram ao eito continuar o aceiro.

A queima do pasto

Sem maiores problemas, o cotidiano se estabeleceu, e pouco tempo depois estava terminada a primeira empreita. Genildo, num fim de tarde, conversava com Jerônimo:

— Pronto, chefe, o aceiro está feito e amanhã na parte de cedo meus homens vão começar a tirar a madeira pra cerca. À tarde, no forte do calor, se não estiver chovendo, dá pra queimar o pasto.

— Estive olhando todo o aceiro e ficou bom mesmo — elogiou Jerônimo. — Sem vento não vai ter perigo do fogo pular pra mata.

— Somos em dez — raciocinou Genildo —, mais vocês quatro podemos fazer dois grupos de sete e vamos em duas frentes, tocando fogo de encontro e cuidando da parte de trás, não vai ter perigo. Começamos pelas duas laterais e assim dá tempo pros bichos fugirem pro mato ou pro rio.

— Estou pensando diferente: vamos formar dois grupos de seis e fazer o que você propôs, então sobram dois. Na hora certa vou com mais um na beira de cá, nas bandas do rio, pra onde os bichos vão correr, e vejo se mato uma capivara pro churrasco da noite — definiu Jerônimo.

— Neste capinzal deve ter capivaras gordas — acrescentou Genildo — e preá também, muitos não vão escapar das unhas desses homens loucos por uma carninha.

No dia seguinte, tudo estava pronto para iniciar o fogo no calor da tarde. O céu sereno, nuvens pesadas se movimentavam lentamente, mas não havia vento na superfície. O clima estava propício a uma boa queima, com o tempo abafadiço e sol ardente. Portando tochas e foices, os homens se dividiram em dois grupos. Um deles caminhou pelo aceiro paralelo ao rio e, chegando na extremidade do capinzal, começou a colocar fogo. Só quando a fumaça subiu foi que o grupo do lado direito iniciou a queima. Assim, as duas frentes de labaredas consomem o capim, avançando vagarosamente à medida que os homens caminham com as tochas nas duas laterais do pasto para se encontrarem no extremo oposto ao rio.

O espetáculo de fogo e fumaça foi estralando o capim alto e as moitas invasoras. O aquecimento tornava o ar mais leve, e o vento ajudava na velocidade do fogo. Animais correram e muitos alcançaram a mata. Jerônimo e Olegário não ficaram em nenhum dos grupos, e sim do lado do rio, esperando algum animal. Os homens da frente seguiam devagar junto ao aceiro, colocando fogo, e os de trás cuidavam para não restarem focos que pudessem alcançar a mata. Faziam isso muito lentamente, buscando ter o completo controle da situação. Os que vinham em seguida iam apagando as chamas das proximidades do aceiro. Alguns batiam com as foices, outros cortavam ramagens verdes e abafavam pequenos focos. Enquanto isso, o fogo avançava pelo interior do capinzal, vindo de ambos os lados.

Os homens gostavam de ver o fogo crescer, aquilo dava certa animação, e muitos gritos ecoavam nos dois lados da queimada. O dia seguia lento no meio da tarde abafada e cheia de estalos. De repente, no meio do barulho do fogo, ouviu-se um tiro de espingarda. Na mata beirando o rio, muitos pássaros voaram assustados. Outros já batiam em retirada por causa do fogo, da fumaça e dos gritos. Animais corriam, procurando escapar para o lado do rio. Até que finalmente os dois grupos se encontraram no extremo do capinzal, por onde não poderia sair mais bicho nenhum. A fuga só poderia ser possível para as bandas do rio por um corredor que se afinava, e o fogo ia quase se encontrando. Lá na beira do rio, outro tiro, e em seguida mais um. O fogo se afastara completamente dos aceiros, e os homens só acompanhavam; já tinham matado onze preás com a ajuda dos cachorros. Era como se estivessem caçando. Os cães pareciam gostar daquele alvoroço.

No aceiro beirando o mato do rio, Jerônimo e Olegário não tiveram muito trabalho com o fogo, e já tinham puxado para debaixo das árvores da beira d'água as duas capivaras abatidas. Quando as labaredas se aproximavam, eles colocaram fogo de encontro, tudo bem controlado.

Todos os homens agora observavam o fogo avançando pelo capim e tomavam cuidado apagando onde fosse necessário. Corriam os olhos em todas as direções. Estavam sérios, compenetrados. Gotas de suor desciam de suas testas. Genildo se aproximou, trazendo a água, e Valdomiro levantou alto a moringa; um fio do líquido fresco fluiu direto para sua garganta. Desviou e molhou a cara, depois enxugou a boca com as costas da mão e passou a moringa aos outros.

Após o fogo ter se extinguido na parte mais distante, os homens se aproximaram do rio curiosos para saber o resultado dos tiros. Encontraram as duas capivaras já sangradas. Amarraram as patas e cada uma pendurada, foi transportada por dois homens até o atracadouro, onde seria mais fácil tratar, jogando os restos na água.

Limpando a caça, eles conversavam:

— Beleza de gordura, e quanta carne!

— Verdade, e vamos guardar essa banha que é um santo remédio, bom pra dor nas juntas e cicatrização de feridas.

— Olha, vamos jogar essas tripas lá na lagoa e cevar a jacarezada, eles serão os próximos a vir pro nosso barraco.

— É mesmo, falaram que a gente ia ter medo de jacaré beirando o barraco, mas nós vamos é ficar contentes e de barriga cheia com jacaré aparecendo lá.

— Se o assunto é jacaré, chama o Tião e o Valdomiro, eles que são chegados desses bichos.

A carne foi levada, o churrasco daquela noite seria num braseiro no barraco do Josemar. O fogo no capinzal se extinguira, e só restavam pequenos fios de fumaça em tocos velhos. Na beira do rio, os homens tomavam banho. Os restos dos animais foram jogados na corrente e uma parte na lagoa.

A tarde estava quente, abafada, o céu se enchia de nuvens cinzentas e não demorou até que uma imensa mancha negra pairasse sobre a floresta. Eram nuvens pesadas, tempo escuro e ameaçador. A distância, o ruído das árvores copadas denunciava o temporal que se aproximava.

Ventou forte, trovões fizeram tremer a paisagem, e chegou uma chuva de pingos grossos, fazendo um tremendo barulhão sobre a mata do lado noroeste. Quando o vento soprou as cinzas, um manto preto subiu do chão queimado. A água bateu na terra e o ar se encheu com um cheiro forte de tição molhado. Não demorou para o vento amainar e chegar uma chuva mais prolongada.

Jerônimo estava feliz encostado no esteio do seu barraco, sentindo o aroma úmido da chuva. Olhava a terra preta molhada e, no meio da água caindo, ainda via resquícios de fumaça saindo dos tocos. Depois se acabaram, ficando somente a água despejada. Jerônimo comentou:

— Tivemos sorte de fazer a queima hoje, logo tudo isso vai estar verdinho.

— Sorte ter sido hoje — concordou Gregório. — Quando acabarmos de fazer as cercas não vai demorar pra trazermos o gado.

— Baltazar, está salgando bem essa carne? Amanhã a gente põe ela no sol.

— Sim, seu Jerônimo, estou preparando uma parte pra gente comer no almoço.

— Pai, a chuva passou, vamos lá no barraco dos homens experimentar o churrasco? — chamou Gregório.

— Vamos, mas acho que vou querer só preá, a carne da capivara tem um cheiro forte.

— Mas o senhor come.

— Sim, vou comer aqui amanhã, hoje posso escolher.

Chegando ao barraco do Josemar, encontraram o pessoal animado, a carne assando e alguns já beliscando uns pedaços e tomando uma cachacinha. O braseiro ficou debaixo da lona, pois não deu para fazer fora por causa da chuva.

Após a carne estar assada, passavam os pedaços na farinha de mandioca em uma travessa e pingavam gotas de pimenta ardida, melhorando o sabor. Esse condimento era tirado do vidro grande, no qual as malaguetas estavam maceradas e curtidas em óleo, alho e vinagre, o que deixava no ar um aroma forte e atraente. Tinha ainda mandioca cozida, muito macia, trazida no dia anterior pelo senhor Benedito.

Aquela tarde diferente, com fogo, tiros, gritos, chuva, carne fresca e cachaça tornou o ambiente descontraído e deixou os homens mais alegres e conversadores.

— Seu Jerônimo — indagou Vanderlan —, o senhor matou duas capivaras, mas nós escutamos três tiros.

— Errei um, e no instante seguinte escutei a capivara fazer um barulhão caindo n'água, era a maior.

— É sempre assim, nas pescarias o peixe maior sempre escapa, e nas caçadas o bicho maior.

Os homens deram risada e Olegário brincou:

— São as mentiras de caçador, mas a que escapou era grande mesmo, eu confirmo!

Outros faziam piadas, davam risada e conversavam descontraídos. Comiam, uns acocorados ao lado do fogo, outros sentados nas redes ou no chão, quando um pio próximo chamou a atenção e alguém disse:

— É uma coruja.

— Não — rebateu Valdomiro —, parece que é um urutau, já escutei ele ontem.

— Vixi, é tanto bicho por aqui, qualquer hora chega uma onça atraída pelo cheiro da carne.

— Elas andam à noite — explicou Genildo — e não se aproximam de barracos.

— Não é bem assim, seu Genildo — discordou Severino. — Eu trabalhei numa empreitada lá perto da divisa com Rondônia, uma vez estava só eu e o Zé Valente, os outros tinham ido pra cidade fazer compras. Era noite, nós tínhamos acabado de deitar quando uma onça esturrou não longe do barraco. Ficamos quietos, e naquele silêncio escutei o queixo do Zé Valente bater. Eu também tive medo, não nego. O problema é a onça e o escuro. O barraco era aberto e tinha carne de uma paca que o Zé tinha matado; aquele cheiro de sangue chamou a atenção da onça, que devia estar com fome. O problema não é só ter o escuro e a onça, o problema maior é a vontade de carne da bichona. Da fome dela que a gente tinha medo. No imenso silêncio nossos ouvidos estavam escutando pulo de pulga, e então percebemos o animal tateando no escuro, o pisado macio muito próximo, e a coisa apertou quando ela esturrou ao lado do barraco. Eu me arrepiei inteiro, e com a respiração suspensa até via a danada arreganhando os dentes. O Zé Valente, só mexendo os lábios, murmurando, na sua aflição tinha já chamado exércitos de santos e não sabia mais pra quem rezar. Eu, como não sabia rezar e não conhecia santo nenhum, dei um puta grito enquanto acendia o farolete. A danada levou um baita susto e correu, quase miando; em compensação, meu colega Zé Valente quase se cagou e gritou: "Tá louco? Quer me matar? Você é pior que a onça". "Ah! Sei lá, gritei de medo", respondi pra ele.

— E aí, como é que passaram o resto da noite? — perguntou Genildo.

— Ficamos sem sono por um bom tempo. Acendemos o fogo, fizemos chá e proseamos até quase o dia clarear, aí dormimos um pouco. Pra azar meu, sonhei com a onça.

— O assado está ótimo, Zinho, parabéns. E essa pimenta deixa a carne bem saborosa, tira a fortidão — elogiou Gregório.

— O preá também está gostoso com pimenta e farinha — acrescentou Jerônimo. — Vocês que trabalham há bastante tempo por aqui devem ter vivido muitas histórias nestas matas, não é?

— Se tem! Muitas histórias, algumas tristes, de morte, gente que se perde, tem picada de cobra, mordida de piranha, vixi Maria, é cada coisa! Tem até coisa engraçada. O Alécio, rapaz forte que estava numa empreitada do seu Josemar mesmo, nas bandas do Guaporé, uma tarde, andando sozinho do barraco para o local do trabalho, de repente se viu diante de uma pintada. Deu um grito de susto e correu prum lado, a onça correu assustada pro outro. Demos muita risada aquele dia, pelo jeito de ele contar.

Num canto, sentado na rede, Valdomiro conversava com Laurindo:

— Isso de se perder na mata sempre acontece se a pessoa se meter sem conhecer direito. Quem não sabe andar no mato não deve sair sozinho ou com outro que também não sabe.

— Tem uma conversa que quando a pessoa se perde e fica andando em círculo, voltando sempre ao mesmo lugar, então deve vestir a roupa do lado avesso, aí encontra o caminho da saída.

— Cada bestice, dá até sono — resmungou Raimundo.

Timóteo comia rápido carne e farinha. Estava de cócoras, sentado nos calcanhares. Próximo dele, Laurindo advertiu:

— Vê se come devagar, igual gente, fica aí mastigando alto, feito um bicho do mato.

— Mastigo do jeito que quero, do jeito que sei e gosto.

— Então vai comer sozinho ali no mato com a sua turma.

— Minha turma a puta que te pariu — exasperou-se Timóteo, colocando o prato no chão, levantando-se e partindo para um ataque.

Genildo e Jerônimo interferiram, procurando serenar os ânimos.

— Calma, gente, calma.

— Como calma, se não posso nem comer em paz?

— Mas não dá pra você mastigar mais baixo? — insistiu Laurindo. — Toda vez faz um barulhão pra mastigar, parece que está comendo pedra.

— É meu jeito, cacete!

— Acho que você tem razão mesmo de comer do seu jeito, como gosta e aprendeu — continuou Laurindo —, mas quando estiver sozinho, porque tendo gente perto é muito feio mastigar assim.

— Só me faltava essa, aqui no cu do mundo, uma vida fodida e sendo regulado na hora de comer.

Dali a pouco, estando os ânimos serenados e os homens em suas redes, do lado de fora Jerônimo conversava com Genildo quando, de dentro do barraco, veio o som de uma gaita. Era o Vanderlan estirado na rede, curtindo lembranças de sua terra. Os homens estavam todos quietos, e a melodia serena parecia uma magia dentro da noite.

Jerônimo e Gregório se despediram e caminharam ouvindo a musiquinha, que foi ficando longe no meio da noite calma, só um fiapinho de som sob o céu bordado de estrelas. Da mata vinha um vento morno e molhado. Ajeitando-se para deitar, Jerônimo ouviu um pio longo de alguma ave noturna.

No barraco de Genildo, depois de algum tempo o som da gaita parou e Vanderlan balbuciou:

— Sinto umas vontades de cidade, saudades de mulher, de ficar uns dias passeando, vendo mais gente, moças bonitas. Estou com umas vontades diferentes, não sei até quando vou ficar aqui, é muito tempo enfiado nesse mato.

— Nem fale — concordou Zé Maria na rede ao lado —, acabamos de chegar neste trabalho e vai demorar pra sair daqui.

— Nem que queira sair não dá, estamos amarrados aqui.

— Verdade, estamos presos em nossas contas. Trabalhamos feito burros e estamos sempre devendo.

— O pior dessa vida no mato é a falta de mulher pra animar a alma da gente.

— Mulher alegra a vida! É uma beleza que traz uma luminosa felicidade.

— Você já está delirando.

— Até pode ser, mas bem que podia ter mulher aqui.

— Que esperança! Aqui é a terra dos homens sós. Se vier mulher pra cá é confusão na certa.

— Pode crer! Esse tipo de vida é só pra homem sozinho mesmo.

— Quando passamos naquela casa lá embaixo, na beira do rio, vi uma mulher.

— Pelo jeito é a mulher daquele homem administrador da fazenda, o que veio trazer a mandioca. Aí é diferente, não é nosso jeito de trabalhar, ele já estabilizou, nós não, somos peões, girando, rodando por aí até um dia parar por morte, num emprego fixo e com família, ou de velhice, sem ninguém.

— Melhor nós ir dormir que a conversa tá ficando esquisita.

— É mesmo, só ficamos nós dois, boa noite.

Todo ruído humano se acabara, e do fundo da mata chegavam os guinchos dos macacos, parentes distantes dos homens.

A cerca

Na manhã seguinte, retomaram os trabalhos para a execução da cerca de arame farpado. Primeiro seria preciso tirar a madeira. Alguns homens roçavam em volta da árvore enquanto outros a derrubavam e depois serravam no tamanho apropriado. Com marretas e cunhas abriam as toras, fazendo moirões e lascas. Transportavam nos ombros, espalhando ao longo da linha demarcada por Jerônimo e seus filhos, que faziam o balizamento. As árvores eram sempre derrubadas nas proximidades para onde seriam levadas, facilitando o trabalho. Posteriormente, os homens de Josemar abririam os buracos para a colocação dos paus e arames.

Josemar voltou na semana seguinte e andou pela área do trabalho. Caminhava pisando forte, como se estivesse com raiva, brabo, sério, sem um sorriso sequer. Parecia exalar fogo pelas ventas. Depois do almoço, foi até o barraco de Jerônimo para prosear. Já parecia mais calmo, então justificou ao fazendeiro:

— Pra essa peãozada a gente tem que impor respeito com firmeza, senão a coisa desanda, o cabra está te devendo e some, aí fico no prejuízo.

— Eles chegam devendo muito?

— A maioria chega devendo, pois pago as dívidas deles em hospedarias, botecos, restaurantes, armazéns, e se bobear eles fogem. Eles têm que saber, se fizerem isso não vai ter perdão.

— É, seu Josemar, nada é fácil para se produzir dinheiro.

— Terrenão bom demais o senhor tem aqui. Muitas árvores pra derrubar, fazer toras e vender.

— É, tenho pensado nisso, mas só poderemos tirar quando a estrada que vem pelo lado de cá do rio chegar até aqui.

— Mas o senhor pode tirar pelo rio. É só jogar a madeira na água, ela desce boiando até a estrada lá embaixo, na Curva Grande, aí tira d'água e põe no caminhão.

— Não tinha pensado nisso. Mas pra trazer até o rio precisa de trator.

— Se não tem trator o senhor pode ter juntas de boi, pense nisso.

— Interessante isso que o senhor está falando, vou pensar no assunto.

— Seu Jerônimo, vencemos o primeiro serviço, o aceiro foi feito, agora estamos na cerca. Vamos já combinar o serviço de roçada e derrubada da mata, assim vou me organizando pra trazer mais gente. O senhor quer trabalhar quantos alqueires?

— Vamos sim, seu Josemar, tratar da derrubada, mas acho possível a gente fazer mais alguma coisa, pois o senhor disse ter gente treinada pra trabalhar com motosserra e fazer tábuas. Está disposto a enfrentar a empreitada do curral também?

O homem tirou o chapéu, coçou a cabeça e respondeu:

— Sabe, seu Jerônimo, eu topo qualquer serviço, arrumo gente pra trabalhar, a questão está é no acerto do preço. O senhor veja, tem que fazer as tábuas com mão de obra especializada, um trabalho delicado, de precisão, pois é necessário fazer todas com a mesma espessura. Também precisamos cortar os palanques e transportar tudo por juntas de boi pra arrastar esses paus pesados do meio do mato, e às vezes de longe.

— Reconheço não ser fácil, o senhor faça os seus cálculos e se eu alcançar de pagar fechamos o negócio.

— Está bem, o senhor me prepare o desenho do curral para eu calcular a quantidade e os valores. Assim que me entregar, faço os cálculos e dou a resposta. Enquanto isso, vou atrás de conseguir os bois de canga. Já lhe falei o preço da derrubada por alqueire, o senhor ficou de me dizer quantos vai querer fazer.

— Vamos por ora derrubar cinquenta alqueires e depois a gente faz uma combinação sobre outra área. Na próxima semana lhe entrego o desenho do curral.

— E eu vou procurar o Catarino, que é o melhor na arte de fazer tábuas, ver pra quando está livre.

A esteira

Aquela conversa sobre tirar as toras pelo rio entrou na cabeça de Jerônimo como uma luz de possibilidades em render dinheiro mais imediato enquanto aguardaria a boiada engordar, além de dar ocupação aos quatro, pois eram muitos só para ficar olhando boi no pasto. Precisava mesmo fazer dinheiro. Assim pensando desceu de canoa até a casa de Benedito e conversou sobre o assunto, perguntando se o vizinho achava viável.

— É empreitada dura, seu Jerônimo, um serviço colossal em que seu pessoal não tem prática, isso de derrubar e serrar árvores. Outra parte difícil é arrastar as toras até o rio. Jogar na água é fácil, e também acompanhar até lá embaixo, mas não será simples puxar pra fora.

— Acho mais difícil essa parte de tirar do rio, pois, se conseguirmos, damos conta das outras. Sem querer abusar, uma hora que o senhor tiver um tempo livre, podemos ir juntos dar uma olhada na Curva Grande, ver se achamos jeito de tirar as toras da água?

— Vamos marcar, sim, depois de amanhã o senhor desce aqui e vamos ver isso.

— Combinado, chego entre oito e nove horas.

No dia combinado, Benedito tinha o barco pronto à espera de Jerônimo, que chegou acompanhado de Gregório. Desceram o rio até o ponto de encontro com a estrada.

— Não vai ser fácil — murmurou Jerônimo, desanimado, olhando as margens.

— Primeiro a gente vê o problema — retrucou Benedito —, depois busca a solução. Veja naquele ponto ali, se fizer uma esteira de paus roliços, amarra a tora com cabo de aço e puxa pra cima do primeiro suporte da esteira, e o trator arrasta deslizando barranco acima; acho possível, sim, é o caminho.

Jerônimo recobrou o ânimo e argumentou:

— Mas o trator precisa ser muito forte.

— Nem tanto — rebateu Benedito —, o barranco ali não é grande, e quando der sorte de o rio estar mais cheio fica ainda mais fácil.

Jerônimo se entusiasmou e voltou fazendo planos:

— Nós precisamos de mais aulas pra manejar a motosserra e trabalhar árvores grandes. Vou precisar mesmo da ajuda do Florindo.

— Ah, isso vai precisar mesmo, porque se o senhor for empreitando todas essas etapas, não vai sobrar quase nada de dinheiro. O nome do rapaz é Florentino — corrigiu Benedito.

— Desculpe, ainda vou aprender esse nome do Florentino. Tenho mesmo que comprar juntas de bois e cangas, correntão, cabos de aço e outras coisas.

— É fundamental! Olha, o Gumercindo, que é um vizinho não longe daqui, pode ensinar o manejo da motosserra a todos vocês. As juntas de bois não são difíceis de adquirir.

Voltaram até a casa de Benedito, e Jerônimo estava animado com as possibilidades. Após se despedirem do amigo, pai e filho remaram animados rio acima.

— Na minha próxima ida a Cuiabá, vou comprar um barco a motor.

— É mesmo, não dá pra ficar nessa distância indo e vindo no remo, é demorado, cansa e a canoa nem é nossa.

— Verdade, e se isso de descer as toras der certo, vamos precisar mesmo do barco.

A equipe de Josemar trabalhava tenazmente na cerca, cortando e transportando a madeira, balizando e puxando os fios de arame, fechando o grande espaço que, de preto da queimada, ia passando a verde com a brotação do capim. Enquanto isso, alguns homens cortavam árvores para moirões do curral e outros desdobravam, usando a motosserra para fazer as tábuas do cercado, uma vez que Jerônimo e Josemar tinham acertado a construção. Catarino e o irmão haviam chegado, os dois eram mesmo muito hábeis em fazer tábuas no meio da mata.

Benedito havia levado Jerônimo até Gumercindo, e ficou combinado que ele poderia passar uma semana na fazenda ensinando o manejo da motosserra para derrubar as árvores e fazer as toras. O vizinho também deu a dica de um comprador, possibilitando os primeiros contatos na serraria da Areia Preta. Jerônimo agradeceu e ficou de avisar assim que voltasse da viagem dentro de alguns dias.

Fazendo toras

No caminho para Cuiabá, Jerônimo e Gregório pararam no restaurante do Luiz Gaudério, o Gaúcho, na Areia Preta. Os comentários eram sobre a Seleção Brasileira de Futebol, que havia ganhado a Copa do Mundo.

— Senhor Jerônimo, veio comemorar?— perguntou alegre o Luiz Gaúcho.

— Comemorar o quê?

— A vitória da nossa seleção.

— Fico contente pela felicidade de vocês, mas nem sabia do campeonato.

— Então, homem, foi lá na Suécia, ganhamos de cinco a dois. O menino Pelé é um estouro, entupiu os gringos de gols.

Em meio à euforia reinante, pai e filho, após o almoço, foram à serraria indicada por Gumercindo. Conversaram com o responsável e receberam orientações sobre como fazer para legalizar a saída da madeira e outros detalhes que seriam tratados por ocasião dos embarques.

Passados quase dois meses da viagem anterior, para alegria da família, os dois chegavam em casa. Era tarde da noite, só o tempo de tomar banho e jantar antes de dormir.

No dia seguinte, já descansados, contaram em longas e calmas conversas como estava a vida na fazenda Floresta. Falaram do vizinho, do rio, da mata, da lagoa, dos animais e pássaros, do pessoal trabalhando nas cercas, da queimada, enfim. Conceição e Adalgiza queriam saber todas as novidades. Archimedes teve menos tempo para ouvir. No fim do dia, foram os dois homens à procura do senhor Alcides Godoi, o vendedor de gado, e o encontraram em casa.

— Boa tarde, seu Jerônimo, vamos chegar, o senhor entre. O rapaz é seu filho?

— Sim, é Gregório, meu filho mais velho. Veio comigo ver um lote de gado.

— Em quantas cabeças o senhor está interessado?

— Umas cem, cento e vinte.

— Olha, tem, sim, um lote bom, uma garrotada enxuta, quase no jeito, e em pouco tempo vai estar pronta pra entrar na engorda, mas o proprietário só vai estar aqui no fim do próximo mês, depois do dia 25. Se o senhor puder vir, conversa direto com ele, vê o gado e fecha o negócio.

— Pra mim está bem, vou me programar, assim, se for possível, a gente compra e leva, que meu pasto vai estar no ponto.

Os dois deixaram a casa de Alcides e voltaram para o jantar. Tiveram mais tempo com Archimedes, que encheu os dois de perguntas e também falou bastante sobre a escola.

No dia seguinte, andaram pela cidade, foram ao banco e aos órgãos governamentais a fim de cuidar dos registros e documentos, enfim, de toda a parte burocrática para legalizar a venda de gado e de toras. Fizeram também algumas compras da lista, o que continuariam outro dia. À noite foram todos dar um passeio pelo centro. Tomaram sorvete sentados nos bancos da pracinha na parte histórica da cidade e admirando as velhas residências nas ruas estreitas do passado. Era tudo muito diferente do que conheciam das cidades novas do oeste paulista, todas crescendo nos últimos tempos, com largas ruas e avenidas.

Chegando em casa, Gregório questionou Archimedes sobre o mapa de que Olegário falara. O irmão buscou um atlas, mostrou o mapa da América do Sul e explicou o necessário para o entendimento sobre onde estavam o Brasil, Mato Grosso, a fazenda Floresta, o Peru e o oceano Pacífico. Então Gregório perguntou:

— E tem estrada até lá, esse Peru onde está o mar?

— O pior é que não — respondeu o irmão. — Tem é uma enorme cadeia de montanhas, a cordilheira dos Andes.

— E não dá pra passar?

— Não, atualmente não, no futuro os homens vão fazer estradas e vai ser possível daqui chegar ao mar. Vai ser bom pros transportes de mercadorias entre os países e passeios nas praias pros moradores dessas regiões distantes do Atlântico.

— Então, de qualquer jeito, estamos longe do mar. Acho que vou morrer sem ver essa tal água azul.

Cinco dias depois de sair, estavam de volta à fazenda. Entre as aquisições, levavam motor de popa e um barco grande de alumínio, que foi amarrado com dificuldade na parte superior da carroceria, apoiado em pneus velhos. Constantemente precisavam parar para reapertos nas cordas; por conta disso a viagem foi mais demorada.

Na fazenda, enquanto o trabalho das cercas avançava, Josemar trouxe mais gente e começou a roçada na mata para a posterior derrubada. Jerônimo foi até a casa de Gumercindo e combinaram o dia e a hora de buscá-lo para iniciar os ensinamentos no manejo das motosserras.

Depois de alguns dias, com os ensinamentos, a equipe começava a manusear o barco e as ferramentas adequadas à derrubada de árvores, e então outra etapa iria começar, tendo a participação do Florentino, que conhecia as árvores apropriadas para fazer toras. Entravam pela mata e o rapaz ia explicando a vegetação mais baixa e as árvores:

— Ali está uma maçaranduba, esse é o coqueiro bacuri, aquela é um cedro, ali o palmito gabiroba, aquela grossa é mogno, esta uma imburana, aquela bem alta jatobá, tem cumaru, angelim, itaúba, faveira-ferro, sucupira e vamos indo, é muita madeira boa pra tirar.

Nos dias seguintes, com interferência de Gumercindo, Jerônimo comprou duas juntas de bois de canga, que chegaram uma semana depois. Ele acompanhou a derrubada das árvores e deu instruções tanto sobre as dimensões das toras como sobre o trabalho das juntas de bois para o bom entrosamento. As toras começaram a ser puxadas até a margem do rio, onde foram sendo amontoadas.

Após as instruções de Gumercindo e Florentino, estabeleceu-se uma nova rotina: pela manhã, Jerônimo, os dois filhos e Baltazar saíam para o mato levando o almoço, e só retornavam no fim do dia. Entravam na mata no trabalho de derrubar árvores, desgalhar e serrar as toras no tamanho apropriado. Faísca e Fumaça estavam sempre acompanhando, andavam em silêncio, atentos, ouvindo a floresta e seus ruídos. Quando menos se esperava, os dois saíam em desabalada carreira atrás de lagarto, tatu ou outro bicho qualquer que desaparecia em disparada, subindo em uma árvore ou se enfiando em um buraco ou uma moita fechada. Verdadeiros corações aflitos e alegres batiam nos peitos daqueles cães.

Conforme o sol subia, a luz penetrava entrecortada pelas árvores e ramagens. Eram árvores de todas as alturas, imensas. Apontava-se a que seria derrubada, e observando a posição se saberia o rumo onde tombaria. Com a motosserra ligada, o barulho era grande, e no momento final seguravam os cachorros para o corte derradeiro, então alguém soltava o longo grito:

— Madeeeeeira!

O estralar era como um pedido de socorro, e logo vinha o enorme gemido. A gigante tombava num apavorante estrondo de galhos se quebrando, folhas se soltando e voando até deitarem no solo. Quando o ruído ia se dissipando e a poeira do tempo baixando, restava na mata em volta um profundo silêncio, não se ouvia pio de pássaro, nem um bicho a correr. Nada, só silêncio, só, silêncio surdo, de dó. Depois de uns minutos, os homens voltavam a conversar em torno da árvore deitada, iniciando a limpeza, os cortes de desmembramento dos galhos, transformando a árvore em toras. Não raro encontravam ninhos de pássaros com ovos ou filhotes. Nesses momentos, as mães retornavam às altas copas vizinhas e, em desespero, punham-se a grasnar ferozes, impotentes. Acontecia também de virem abaixo ninhos de abelhas, e aí então a correria era dos homens, que demoravam um bom tempo para retomar o trabalho, o que só era possível após colocar fogo e fumaça para as abelhas desaparecerem.

Os homens de Josemar também derrubavam árvores, e a equipe de Jerônimo fazia a limpeza da galharia e o corte de toras das que fosse possível aproveitar.

A turma de Jerônimo apresentava baixo rendimento em razão da falta de prática, mas os rapazes eram esforçados e não demoraria a estarem melhores. Foram dias intensos de derrubadas e de bois puxando as toras. O trabalho era lento, mas todas as tardes mais toras se amontoavam na beira do rio. As juntas de bois também puxavam os palanques feitos pelos homens de Josemar até onde seria feito o curral, e as tábuas produzidas eram empilhadas e protegidas com folhas de palmeira.

Os dias passaram nessa forte lida e sem maiores percalços. Com boas chuvas e grande calor, o capim brotava rápido, cobrindo a terra cinza com um manto cada vez mais verde. Foi preciso ainda fazer o cercado de paus roliços no outro lado do rio para possibilitar a travessia do gado que viria de Cuiabá e não demoraria a chegar.

Depois de dias com muito trabalho, calor e chuva, o pasto finalmente estava pronto, verde e cercado.

Chegada da boiada

Jerônimo e Gregório voltaram à capital para comprar os animais. Conforme o combinado, Alcides os levou até a fazenda e foi fechado o negócio com a aquisição de cento e vinte bois. Com as dicas do negociante, contrataram os caminhões de transporte. Era uma boiada bonita, magra, alta, de boa caixa para engorda.

Acertando o dia do embarque, Jerônimo e Gregório acompanharam os trabalhos e seguiram os caminhões na longa viagem. Só quando deixaram a estrada principal eles se adiantaram, chegando à fazenda Limoeiro a tempo de preparar o desembarque sob a orientação de Benedito.

O primeiro caminhão encostou no desembarcadouro, os bois foram descendo vagarosamente e andando pelo curral, cheirando as tábuas, reconhecendo o local. Os outros caminhões repetiram o procedimento, até que toda a boiada estava encurralada. Os caminhões se foram e os dois seguiram rio acima no barco que haviam deixado no atracadouro de Benedito. Chegando no barraco, providenciaram com Olegário e Baltazar os preparativos para buscar a boiada.

Colocaram os arreios no barco e os animais atravessaram o rio a nado. Do outro lado, arrearam as montarias e foram margeando o rio enquanto Jerônimo descia de barco; estava apreensivo com aquela situação diferente das que já tinha vivido na sua antiga fazenda. "*Aqui na floresta tudo é mais complexo, mais difícil, vagaroso*", pensava enquanto pilotava.

Com tudo preparado, abriu-se a porteira e os bois saíram. O gado estava calmo e faminto, e não foi difícil conduzi-lo rio acima até o cercado de varas em frente à fazenda. Dois peões de Benedito ajudaram, o que facilitou muito o trabalho. Uma vez que a boiada tinha sido fechada, o próximo passo seria jogar os animais no rio, buscando a outra margem. Foi um trabalhão forte e nervoso com os bois, que no começo não queriam pular. Mas quando o primeiro saltou n'água foi aquele barulhão. As canoas cercavam os dois lados do leito, os homens gritavam e faziam o gado nadar. Quando os primeiros bois subiram o barranco foi um alívio, pois todos os outros acompanharam e não se perdeu nenhum animal. A boiada faminta se espalhou pelo capim novo, aquele verde forte, quase azul. Os bois nem se preocuparam em conhecer a cerca, como é costume dos animais em pasto novo.

Estava, portanto, vencida uma etapa importantíssima. A boiada engordando dava a sensação de dinheiro crescendo. Em cada pasto foi colocado um cocho grande escavado no tronco de uma aroeira para colocar sal. A alegria maior de Jerônimo era, no fim do dia, ficar na frente do barraco vendo o gado caminhando devagar, de cabeça baixa, pastando o capim verde.

Toras na água

Os dias foram passando. Dois meses depois, com as juntas de bois trabalhando, muitas toras estavam amontoadas na margem do rio, onde foi preparada uma rampa de forma a facilitar que deslizassem para dentro d'água. Então veio outra etapa desconhecida, a de acompanhar as toras rio abaixo. A primeira experiência seria conduzir seis delas. Em cada uma foi afixada uma rodilha de arame com uma corda amarrada para, ao se aproximar do ponto de embarque, ser controlada.

A primeira tora foi lançada n'água e boiou, sendo amarrada num galho de árvore. As demais também foram lançadas. Jerônimo e Olegário iam no barco a motor e Gregório ia com Baltazar na canoa que acabaram comprando de Benedito. As águas eram serenas e as embarcações ladeavam as toras; tudo ia normalmente rio abaixo, sem sobressaltos. O combinado era que, se alguma tora enroscasse numa margem, deveria ficar para trás e seria resgatada mais tarde. Cerca de duas horas depois, três toras estavam chegando ao lugar preparado, onde foram amarradas. Então os homens voltaram até encontrar uma das toras enroscada e soltá-la. O barco subiu um pouco mais, liberou outra e, enquanto a desenroscavam, os homens viram a última descendo lentamente. Algum tempo mais tarde, as seis toras estavam amarradas nas proximidades da esteira que fora feita conforme orientações de Benedito. Com a canoa de madeira sendo rebocada pelo barco, os homens voltaram para a fazenda, ancoraram as embarcações e caminharam até o barraco. O almoço nesse dia foi mais tarde, mas todos estavam animados e felizes.

— O que o senhor achou da operação, pai? — perguntou Gregório.

— Fomos bem! Meio demorado, mas por ser a primeira vez foi ótimo. Depois de pegar o jeito e praticar, poderemos descer levando mais toras, pois mesmo quando elas não enroscarem a gente pode ir amarrando umas às outras para chegarem todas mais ou menos ao mesmo tempo lá embaixo.

— É, a prática vai nos ensinar como fazer melhor e estabelecer os nossos limites.

— Amanhã vamos lá com o trator do Benedito para fazer a operação mais complicada, que é tirar as toras d'água.

— Vai dar certo, tenho certeza, pois tem pouco barranco e a esteira está bem feita, só temos que pegar o jeito de jogar a ponta da tora sobre as madeiras.

— Aquela ideia de colocar a tábua dentro d'água debaixo da tora vai funcionar bem.

— A comida está pronta — avisou Olegário. — Podem vir, cada um pega seu prato e se vira.

— Rapaz, não é que está cheirosa essa comida? Você está cada vez melhor, Olegário.

— Vocês estão cada vez com mais fome, isso sim!

— Também, a uma hora dessas, já é quase janta.

— Vamos comer e descansar o resto do dia, que amanhã tem mais.

— Só é preciso alguém levar sal lá no cocho do pasto de cima — lembrou Jerônimo.

— Eu vou bater o machado no pau, estou fazendo mais um cocho — comentou Gregório.

— Vamos fazer assim, nós dois lavamos os trens da cozinha e vamos levar o sal pro gado, depois pescamos um pouco — sugeriu Olegário, olhando para Baltazar, que concordou.

— Tá certo, eu fico tomando conta do barraco — concluiu Jerônimo.

— Tá bom! Vai ficar é dormindo — falou Olegário, rindo.

— Não, vou ficar pitando meu cigarro de palha pra espantar os mosquitos, assim todo mundo dorme melhor à noite.

Na manhã seguinte, os quatro desciam de barco. Gregório pilotava já com maestria, acelerava forte nas retas, levantando a proa e se divertindo, e logo chegaram à fazenda Limoeiro; Benedito aguardava.

— Bom dia, pessoal, já estou pronto, esperava por vocês. Vamos lá?

— Bom dia, seu Benedito, venha no barco e o Baltazar vai com seu empregado no trator, pode ser?

— Sim, claro, vamos lá!

Chegando ao ponto onde estavam as toras, desembarcaram e tiraram do mato a prancha larga serrada e guardada ali dias antes. Colocaram-na apoiada, uma parte na esteira e uma parte na água, e em seguida posicionaram a tora sobre ela. Quando chegou o trator, amarraram o cabo de aço e este esticava conforme a tora ia saindo da água vagarosamente à medida que era puxada. A prancha com a ponta erguida ia descendo enquanto a tora ia se apoiando sobre a esteira. O trator continuou o movimento lentamente, e não demorou para a madeira estar fora do rio. Todos aplaudiram em meio à alegria, principalmente Jerônimo, cuja satisfação estava no sorriso dos olhos.

— Pronto, esse é o caminho, foi mais fácil do que a gente pensava — declarou Benedito, sorrindo.

— Todos tiveram sua parcela de contribuição — disse Jerônimo —, mas o senhor deu a ideia e foi fundamental.

Estavam felizes. Jerônimo buscou no barco a garrafa de cachaça e todos tomaram um gole para comemorar. Depois de tirarem as outras toras da água e as amontoarem na beira da estrada, eles se foram, deixando Benedito em casa. O barco de Jerônimo navegava no rio Sereno, com os homens felizes e famintos.

Descansando no barraco, Jerônimo estava animado:

— Nos próximos dias vamos transportar todas as toras e ir depositando fora d'água. Numa tarde dessas vou até a serraria na Areia Preta dizer que podem vir buscar. Marcar o dia pra gente ver o embarque no primeiro caminhão.

Os dias seguintes foram de muita labuta, de toras sendo jogadas na água e conduzidas cada vez com mais agilidade até a Curva Grande, onde eram amarradas. Quando chegavam a uma quantidade previamente combinada, o trator de Benedito era acionado para puxá-las do rio.

Após dias de trabalho duro e muita madeira na beira da estrada, Jerônimo foi até a serraria e fizeram a programação do embarque das toras. Assim que aconteceu o último carregamento daquele lote, Jerônimo, tendo programado ida a Cuiabá, passou na serraria, onde recebeu o pagamento. Então seguiu viagem com Olegário, e os dois iam felizes, conversando sobre os resultados do trabalho.

— Esse dinheiro da madeira comercializada dá pra ir pagando a construção do curral e ainda aproveitar aquele homem da motosserra e já tirar o madeiramento para a construção da casa.

— É mesmo, acabando de fazer o curral já é possível ir tirando a madeira da casa, toda de tábuas, depois é só comprar o pouco que precisar no interior.

— Faz dias que a gente não vai até Cuiabá, mas indo agora vamos passar o Natal em casa. Pena o Gregório e o Baltazar não poderem vir, mas no próximo ano a gente reveza.

— A mãe vai sentir o Gregório não vir, mas fazer o quê? É a vida!

A construção da casa

Meses depois, com o gado engordando, a derrubada avançando, o curral pronto e as toras sendo vendidas, chegou o tempo de começar a construir a casa. Seria simples, mas melhor que o barraco onde estavam vivendo.

Aqueles homens, calejados pela rusticidade do ambiente, tinham consciência da necessidade de passar por aquilo, e era possível ir vivendo no barraco utilizando as redes, já haviam se acostumado. Só quando chovia soprando vento forte é que o transtorno era maior, mas seria bom ter uma casa para morar. Jerônimo, com a ajuda do Catarino, o da motosserra, fez os cálculos e anotou no caderno cada um dos tipos de árvore que precisaria derrubar para fazer tábuas, sarrafos, caibros, vigas, esteios, batentes. Ia anotando também o que deveria comprar na cidade: trinco, dobradiça, fechadura, pregos, parafusos e outras coisas.

Depois de um dia trabalhoso tirando toras do rio, os homens navegavam, voltando para casa sob intensa chuva, amarraram o barco no atracadouro, aproveitaram que estavam molhados para tomar banho no rio, correram até o barraco, enxugaram-se, colocaram roupas secas e tomaram um gole de cachaça para rebater a friagem. Lá fora, a chuva continuava forte. Olegário acendeu o fogo e em pouco tempo a água ferveu. O café foi passado no coador e exalou um aroma gostoso na tarde úmida. Sentado na rede, tomando café e fumando, Jerônimo conversava com Baltazar e os filhos enquanto olhava a chuva miudinha que caía sem parar, branqueando o pasto lá na frente, onde o gado se amontoara próximo ao cocho.

— Gosto dessa chuva mansa — observou Gregório —, é boa pra acalmar, traz uma sensação agradável.

— Também gosto — concordou Baltazar. — A chuva espanta os insetos, que se recolhem e não atacam.

— Essas chuvas esticadas atrapalham o trabalho, mas também fazem a gente descansar. Isso de lidar com as toras é serviço duro, mas vale a pena, pois vai ajudando a pagar um montão de despesas. Temos muitas toras tiradas, vamos diminuir o ritmo, transportar do mato dia sim, dia não, assim dá descanso maior pros bois e vamos enfrentar de uma vez a construção da casa. Não vai demorar e a madeira estará toda serrada.

— E o telhado, pai? — perguntou Olegário.

— Vai ser de tábua também, não vamos trazer aquelas telhas de barro pra gastar mais dinheiro. Além de serem caras, dá um trabalhão danado pra chegarem até aqui. Com as tábuas vai ser melhor; nas emendas colocamos um sarrafo e rejuntamos usando cola de madeira pra evitar goteiras, e ainda colocamos sobre as tábuas uma camada de palha de coqueiro, como a maioria das coberturas que fazem nos barracos por aqui. Quando estiver chegando caminhão pela estrada planejada, aí se faz uma casa definitiva, boa mesmo, com telhas de barro.

— É, seu Jerônimo, devagar a gente vai organizando. Não é fácil, mas vai. Já tem gado engordando, toras sendo tiradas, material sendo preparado pra fazer a casa, uma horta boa, galinha pondo ovo, favos de mel na hora que se quer, o milho crescendo, a abóbora já bem ramada, e logo vamos comer mandioca da roça.

— É mesmo, Baltazar, estamos chegando na fartura, e você esqueceu de falar dos peixes e da caça, que têm ajudado.

— Nem me lembre daquela luta com o jacaré, foi meio assustador, apesar de divertido — declarou Gregório. — Mas aquele Tião é bem prático, já pegou uns três dos grandes, fora os vários pequenos.

— É gostosa demais a carne — completou Olegário. — Logo vamos pegar outro.

— Aí na lagoa tem muitos, uns bem grandes, é só deixar a isca à noitinha e puxar o bicho na manhã seguinte.

— Peixe tem com fartura, e é o tipo de comida que a gente consegue ter se divertindo — brincou Gregório.

— Só falta mesmo aqui é mulher pra gente ter umas conversas agradáveis, diferentes — lamentou Olegário.

— Vivendo num barraco desse tipo — opinou Jerônimo — mulher não passa nem longe.

— Verdade — concordou Olegário. — E olhe, do jeito que as coisas estão vai demorar pra ficar ruim, porque agora tá péssimo. Se a gente quiser ver alguma, é preciso sair desse buraco.

— Vocês ainda têm ido pra cidade — disparou Baltazar. — E eu? Não saí daqui nenhuma vez, vou estranhar se um dia for pra lá.

— Calma, Baltazar, logo, logo, vou levar você — assegurou Jerônimo. — E tem mais, com o dinheiro que você economizou vai poder fazer um bom passeio, é chuva mansa na sua horta.

Baltazar sorriu e revirou os olhos sonhadores, dizendo:

— Às vezes fico pensando que esse dia nunca vai chegar.

— Não desanime, homem — rebateu Gregório. — Quando você for, o pai vai te levar ao salão de barbeiro para um bom trato, comprar uma roupa bonita, ficar chique e poder namorar à vontade naquela bela cidade. Só não vá se embebedar logo de cara, aí a vaca vai pro brejo, perde a namorada e fica sem dinheiro.

— Verdade — confirmou Jerônimo. — Isso às vezes acontece com o pessoal que sai do mato, do garimpo, com dinheiro no bolso e euforia na cabeça. Vacila, aí os vigaristas, percebendo o tipo, logo estão de boa prosa, e na alegria oferecem uma bebida chamada Boa Noite Cinderela. A pessoa acorda zonza no dia seguinte, só com uma mão na frente e outra atrás.

— Crendiospai — reagiu Baltazar. — Tem isso mesmo?

— Se tem! — insistiu Jerônimo. — E, às vezes, a ajuda para o vigarista começa com uma mulher bonita que se aproxima do otário, linda mesmo, então a beleza e o perfume já começam a tontear a pessoa. O homem endinheirado já vai se achando o máximo, que é o maioral, então abre a guarda e pronto, o caminho tá no jeito pro golpe.

— Perdi até a vontade de ir pra Cuiabá, seu Jerônimo.

— Calma, Baltazar, primeiro, você não deve sair pra rua com tanto dinheiro assim, depois é só não ir se sentindo o maioral. Só dar umas voltas, olhar o ambiente, sondar e observar alguma moça bonita e recatada pra conversar. O amor vem depois, sem risco. Uma meia hora depois — completou Jerônimo, rindo.

— Agora o senhor me animou de novo! — exclamou Baltazar, rindo e se espichando na rede, olhando a chuva lá fora, que diminuíra de intensidade, mas seguia contínua, boa para ficar mesmo deitado. Era um pálido crepúsculo, tempo cinzento e sombrio.

Todos eles, em suas redes, foram ficando quietos, e as goteiras traziam um ruído constante no silêncio repousante.

***

No dia seguinte, com a chuva, o mundo continuava branco. No barraco os homens escutavam o gotejar da água caindo das árvores lá fora e ouviam o ruído que ia aumentando de intensidade, transformando-se em um forte aguaceiro, uma chuva torrencial desoladora. Nada se podia fazer, todos dentro do barraco curtiam o tédio ou dormiam. Não dava para trabalhar, nem caçar ou pescar. Só mesmo comer, beber e dormir. Em volta tudo estava encharcado.

Depois de vários dias sombrios com chuvas intermináveis, veio uma manhã de sol esplendoroso, enchendo os corações de novas esperanças. Os homens saíram do barraco. A equipe de Josemar também se agitava sob o sol, preparando a ida ao trabalho.

Uma alegria irradiava e se ouviam bichos dando gritos na mata, pássaros cantando e os assobios dos macacos-prego. Os dois irmãos foram até o rio ver se pegavam uns bagres nas águas volumosas e agitadas com o caudal aumentado. Jerônimo saiu da rede, atiçou o fogo, tomou café e em seguida foi fumar olhando o céu, ver as nuvens se dispersando.

— É, Baltazar, amanhã deve continuar sol e vamos atacar os trabalhos, iniciando a construção da casa. Vocês já sabem como começar. Eu vou a Cuiabá organizar uma venda de gado no frigorífico e comprar bois magros.

Jerônimo foi a Cuiabá e, após ir ao frigorífico fazer a venda dos bois gordos, esteve com o senhor Alcides Godoi a fim de comprar mais bois para engorda e encarregando-o de, no dia combinado, embarcar o gado nos caminhões. Concluídas as negociações, Jerônimo retornou à fazenda.

Os mesmos caminhões que tinham ido buscar o gado gordo levaram bois magros, que logo se fartaram das suculentas pastagens da fazenda Floresta.

Depois de tempos calorentos, trovoadas e chuvas esparsas, a equipe de Jerônimo, com o habitual empenho, conseguiu colocar a casa em pé. Ainda foram necessários vários dias para os arremates internos, até que finalmente ficou pronta. Tinha dois quartos e uma cozinha grande que emendava na sala, onde se podiam armar redes. Na frente da casa, a varanda dava um ar descontraído. O banheiro continuou no mesmo lugar: a casinha lá fora, melhorada agora por ser feita de tábuas. Para o fogão, feito com tijolos vindos da olaria de Areia Preta, foi aproveitada a chapa de três furos. Na viagem seguinte a Cuiabá comprariam camas e colchões. As noites seriam mais macias.

Baltazar em Cuiabá

Finalmente Baltazar chegava a Cuiabá com Jerônimo. A camioneta se aproximava, era noite alta e, vistas à distância, tantas luzes pareciam incendiar o mundo. O rapaz transbordava de satisfação e expectativas. Entraram pelas ruas desertas e se dirigiram ao centro, que estava em completo silêncio, sem movimento nenhum. As casas de arquitetura antiga, com portas e janelas fechadas, pareciam tristes, como se sentindo fora de seu tempo. Os dois homens calados olharam as esquinas solitárias e seguiram lentamente, chegando ao bairro Jardim Itália. Estacionaram na frente da casa. Lá dentro, ao ouvirem as batidas na porta, Conceição e a filha se levantaram para ir abraçar os recém-chegados. Também o cachorrinho Flay correu e saltou nas pernas de Jerônimo e Baltazar.

Eles levavam, além da roupa suja, milho-verde, mel, peixe salgado, várias verduras e legumes da horta. Mesmo cansados da viagem, conversaram animados e comeram alguma coisa preparada por Conceição. Após um banho de chuveiro, Baltazar deitou-se na cama. Aquela maciez parecia sonho bom. Até sorriu pensando no banho quente de chuveiro. Imaginou o dia seguinte. Seriam tantas coisas, mas logo cedo iria ao barbeiro. Esses pensamentos foram substituídos pelo adormecer.

Na manhã seguinte, após o café, os dois homens saíram rumo ao centro. Baltazar entrou no salão de barbeiro enquanto Jerônimo foi ao escritório do frigorífico receber o dinheiro da venda do gado. Em seguida foram ao banco e logo depois se encontraram com Conceição e Adalgiza.

Foram todos a uma loja em busca de roupas para os dois e também de algumas peças aos que tinham ficado na fazenda.

Depois do almoço, Baltazar, já saindo a passear, recebeu elogios pelo visual.

— Homem — exclamou Jerônimo —, você está muito elegante, quem te viu, quem te vê! Cabelo cortado, bem barbeado, até cheiroso está.

— É mesmo — acrescentou Adalgiza —, está bonitão, nem parece aquele de antes.

— Essa camisa azulzinha — completou Conceição — e essa calça nova ficaram muito bem em você. Andando por aí com esse jeito de solteirão vai fazer muitas moças suspirarem.

— Vocês são as responsáveis, se fosse depender de mim comprava tudo errado. Só comprei mesmo a botina, senão vocês é que iam comprar errado.

— Verdade! — exclamou Adalgiza dando risada.

— Mas ó, assim mesmo está um pouco apertada, espero que não me faça calo.

— Andando ela lasseia — incentivou Jerônimo. — Se não lassear, lá na fazenda você põe milho dentro e coloca água, ela fica boa e bem macia.

— Não vai precisar, está bonita no seu pé — animou Conceição.

Dali a pouco, Baltazar, de roupas e botinas novas, perambulava pelo centro da cidade, conhecendo ruas, parques, jardins, bares e vendo aquele movimento de gente indo e vindo. Tomou cerveja, sorvete, comeu doces e deliciou os olhos com a beleza feminina que passava rápido de um lado para outro nas ruas repletas de gente.

Ouviu um som animado num bar de esquina em cuja frente, do outro lado da rua, uma frondosa árvore abrigava sob sua sombra uma mesa com garrafas, copos e três moças que falavam alto e riam. Achou simpático aquele lugar e, atraído pela música, entrou no estabelecimento, mas se espantou, pois estava cheio de homens ocupando as mesas. Quase só homens, uns tipos nada simpáticos, carrancudos, de fisionomias sérias, olhares severos e faiscantes. Vários de barba por fazer, mal-encarados mesmo. As mesas estavam repletas daqueles sujeitos de olhos inquisidores estudando o recém-chegado que atravessava o salão rumo a uma mesa livre no canto. Baltazar sentiu-se incomodado, mas não quis recuar e sentou-se.

Não demorou e uma moça veio saber o que desejava. Pediu uma cerveja e ficou a observar o ambiente. No balcão, um rapaz atendia os pedidos e abriu a cerveja, que a garçonete trouxe de maneira esperta e simpática servindo no copo. Pondo a mão no copo gelado, o rapaz olhou para ela e sorriu.

No espaço vazio entre as mesas, uma moça começou a dançar ao som alto da música. Os homens continuavam a conversar e alguns olhavam vez em quando para Baltazar, que bebia sua cerveja. Este, por sua vez, observava discretamente aqueles tipos. Uma mesa próxima à sua ficou vaga e, por uma grade que separava o bar da calçada, um homem avançou a mão suja para o copo com alguma bebida que restara. Baltazar se assustou e olhou o sujeito bebendo de olhos fixos nele, num misto de sorriso e temor. Então pediu que estendesse o copo e o encheu com cerveja gelada; o outro sorriu feliz e foi embora entre goles frescos, dando pequenos passos num gingado de dança. O homem tinha as vestes encardidas, verdadeiros molambos. Parecia feliz em sua sujeira, mas seus olhos transbordavam uma imensa tristeza. De longe acenou mais uma vez e se foi.

Baltazar acabou a cerveja, pagou e saiu, sentindo-se aliviado por ter deixado aquele lugar. Prestaria mais atenção antes de entrar em outro bar.

Continuou a andar pela cidade. De repente, sem barulho nenhum, um forte aguaceiro caiu do céu na tarde calma e quente, e ele precisou se proteger sob um toldo. Mas aquilo foi passageiro, logo o sol apareceu novamente e ele voltou a caminhar pelo centro, onde tomou sorvete admirando de perto as casas com aspecto antigo.

No fim da tarde, ainda com forte calor, Baltazar entrou num bar movimentado à beira do rio. Árvores enormes amainavam a quentura. Nas mesas, algumas moças, sempre sorridentes, faziam a alegria do lugar. Muitas eram mulheres desfrutáveis, ali vendendo sorrisos em seus rostos felizes por trás de dolorosas e invisíveis solidões.

Baltazar sentou-se e pediu uma cerveja para a simpática garçonete. Com a testa gotejada de suor, saboreou o frescor do espumante e delicioso líquido que desceu como néctar, era o próprio mel escorrendo bico abaixo de um beija-flor sugando a planta. Estralou os lábios e passou o lenço na testa.

Seu olhar passeou no alto céu, onde fiapos de nuvens se coloriam ante a aproximação do pôr do sol, depois desceu pela folhagem sombreada da mangueira e se deparou com os olhos lindos da moça de tez morena e cabelos cascateando em ondas negras derramados nas costas, sorrindo leve em sua direção. Ele sentiu um frio na barriga e sorriu de volta, mas olhou disfarçadamente para trás, buscando ter certeza de que o sorriso era mesmo destinado a ele. Era. Então se encheu de coragem e levantou o copo em direção à morena, ao que ela, em um gesto afirmativo, aproximou-se da mesa. Era uma moça bonita mesmo, uma moçona de olhar triste, mas cujo sorriso doce iluminava o rosto que irradiava uma beleza suave e acolhedora.

Baltazar sentiu um profundo bem-estar.

— Boa tarde, posso sentar?

— Sim, pode, estou aqui tomando uma cervejinha, aceita?

— Obrigada, está bem quente mesmo, posso pedir uma cuba-libre?

— É uma bebida? Pode, sim; como é?

— É Coca-Cola com rum, uma rodela de limão e bastante gelo. É bem gostoso.

A moça fez um gesto para a garçonete, que se aproximou, ouviu o pedido, sorriu e se foi.

— Como surgiu essa mistura? — indagou Baltazar.

— Me explicaram que é antiga, do começo do século, mas ultimamente está mais divulgada, por causa da revolução que está acontecendo em Cuba, aí ficou mais na moda. É uma bebida leve; colocando menos rum, é bem refrescante. Mas me fale, você é de onde? Pelo jeito não é daqui.

— Sou do interior de São Paulo, e agora me mudei pra cá.

— Mora aqui na cidade?

— Não, bem longe, lá no vale do rio Sereno.

— O nome é bonito, mas não sei onde é.

— Nem queira saber, é longe demais.

— É numa cidade?

— Que esperança, é no meio do mato, floresta pura, onde se pode fazer uma casinha de sapé e dois pombinhos viverem felizes para sempre, se uma onça não comer logo os dois.

— Credo! Eu, hein!

Nisso chegou a garçonete trazendo a bebida, e a moça, após mexer o gelo com o dedo, propôs um brinde. Depois do primeiro gole, disse:

— Experimente, pode ser que goste.

Após provar, Baltazar respondeu:

— Geladinho, gostoso mesmo — e, elevando a voz, continuou. — Qual o seu nome?

— Gladys, Gladys com ípsilon.

— Hummm, nome bonito! O meu é Baltazar, com B mesmo.

— Hahaha, gostei! Baltazar, enquanto a gente conversa, vamos pedir uma porção e outra cerveja pra você, ou vai querer uma cuba-libre também?

— Vamos chamar a moça pra ver qual salgadinho... será que tem linguiça?

— Deve ter batata e mandioca frita, e tem, sim, calabresa, com cebola.

— Nem me fale em mandioca, em todo lugar que vou tem mandioca, aqui em Cuiabá vou dar um tempo.

— Então você escolhe, batata ou calabresa?

— As duas! Tá bom pra você?

— Adoro as duas! E o que você vai tomar, quer conhecer a cuba?

— Vou pedir essa cuba-libre, mas me fale sobre a tal revolução, é guerra de novo?

— Não sei muito, só que iniciou no comecinho deste ano e os revolucionários tomaram o poder pelas armas. Escutei em conversas por aqui, também ouvi no rádio e li no jornal da cidade.

Baltazar estava contente naquele ambiente, e quando a moça se ausentou brevemente olhou as mesas em volta, agora com ainda mais gente. Pareciam ser pessoas felizes trocando ideias e sorrisos num fim de dia. Ele se lembrou das tardes melancólicas na floresta e teve então um pensamento bonito e alegre, nem sabia bem o quê, mas uma sensação que torna leve a alma. O sujeito só sente. Olhou para cima e o céu parecia mais enfeitado de nuvens muito coloridas de amarelo, arroxeadas e vermelho forte. Um fiapo de pensamento o levou ao tié-fogo. Sentindo-se feliz no meio daquela gente desconhecida, uma nuvem de doçura lhe invadiu a alma, e ele pensou: "*Isso, sim, é viver a vida de verdade, ainda bem que agora eu vim ao lugar certo. Na cidade é preciso tomar cuidado, aquela hora entrei numa errada, puta monte de homem desajeitado, só faltou me darem tiro com os olhos, aqui tá beleza*". Nisso se lembrou dos conselhos de Jerônimo sobre os golpes e concluiu o pensamento: "*Preciso ficar esperto*". Nesse momento a moça voltava, contorcendo-se entre as mesas, e o pensamento dele logo mudou: "*Ela, com seu jeito, alegra minha alma, hoje é festa no coração*". Reparou em Gladys se aproximando, os cabelos emoldurando seu rosto, e a satisfação trouxe um leve sorriso a seus lábios.

Ela sentou-se, segurou a mão dele e, olhando em seus olhos, falou:

— Acho linda essa pinta no seu queixo.

Uma neblina doce envolveu a alma de Baltazar. Raios de luz pareciam sair de suas pupilas quando acariciou os cabelos da morena e, meio tímido, balbuciou:

— Meu coração dilata diante de tanta beleza.

Ela, segurando o queixo dele, balbuciou:

— São seus olhos!

— Estou vendo você com a alma do meu coração.

— Você está bem romântico para quem vive enfiado no mato.

— Você acredita em feitiço? Acho que começa assim.

— Está me chamando de feiticeira?

— Não, eu estava mesmo precisando ser enfeitiçado, você só ajudou, e eu gostei. A gente fica lá no mato tão isolado, sem perceber as bonitezas da vida, e são tantas outras alegrias sem a gente nem saber.

Escureceu e o céu se bordou de estrelas para a noite de festa. O álcool, a beleza daquela companhia e o burburinho alegre do bar encheram de entusiasmo o tímido Baltazar, que, segurando as mãos de Gladys, disse num murmúrio, olhando muito dentro dela:

— A luz de seu olhar iluminou meu coração.

Naquela madrugada, o táxi chegou à casa de Jerônimo levando um lívido e feliz Baltazar, trazendo no rosto uma doce alegria. Com aquela luminosa felicidade, aprendeu o caminho do bar, onde esteve em mais dois fins de tarde.

Depois desses dias na cidade, os dois voltavam pelo estradão para continuar os trabalhos que os esperavam. Baltazar remoía uma sensação de nostalgia pela partida, mas uma coisa boa dentro de seu peito parecia explodir de contentamento. Seguiu viagem sentindo a manhã luminosa e uma leveza no ar, uma vontade grande de viver. Estava feliz demais, como se o sol tivesse entrado nele.

— Baltazar, estou sentindo você meio aéreo, parece que em profundos pensamentos — aventou Jerônimo, puxando conversa.

— Estou aqui pensando na cidade, no movimento, no povo nas ruas, nos bares.

— Você esteve nos bares da beira do rio?

— Sim, gostei muito de lá, aqueles foram momentos felizes, diferentes.

— Está certo, a felicidade é um conforto espiritual.

— Na vida é preciso fazer coisas que alegrem o coração.

— Pelo jeito você viajou nas asas do amor.

— Eu sei, é uma coisa passageira, sem solução de continuidade.

— É, estamos muito longe, não dá pra vir muito.

— O sabor é maior quando o vinho é pouco. Aprendi isso nesses dias com uma menina, sabe, seu Jerônimo, conheci mesmo uma moça interessante, e aprendi uma porção de coisas nas conversas com ela. Ela me ensinou até que, estando lá na mata, é preciso refletir nas belezas da natureza, assim ajuda a suportar a solidão, e é necessário ir atrás de coisas que animem o espírito. Ela falou até da futura inauguração de Brasília no próximo ano, disse que será uma cidade muito bonita, tudo planejado.

— Aquela animação toda tem também seus perigos. Ali é um lugar de homens e mulheres e de amores divididos e fugazes. É lugar de beber e sonhar, mas passa.

— Não entendi uma palavra com o senhor falando assim, mas sei que às vezes é preciso deixar o coração delirar. Como seria a vida sem as boas sensações?

— Verdade, mas é sempre perigoso ser enleado nesses momentos de coração distraído.

— A vida da gente é muito monótona, às vezes é preciso sair da toca.

— É, Baltazar, a repetição da mesma vida gera desânimo, é preciso buscar sempre uma forma de não cair na pasmaceira.

— A vida que temos na fazenda é mesmo muito parada.

— Concordo, é simples, sem novidades, mas mais segura e com muito menos ilusão do que a cidade oferece. Na cidade, o amor é mais fácil de aparecer, é mais divertido, mas cheio de perigos. É muito comum, depois do calor do amor, vir o frio do tempo.

— Mas quem não morre não vê Deus.

— Até filosofia essa moça lhe ensinou?

— Ué, que que é isso de filosofia?

— Também não sei, mas o Archimedes anda falando umas coisas assim, diz que é filosofia e que quer estudar isso.

E lá se foram pela estrada de terra, enfrentando a poeira, o calor, a chuva e todos os problemas de uma atividade difícil, mas que entusiasmava aqueles homens cheios de vontade de superar as tempestades de onde quer que viessem.

Desceram a estrada da serrinha e alcançaram o vale, com trovões roncando ao longe. Navegaram Sereno acima e descarregaram rápido o barco, a tempo de escapar do temporal. Passada a chuva, Baltazar e Olegário voltaram à camioneta para buscar as camas e os colchões comprados.

Nos meses seguintes, Baltazar trabalhou de forma intensa, mas constantemente sonhava acordado com o sorriso de Gladys, seu olhar triste, sua voz. Gostava de lembrar aqueles belos momentos, a cuba-libre, os dias de amor que nunca antes conhecera. Nas noites quentes e claras na cama nova, sentia o aroma selvagem vindo da floresta, parecendo trazer um luar perfumado. Eram delírios de amor, e o jovem percebeu que a intensidade da alegria conhecida era na mesma proporção do sofrimento pela distância.

Os índios

O tempo passou, Brasília foi inaugurada e o país elegeu outro presidente, o mato-grossense Jânio Quadros, que renunciou ao cargo antes de completar oito meses de governo. Quem assumiu foi o vice João Goulart. Adalgiza voltou a estudar e se encantou com a possibilidade de ser professora. Pôs isso na cabeça, criou um objetivo na vida. Antes o interesse era fazer enxoval para o casamento, mas agora tinha esquecido isso de enxoval. Podia até casar, mas a meta era fazer a Escola Normal de formação ao magistério.

Archimedes e os colegas estavam empolgados comemorando a conquista da Copa do Mundo de Futebol que o Brasil jogara no Chile. Mais uma vez Cuiabá estava em festa e a alegria era geral, como em todo o país.

Archimedes havia terminado o Clássico e pensava em fazer as faculdades de jornalismo e filosofia. Seguia sendo muito estudioso e interessado no conhecimento, procurando frequentar a biblioteca da escola e a pública municipal. Devorava livros, tendo lido muitos escritores brasileiros, e ultimamente vinha lendo cada vez mais autores de outros países. Ficava fins de semanas inteiros nas leituras de Sócrates, Platão, Aristóteles, Santo Agostinho e São Tomás de Aquino. Alguns professores achavam que ele estava indo longe demais, na verdade — alguns até se incomodavam com seus questionamentos nas aulas. Mas sua postura acabava pressionando os mestres a se prepararem melhor. Também escrevia artigos para o *Jornal dos Estudantes*.

Na fazenda, o rebanho havia aumentado; mais de duzentos alqueires, além dos setenta iniciais, haviam sido desmatados e transformados em pastagens. A prometida estrada ainda não havia sido construída, e os homens continuavam tirando toras e transportando-as pelo rio, naquelas mesmas condições iniciais, mas cada vez com maiores dificuldades, pois as toras tinham que ser arrastadas de mais longe.

A área plantada com milho, mandioca e abóbora aumentara, possibilitando criar porcos e galinhas. Até umas poucas vacas foram adquiridas para usar o leite no consumo diário, sobrando ainda para queijos e requeijões que Baltazar fazia caprichosamente, além de cuidar da horta e do bananal.

Numa noite muito escura, em que se aproximava uma severa tempestade, Jerônimo acordou assustado e de um salto saiu da cama para ir ao terreiro. O vento forte açoitava seu rosto e os trovões estavam cada vez mais perto. Relâmpagos e raios contínuos iluminavam com rabiscos a escuridão, como se escrevessem uma mensagem que não se podia decifrar. Jerônimo voltou para a cama, mas não dormiu logo. Lá fora, o vento uivando provocava um sentimento negativo. A sensação ruim o deixou cheio de maus pressentimentos. Pensou na família longe e foi difícil voltar a dormir ouvindo a tormenta.

Na tarde daquele dia, com mais nuvens escuras, apareceu o vizinho e amigo Benedito. Ele encontrou Jerônimo no curral, observando uma vaca recém-parida.

— Boa tarde, seu Jerônimo, bezerro nascendo?

— Boa tarde, seu Benedito, sim, belo animalzinho. É da Coração, vaca colosso de boa no balde.

— Bonitos úberes, benza Deus! Mais pra frente quero comer do queijo dela que o Baltazar com certeza vai fazer, rapaz bom de mão num queijo.

— Vamos chegar em casa, tomar um café e comer requeijão, ele fez ontem.

A passos lentos foram caminhando e se acomodaram próximo ao fogão, onde o bule estava na chapa.

— Seu Jerônimo, tem escutado alguma novidade sobre os índios?

— Qual novidade? Escutei nada não.

— Fui ontem lá na Areia Preta e ouvi dizer sobre uma gleba de terras desta banda do rio que pertence aos índios e não pode ser comprada.

— Deve ser conversa fiada, pois foi vendida e comprada com a documentação correta. Não é possível um boato desses.

— A conversa é que vários proprietários já receberam a intimação pra deixar as terras e os índios estão andando mais por essas bandas, descendo pra cá.

— Não pode ser verdade! A nossa terra tem documentação.

Mesmo não querendo acreditar, Jerônimo sentiu uma tempestade se armando e se lembrou do pressentimento da noite anterior.

Um clima de preocupação foi inevitável. Lá fora, as nuvens negras que se aproximavam rapidamente se desmancharam em fortes águas despejadas do céu. Tentando em vão não se molhar, Baltazar e os dois rapazes entraram correndo em casa. Dali a pouco, ouvindo aquela conversa, também não concordaram que fosse possível aquilo de as terras serem dos índios. O aguaceiro bateu por alguns minutos e depois uma chuva fina se prolongou.

Os homens saborearam o requeijão e também o queijo feito naquela manhã.

— Gente, a prosa não foi muito boa hoje, mas este café com queijo está colosso de bom. Seu Jerônimo, o senhor me desculpe trazer esta notícia, mas vim só pra trocar uma ideia, achei que os índios já tivessem chegado por aqui e o senhor soubesse. E se não sabia, que tome tento ficando de olho, pois eles podem aparecer.

— Não se preocupe com isso, seu Benedito, do real ninguém escapa, mas não creio nessa história para nossas terras.

Despedindo-se, meio macambúzio, Benedito caminhou até a margem, ligou o motor do barco e desceu o rio. A chuva começou a apertar de novo. Ele se encolheu sob a capa e, no comando do leme, lentamente manejava o motor, tocado por uma tristeza de ter levado preocupação para o amigo, que sempre falava daquelas noites difíceis no primeiro barraco, mas cheias de esperanças. Agora a novidade ia lhe trazer uma noite com uma centelha de preocupação, pequena dúvida a martelar sua cabeça. Por mais que não quisesse acreditar, era uma dúvida, e aquilo não era bom.

Jerônimo ficou pensativo na porta, ouvindo o motor do barco se afastando lentamente. Foi até o fogão e acendeu o cigarro de palha com um tição. A novidade o tinha deixado intranquilo. Naquela noite ficou longo tempo sem conciliar o sono. Tentava dormir, mas aquela ideia que procurava evitar sempre voltava, ocupando o lugarzinho onde começa o cochilo. Só bem tarde conseguiu adormecer. Nas noites seguintes, a preocupação foi menor, mas volta e meia chegava o pensamento sobre as terras e os índios.

Dias depois, numa manhã abafada, quando Jerônimo e seu pessoal que trabalhava na floresta faziam uma pausa para o café, Fumaça, eriçando os pelos, soltou um rosnado lento que foi aumentando de volume, e começou a latir. Faísca se levantou e também latiu, e então os homens se viram cercados por indígenas que chegavam silenciosamente, eram muitos. Os índios se posicionaram calados em torno dos brancos. Estes se levantaram, e Jerônimo ralhou com os cães, que emudeceram, aproximando-se. Os corações batiam forte. Foi um momento de muita tensão, todos os olhos se encontrando num imenso mutismo. Os nativos tinham suas armas nas mãos, mas não em posição de ataque, apenas seguravam seus arcos, flechas, tacapes e zarabatanas.

Estavam descalços e vestiam *shorts*. Estavam sem camisa, mas trajavam vários adereços feitos com penas coloridas. Pendurados no pescoço, tinham dentes, bicos e garras de animais, além de pedras de diversas cores e contas vegetais. Bem pintados, pareciam prontos para uma guerra.

Os brancos não tiveram tempo de empunhar suas armas. O índio forte e entroncado que demonstrava ser o chefe disparou entre dentes, com os olhos pulando de um branco para outro:

— Quem é o chefe?

— Sou eu — respondeu Jerônimo sem se mexer, mas levantando a cabeça na direção do que havia perguntado.

— Se o senhor é o chefe do trabalho, deve ficar sabendo, estas terras são indígenas e vocês precisam sair. Não podem mais cortar árvores, têm que ir embora. A terra é nossa.

— Como de vocês? — respondeu Jerônimo enquanto aceleravam mais as batidas de seu coração — Eu comprei e paguei, tenho os documentos.

— Não podia ser vendida. A venda não valeu. Os homens do governo falaram. Vocês devem sair logo daqui, esta terra é nossa.

— A terra é minha, eu tenho documentos.

— Não sei isso de documento — discordou o cacique, com um olhar selvagem. — Deus quando deu pra nós não passou papel, e o órgão do governo já disse que a terra é das tribos dos índios e vocês, brancos, precisam sair. Branco não é do mato.

— Não vamos sair, é nossa terra por direito de compra, e estamos trabalhando nela faz muito tempo.

— Tempo faz é que estamos vivendo nesta terra! Por enquanto não queremos guerra, então vamos procurar os homens do governo para eles falarem com vocês. Só estamos avisando, a terra é nossa. Não podem mais cortar árvores e devem ir embora.

Então, os indígenas foram sumindo por entre as árvores e desapareceram nos fundos da floresta. Assim como apareceram, sumiram, tudo muito rápido.

Jerônimo e os seus estavam atônitos, como se fosse uma visão aquilo que tinha acontecido. Não parecia verdade, e uma sensação muito ruim baixou sobre eles, de insegurança quanto à possibilidade de um ataque por parte dos nativos. Seria improvável acontecer, mas não impossível.

Em silêncio, arrastaram as toras e falaram a meia-voz com os bois até chegarem à beira do rio. Já em casa para o almoço, todos estavam quietos, e Gregório perguntou:

— Pai, como vai ser essa história? O que vamos fazer? Vamos ter problemas? Perder as terras?

— Se continuarmos a tirar as toras, esses índios são capazes de atacar a gente — ponderou Olegário.

— Você vai comigo, vamos descer o rio até a casa do Benedito, saber se ele tem novidades sobre isso e talvez dar um pulo até Areia Preta, ver por lá o que está acontecendo de verdade, se sabem alguma coisa. Gregório e Baltazar, não saiam de perto da casa e fiquem atentos, com armas ao alcance das mãos, prevenidos caso aconteça algum ataque. Ainda não acredito que seja possível, mas não custa se prevenir e, se for preciso, atirar primeiro para o alto. Agora sim, sinto nuvens cinzentas no nosso céu. Tomara que seja um mal-entendido.

Após o almoço, os quatro desceram o rio. Chegaram à casa de Benedito, que disse não estar sabendo de mais novidades, a maior era aquela de os índios terem ido até a fazenda Floresta.

— Mas se o senhor quiser podemos ir até a Areia Preta.

— Agradeço sua boa vontade mais uma vez, mas não se preocupe. Olegário vai comigo, o Gregório e o Baltazar voltam pra fazenda, pois não estou confiando naqueles índios.

— Verdade, vocês têm armas lá, né? Quer mais uma espingarda? Não que se queira atirar nos índios, mas conversar sem estar em desvantagem de armas. Como dizem por aí, se queres ter a paz é preciso estar preparado para a guerra.

— Aceito sua oferta, sim, nossas armas são poucas — disse Jerônimo, recebendo de Benedito uma espingarda e alguns cartuchos, que passou a Gregório. — Devo chegar hoje à noite ou amanhã de manhã.

Pai e filho subiram a serrinha, e no meio da tarde os dois chegavam ao restaurante do Luiz Gaudério.

— Boa tarde, seu Luiz, como vão as coisas por aqui? — perguntou Jerônimo.

— Boa tarde, amigos, está tudo bem na estrada, mas uns boatos estão deixando os proprietários de cabelo em pé. Essa história de muitas fazendas vendidas serem terras indígenas. Dizem que o órgão do governo vai obrigar a devolução, quer dizer, vão impedir os fazendeiros de entrarem nas terras, e tudo o que foi construído deve ser demolido ou vão pôr fogo, e os índios podem comer o gado. Se isso for verdade vai atrapalhar até meu negócio.

Jerônimo ouviu aquilo e ficou mudo, pois clareou que precisaria urgentemente procurar Evaristo, o corretor vendedor das terras. Ferveu de indignação e perdeu de vez a serenidade. Chegaram já à noite de volta à fazenda Limoeiro, e Benedito, que estava dormindo, levantou-se para ver os amigos e saber do sucedido. Após o relato, o dono da casa insistiu com os amigos que dormissem ali e fossem embora na manhã seguinte, mas Jerônimo estava ansioso, determinado a seguir, apesar da noite abafada e de os relâmpagos rabiscarem o céu, seguidos de trovões roncando ainda longe atrás das matas e prenunciando tempo hostil.

— Não se preocupe, seu Benedito, só empreste uma canoinha e logo chegaremos em casa.

— Que esperança! O senhor pode dormir aqui, tem quarto e cama, mas entendo sua vontade de estar com os filhos durante a noite, então levo o senhor de barco, num instante vou e volto.

— Nada disso, volte pra cama, eu e Olegário, remando esta canoa leve, logo chegaremos em casa.

— Vão pegar chuva, já está roncando a trovoada.

Enquanto Jerônimo iluminava com o farolete, Olegário desamarrou a canoa, os dois se sentaram e, antes de começar a remar, o pai escutou o silêncio e dentro dele o enorme trovão. Balançou a cabeça e disse:

— Vamos!

Na força das remadas subiam o rio Sereno com as águas encrespadas pelo vento forte e o volume aumentado pela chuva durante o dia nas cabeceiras.

No meio da travessia, o temporal aumentou, a chuva engrossou. Os dois remavam com força contra a correnteza do Sereno, que parecia zangado. No céu, as nuvens escuras eram iluminadas pelos relâmpagos e raios em meio a tremendos trovões, e de repente um clarão acompanhado de grande estouro se deu perto da margem, provocando fogo no alto do coqueiro que tinha sido atingido pelo raio.

Depois do susto e fazendo muito esforço para remar, encharcados até os ossos, encostaram no atracadouro. Com a fraca luz do farolete em meio à chuva, amarraram a canoa e caminharam até a casa. Gregório e Baltazar, ouvindo o barulho, levantaram-se e acenderam o lampião.

— Ficaram loucos de vir num tempo desses? Vocês já jantaram? — perguntou Gregório.

— Não, mas primeiro a gente tem que se enxugar e tomar logo um trago pra rebater a friagem. O seu Benedito insistiu pra gente dormir lá na casa dele. Devíamos ter ficado mesmo, pegamos toda essa chuva nas costas e ainda o rio estava nervoso, dificultando as remadas.

— É, agora também acho — assentiu Olegário —, porque não vai mudar nada ter chegado hoje ou amanhã.

— O que pode mudar é vocês pegarem um baita resfriado.

— Nem pense nisso, é toda hora nós quente e chuva no lombo, estamos acostumados.

— Mas fala aí, pai, como foi lá a conversa sobre os índios? — perguntou Gregório, assoprando o fogo para esquentar a comida.

Após se enxugar e trocar de roupa, Jerônimo tomou uma dose de aguardente e contou sobre a ida a Areia Preta. Depois comeu arroz, feijão, carne e mandioca. Terminando, cortou um pedaço de requeijão, pegou uma caneca de café quente, sentou-se num banco e lamentou:

— Vou ter que ir procurar aquele Evaristo.

— Como o senhor vai achar ele?

— Amanhã vou pra Cuiabá pra telefonar. Se for preciso, vou até Presidente Prudente ver como resolvemos isso. Não pode é a gente perder todo o nosso trabalho, estas terras, é tudo o que temos.

— Temos o gado também — acrescentou Olegário.

— O gado, numa encrenca, a gente tira, mas a terra não dá para levar embora. É nosso patrimônio e não podemos perder.

— Não podemos nem pensar em perder — completou Gregório.

— Vou pra Cuiabá, mas vou só. É melhor vocês três ficarem aqui. Por enquanto não entrem no mato pra derrubar árvores, vamos deixar acalmar a situação, pois os índios podem achar que é provocação e atacar. É uma situação nova, não sabemos o que eles pensam, como se comportam, se foram embora mesmo ou se estão por perto. A floresta é o mundo deles, um escuro pra nós. Quando eu voltar a gente continua. Quero que vocês fiquem por perto da casa. Ao saírem para olhar o gado, vão sempre em dois e um fica aqui tomando conta.

— O senhor não acha melhor trazer o gado pros pastos de baixo, mais pra perto?

— Boa ideia, Baltazar, façam isso, assim não precisam nem sair de casa para ver o gado. Amanhã cedo, coloquem sal no cocho e vão em dois a cavalo buscar os bois.

A nova preocupação não permitiu que tivessem uma noite repousante. Todos se mexeram muito em suas camas. Jerônimo se esforçava, mas estava difícil dormir, pois viajaria no dia seguinte e seria muito cansativo se não dormisse bem. Nas primeiras horas da madrugada, adormeceu, mas de vez em quando acordava agitado, ora sonhando com os índios, ora com árvores tombando e toras disparando rio abaixo, sem controle. A tempestade de dúvidas abria as janelas de seu pensamento e aquilo martelava dentro de sua cabeça. Depois de um tempo, adormecia e os pesadelos se sucediam, e então acordava assustado novamente. Sonhou que a floresta em volta estava toda de cor verde-pálida, e uma única árvore estava azul. Era uma árvore enorme, e quando chegou perto ela ficou vermelha e no tronco se abriu uma porta de onde saíam índios, muitos índios empunhando arco e flecha. Todos de caras bravas, pintadas em cores vivas. Então Jerônimo gritou algumas palavras e acordou. Estava suado, mas ficou aliviado. A casa estava em silêncio. Ninguém acordara com seu grito. Voltou a pensar no assunto que o incomodava, mas o cansaço venceu e ele adormeceu novamente.

Mal o sol despontou do outro lado do rio, no horizonte da mata distante, os quatro homens tomavam a refeição. Em seguida, nos dois cavalos encilhados, foram mudar o gado de pasto, e Olegário levou o sal ao cocho enquanto Jerônimo preparava-se para a viagem, tirando da horta o que levaria. Jerônimo foi até o barraco do empreiteiro Genildo para explicar a situação e concluiu:

— Então é isso, o senhor e sua turma fiquem atentos lá onde estão trabalhando, e se os índios aparecerem explique que estou indo resolver e que vocês não têm nada a ver com isso. Não deixe seus homens fazerem nenhuma besteira de atirar em índio. Passando pela Areia Preta vou procurar o Josemar e trocar ideias sobre o trabalho.

Após realizarem as tarefas necessárias, todos estavam reunidos na porta de casa, e Jerônimo estava pronto para partir.

— Aproveitem que não vão trabalhar no mato — orientou Jerônimo — e organizem as coisas aqui na casa. Façam uma boa limpeza, cuidem da horta e vejam se pegam uns peixes e aquele jacaré barulhento que não deixa a gente dormir.

— O jacaré deixe comigo! — exclamou Baltazar, rindo.

Continuaram a conversar enquanto todos desciam para o rio levando queijo, palmito, ovos e produtos da horta. Jerônimo se despediu dos dois e sentou-se.

Gregório pilotava o barco, seguiram em silêncio e Jerônimo comentou:

— Já me acostumei nesta vida, com o jeito daqui. No começo foi difícil, mas a gente conseguiu se adaptar. Tendo um objetivo é possível superar as dificuldades quando se gosta do que se faz, mesmo nesse isolamento. Acho importante estarmos transformando esse mundo selvagem em área de produção.

— Mas tem muita gente contra o desmatamento.

— Mas se ficar tudo mato, não tem comida pra população, que só aumenta.

— Dizem que quando o Brasil era só mato, aí foi preciso ir desmatando, mas agora é preciso parar, já se desmatou muito, e por isso estão dando força aos índios, que dependem da floresta pra viver.

— Mas então estamos correndo risco mesmo? — alarmou-se Jerônimo.

— Mas isso seria nas terras mais do interior, e as documentadas são livres para a derrubada; quer dizer, só pode derrubar a metade da propriedade.

— A gente querendo trabalhar e agora essa, ter essa disputa com índios. Parece que a vida da gente é sempre estar envolvido em conflitos.

— Mas lá na fazenda em São Paulo a gente estava tranquilo.

— É, mas havia conflito dentro da gente, levantar de madrugada e tirar leite ou criar gado de engorda.

— É, resolvemos um e estamos envolvidos em outro. A vida vai ser sempre assim, e quanto mais você cresce maiores serão os conflitos.

— A gente deve estar preparado pra essas batalhas de resolver conflitos, pra ganhar e principalmente perder.

— Nem me fale em perder o que fizemos, é nossa vida. O Benedito parece não estar em casa — supôs Jerônimo, pulando do barco, puxando a corda e amarrando-a no pau do atracadouro.

Transportaram para a camioneta o que tinham levado consigo, e em seguida Jerônimo ligou o veículo. Constatando que estava tudo em ordem, despediu-se do filho e estava prestes a partir quando dona Petronila chegou na porta, cumprimentou os dois e disse que o marido estava no mato, voltando em seguida ao interior da casa.

Gregório ligou o motor, subiu o rio e, chegando à fazenda, amarrou o barco no galho da árvore, olhou tudo em volta e, de espingarda na mão, seguiu lentamente até a casa onde estavam os dois sentados na varanda, atentos, observando todos os lados e também com as espingardas ao alcance da mão. Gregório pegou o bule, colocou café na caneca, sentou-se em uma rede e comentou:

— O pai tá preocupado com essa situação... também, tem que estar mesmo, já pensou perder tudo aqui? E ainda pensar na nossa bela fazenda lá de São Paulo.

— Nem fale uma desgraceira dessas. Na verdade a gente não quer acreditar, mas estamos meio desamparados tendo esses índios como vizinhos — lamentou Olegário.

— Sabe que gostei daqui, dessa luta pra fazer tudo do começo?

— Eu concordo — observou Baltazar. — É bonito ver transformar esse matão em um lugar preparado, produtivo.

— Eu também gosto — anuiu Olegário —, até que não se sofre muito aqui neste verdadeiro fim de mundo, porque a vida da gente é autêntica. Temos a cabeça limpa. Diferente de quem vive no meio de muita agitação, confusão, ideias, jogos, religiões, aí a cabeça vai se enchendo de coisas e quando se dá conta só vê dificuldades, empecilhos, emprego, desemprego, frustrações, desilusões, preocupações e a tal da depressão. Na verdade nem sei direito o que é isso, parece um começo de tristeza, sei lá.

— Por isso gosto de ir pra cidade de vez em quando, alivia a gente dessa solidão daqui — declarou Baltazar —, mas só de vez em quando. Mas que lá tem animação, ah, isso tem!

— Aqui neste isolamento, esta solidão, sem termos nada na cabeça, também dá certas tristezas — refletiu Gregório.

— Verdade, mas é mais difícil essa tal depressão e depende muito de como é cada pessoa. Quem gosta mais da natureza se dá melhor e vive numa boa — pronunciou Olegário.

— Não sei se é bem assim, pois na solidão o homem acaba em profundos pensamentos, que podem levar à sabedoria ou à loucura — raciocinou Gregório.

— Não sei isso de loucura aqui no mato, mas na cidade deve ser mais rápido pra endoidar. Quando eu conheci aquela moça, fiquei com a cabeça que só cabia ela.

— É que você se apaixonou, Baltazar, aí ficou bobo.

— Mas foi uma bobeira de alegria.

— Você ficou meio doido por ela porque está longe, mas traz ela pra cá, aí sim você vai ver o que é endoidar.

— Doida seria ela de querer vir pra cá. Na verdade ela só precisa atender suas necessidades no meio da alegria e ir empurrando a vida, e eu vejo o tempo passar e restam as lembranças bonitas de tudo aquilo, o entusiasmo daquele primeiro encontro já vai ficando longe. Uma lembrança boa que ficou.

— Mas você viu ela mais vezes, não foi bom também? — perguntou Gregório.

— Sim, foi bom, mas não teve mais a mesma magia daquela primeira vez.

— A vida da gente parece que é só dificuldade — cortou Olegário. — Quando eu era criança, levantava cedo todos os dias pra ir à escola, e quando acabou aquilo de escola, tinha que levantar mais cedo ainda pra ir tirar leite. Agora aqui neste fim de mundo só tem mato, bicho e esse bando de homens ignorantes, briguentos; e pra completar, índios!

— Calma, são as etapas da vida — ponderou Gregório.

— Etapas? Cada etapa está pior que a anterior — retrucou Olegário. — Se for sempre assim, quero saber pra que se nasce, pra que é que se vive. Só vejo a vida passar sem chance de viver melhor. Gosto daqui, mas uma hora cansa, não existe diversão nenhuma, jogo, baile, nada de nada.

— Ora, a gente vive neste mundo pra ter coisas boas — argumentou Baltazar —, ter o que a gente gosta; ver as belezas espalhadas por aí. Aqui onde estamos é um lugar difícil, mas tem muitas belezas. É preciso ter o espírito aberto pra ver, entender e aproveitar. Ouça o canto dos pássaros, veja a beleza das flores...

— Ih, quando você lembra daquela mulher vira até poeta.

— Ora, a gente tem que ter motivos pra viver e saber apreciar as coisas belas. A beleza é bom motivo, só isso; ela me ensinou, além de me mostrar gostos novos: nunca esqueço da cuba-libre.

— Concordo com o Baltazar — assentiu Gregório —, por isso que gosto da beleza das mulheres, um forte motivo.

— Se é, só que aqui estamos sem esse belo motivo — retrucou Baltazar.

— Verdade! — concordou Olegário.

— Como aprendi com a Gladys: "a beleza da vida está em saber apreciar o simples".

— Você gosta dela, vai acabar casando — brincou Gregório.

— Acho que não, a gente só se diverte, sem levar a vida a sério, pois quando a coisa fica séria mesmo, não é simples, aí complica e o coração encolhe, perde a graça.

— Não seja dramático, a vida deve ser simplesmente cheia de diversão, seriedade, companheirismo e fim.

— Mas não tem amor de graça.

— Como disse o corretor Evaristo, "a beleza da vida está nos negócios" — arrematou Gregório.

O telefonema

A viagem solitária por aquela longa estrada de terra pareceu a Jerônimo muito mais demorada. Dirigiu o dia todo e ainda estava longe. Horas lentas, velocidade baixa, coração apertado pela dúvida, e o pensamento não conseguia escapar de suas terras, dos índios, do gado, das toras, da fazenda Paraíso, da mudança. Tudo aquilo era erupção vulcânica dentro de sua cabeça. Mas também pensava *"Não pode ser, há um engano, tudo vai ser esclarecido. Não vou perder"*. E acelerava a camioneta numa estrada que parecia não ter fim.

Quando o sol se pôs, parou num posto de combustível e, cansado pela noite anterior maldormida, ferrou no sono até os primeiros sinais da aurora. Foi até o bar, lavou o rosto e comeu uma tapioca com café forte que acabara de ser coado. Aquele vapor gostoso entrando por suas narinas o animou, e logo estava na estrada, ainda mal iluminada pela luz fraca da manhã. Chegando em casa, Conceição se espantou por aquela vinda inesperada e pensou em coisa ruim.

— Alegria ver você chegando, mas não pensei que viesse ainda, por que está só desta vez?

— Os rapazes tinham muito trabalho, não puderam vir.

— Estou estranhando, você não gosta de viajar só nessas estradas solitárias, já é a segunda vez.

— Bem, vim só e sem problemas. Agora quero um bom banho e daqui a pouco almoço dessa comidinha gostosa que você faz, depois vou descansar e mais tarde sair para uns compromissos.

Durante o almoço, os dois conversavam, e Conceição, ainda cismada, perguntou:

— E lá, os meninos, tudo em ordem? Não estão passando necessidade? Esses rapazes precisavam vir mais à cidade, conhecer umas moças, casar, criar família.

— Tudo tem seu tempo.

— Tá é passando o tempo deles, enfiados naquele mato.

— E a Adalgiza, vai mesmo casar com aquele rapaz, o Bonifácio?

— Eles estão animados, parece que daqui a uns meses se casam. Ele tem um bom emprego e ela está firme, estudando pra ser professora.

— Muito bom! Ele parece ser um rapaz direito e a empresa onde trabalha é bem forte. Tomara que dê certo!

Depois de um breve descanso após o almoço, Jerônimo foi direto à central telefônica e pediu uma ligação para Presidente Prudente, para falar na casa do corretor Evaristo. A telefonista disse que haveria umas três horas de espera. Jerônimo foi então até uma banca de revistas e comprou o jornal, sentou-se num banco e procurou algum artigo que tratasse da questão das terras indígenas, mas não encontrou. Aguardou um tanto impaciente aquela demora, tirando inúmeras vezes o relógio de bolso, mas os ponteiros pareciam não se mover. Andou pelo centro velho, parou numa banca de frutas e comeu uma banana, depois foi ao bosque junto ao rio. O tempo nunca foi tão lento. Voltou à telefônica depois de duas horas e meia e ainda aguardou mais quarenta minutos para que se completasse a ligação.

— Alô, de onde fala? É da casa do Evaristo?

— Sim, é da casa dele, sim.

— Ele está? Preciso conversar com ele. Quem está falando?

— Não, não está. Aqui é a esposa dele, ele está viajando, só volta amanhã.

— Só amanhã? Que horas ele chega?

— Não sei, mas eu falo que o senhor ligou, qual é seu nome?

— Meu nome é Jerônimo, aqui de Mato Grosso, pra quem ele vendeu uma fazenda, fale isso que ele já sabe.

— Melhor o senhor ligar amanhã na parte da noite, é mais certeza.

— Tá bem, eu ligo à noite. Até amanhã.

Jerônimo aguardou a telefonista apresentar a conta da ligação, tirou a carteira da algibeira, pagou e saiu da central resmungando a contrariedade de não ter podido falar com o corretor e a angústia que teria de curtir até poder ligar novamente, só na noite do dia seguinte. E a demora para fazer a ligação? Pensava e abanava negativamente a cabeça enquanto caminhava rumo à camioneta. Mas então raciocinava, *"É ruim ele estar viajando e só chegar amanhã à noite, mas pior seria se tivesse ido viajar hoje e só voltasse na semana que vem"*. Achando assim um consolo para diminuir a contrariedade, ligou a camioneta e voltou para casa.

Quando chegou, a esposa logo percebeu que alguma coisa anormal o aborrecia e indagou:

— Jerônimo, você está diferente, qual é sua preocupação?

— Coisas da fazenda.

— O que foi fazer na cidade? Voltou sem nada.

— Fui telefonar lá praquele corretor que vendeu as terras.

— Por quê, já não está tudo acertado?

— Outros negócios, problema de divisa com uns vizinhos.

— Vai dizer que está querendo vender as terras? Porque se você estivesse querendo comprar outras, estaria mais alegre, não preocupado.

— Nada, não, nem comprar, nem vender.

— E conseguiu falar com ele?

— Não, esperei um tempão pra fazer a ligação e ele está viajando, só volta amanhã.

— Ainda bem, pior se fosse demorar uma semana.

— Sabe que é mesmo, também pensei nisso, agora você me animou mais ainda. Vamos tomar sorvete lá na praça do centro da cidade?

Jerônimo passeou com a esposa por Cuiabá, na tarde quente e abafada que anunciava tempestade. Tomaram sorvete e foram a algumas lojas, o que ajudou a espantar um pouco as preocupações. À noite estavam todos em casa, e durante o jantar Adalgiza falou para o pai sobre sua animação com o curso, e Archimedes contou sobre o bom filme a que havia assistido na semana anterior. Mostrou também o livro *Vidas secas*, que tinha achado interessante, e contou algumas passagens da história. Jerônimo se mostrou interessado na conversa e comentou:

— Você gosta mesmo de ler, ainda bem, eu mesmo nunca li nenhum livro. Fico pensando, como é que as pessoas podem gostar de ficar paradas tanto tempo lendo um livro?

— Do mesmo jeito que se fica vendo filme ou ouvindo uma novela no rádio. Ajuda a passar o tempo e nos diálogos tem colocações importantes transmitidas pelo autor, por isso é preciso prestar atenção e não perder a mensagem.

— Rapazinho danado esse Archimedes, fala umas coisas que a gente nem pensa.

— Pra isso são os estudos, pras pessoas enxergarem mais, melhorarem de vida e sofrerem menos.

— Verdade, pra quem não estuda a vida é pesada mesmo.

— Mas sempre tem um jeito de levar a vida — ponderou Conceição —, pois Deus dá o fardo e as forças para carregar.

— Falar Nele, vocês têm ido à igreja?

— Nele quem?

— Em Deus, uai, você não falou Nele?

— Temos ido na igreja, sim, todos os domingos. O Bonifácio, namorado da Adalgiza, é muito religioso, sempre vai com a gente à missa. Se você estiver aqui no domingo, você vai, né?

— Sei não, estou desacostumado.

— Credo, pai, precisa ir. Outro que não gosta de ir é o Archimedes, só vai arrastado e cada vez menos.

— Não tenho muita vontade mesmo, não, andei estudando umas guerras religiosas, verdadeiras barbaridades feitas no passado em nome de Deus que fico até arrepiado.

— Aiaiai, esses livros estão enchendo a cabeça do menino — reagiu a mãe. — Ele vem com uma conversa de que quando não tinha livro as pessoas viviam no escuro, e que os livros são as luzes iluminando os caminhos.

— É verdade mesmo — argumentou Adalgiza. — E sabe qual o livro mais lido no mundo? A Bíblia.

— Concordo — esclareceu Archimedes. — A Bíblia joga luz sobre muita gente, mas existem luzes de outros livros que iluminam muito mais gente pelo mundo, pois nas religiões do Oriente estão os escritos religiosos que não são a nossa Bíblia. E fora das religiões é grande a quantidade de livros que jogam luz sobre o mundo. É preciso ter curiosidade pra conhecer a literatura e saber interpretar, separando o joio do trigo.

— Credo, menino, onde aprendeu a falar assim? — espantou-se Conceição.

— Está certo, filho, vá capinando seu caminho, ele é diferente do nosso, mas é assim que são as coisas da vida. Cada um com seus próprios caminhos, acertos e conflitos.

Archimedes foi para o quarto, Adalgiza para a cozinha. Conceição questionou o marido:

— Que você quis dizer com conflitos? Não entendi.

— É o jeito de falar, que na vida as pessoas têm acertos e dificuldades.

— Estou estranhando você falando em conflitos, dificuldades, nunca falou assim.

— Impressão sua, você pôs isso na cabeça porque vim sozinho da fazenda. Largue mão, fique tranquila. É lógico que a gente, enfrentando as batalhas da vida, tem preocupações, mas são as de sempre. Vou deitar, dormi mal essa noite na estrada.

O dia seguinte demorou a passar, e Jerônimo saiu com o pretexto de resolver coisas na cidade, mas na verdade se foi, procurando acelerar o tempo. Várias vezes passou em frente à central telefônica, fervendo na vontade de ligar, mas se conteve sempre. Andando pelo centro, parou numa banca de revistas e comprou o jornal para ver se tinha algo que interessasse. Entrou em um bar, sentou-se a uma mesa, pediu uma cerveja e pôs-se a folhear. Desta vez, estava lá a matéria que ele preferia não ver: "Terras devolvidas aos indígenas". Aquilo lhe provocou um choque de ansiedade e, nervoso, leu atropeladamente, depois leu de novo, com mais calma. Leu pela terceira vez. Não sabia se ficava ali ou se saía a caminhar. O mundo parecia girar à sua volta. O coração batia acelerado. Tentou se recuperar da leitura e, respirando fundo, pediu outra cerveja. Sem querer, sussurrou:

— Não pode ser, não acredito numa coisa dessas.

Olhou em volta e percebeu que só um rapaz tinha ouvido seu sussurro. Encarou o homem de forma não simpática para não precisar explicar nada. Levantou o jornal para cobrir o rosto e viu outras notícias, mas não conseguiu prestar atenção a nenhuma. Parecia que o jornal tinha virado uma mistura de letras e linhas.

Com a cabeça a mil, sem tomar toda a cerveja, que já tinha ficado quente, dobrou o periódico e foi para a camioneta. Ficou um tempo a refletir, sem ver uma saída a não ser o fio de ligação com o corretor. Deu partida no veículo e se foi. Chegando em casa, colocou o jornal sobre a cômoda e almoçou, falando pouco. Depois se deitou no sofá, onde ficou por duas horas tentando dormir, mas quando conseguia conciliar o sono logo acordava agitado. Não era um bom sono, mas um cochilo tumultuado, e de repente se lembrou do jornal. Foi até a cômoda, viu que ninguém tinha mexido, então o apanhou e colocou na camioneta.

Andando novamente pela cidade, Jerônimo passou em frente à central telefônica, tirou o relógio do bolso, olhou as horas, mas ainda era muito cedo para ligar. Quando os ponteiros sinalizaram cinco horas, não se aguentou mais e entrou no prédio, solicitando a ligação. A telefonista disse que demoraria ainda umas quatro horas, pois no fim do dia o sistema ficava mais congestionado.

Jerônimo voltou a perambular pela cidade, procurando motivos que o ajudassem a passar o tempo. Tomou cerveja, sorvete, chupou tangerina e, faltando ainda uma hora, voltou à telefônica para esperar. Finalmente a telefonista o chamou e completou a ligação.

— Alô, é da casa do Evaristo? Aqui é o Jerônimo, ele está?

— Sim, vou chamar!

— Oi, seu Jerônimo, como vai? Me enche de alegria ouvir o senhor. O que manda, homem?

— Oi, Evaristo, eu estou sem alegria nenhuma. Na verdade estou com um problema sério, os índios estão lá na fazenda dizendo que minhas terras são deles.

— Tá louco, não é possível, a terra é do senhor.

— Eles falam que o governo mandou devolver as terras daquela banda do rio, que são deles e que não poderiam ter sido vendidas.

— Não tem nada disso em sua propriedade, temos os documentos dizendo que são terras livres.

— E como é que eu fico? Os índios estão ameaçando invadir e querendo comer o gado.

— Olha, fique tranquilo, vou amanhã cedo falar com o advogado e saber se tem alguma coisa mal-entendida por parte do governo. Vocês não vão perder as terras.

— Que mané amanhã? Você precisa ir agora atrás do advogado. Li no jornal hoje, aqui na capital, que várias propriedades estão sendo devolvidas para os índios.

— Não é possível uma barbaridade dessas, vocês não vão perder as terras, não.

— Você vai falar com o advogado e eu vou até aí?

— Calma, vou ligar já pra ele marcando um horário amanhã cedo, e você pode me ligar na hora do almoço, então lhe passo a orientação dele, fique tranquilo.

— Se o seu advogado não resolver isso, vou aí em Prudente, pego você e levo lá no mato pra resolver com os índios, que estão armados de flechas envenenadas.

— Crendiospai, calma, seu Jerônimo!

Após pagar a ligação, o fazendeiro andou pelo centro sem ver nada. Voltou para casa e passou outra noite sem dormir direito, acordando várias vezes na madrugada com sonhos que traziam imagens dos índios dando flechadas em bois e no corretor e uma correria de todos no meio da mata.

— Acorda, Jerônimo! — chamou Conceição, no meio da noite, cutucando o ombro do marido. — Você está se debatendo muito. Estava sonhando?

— Tá louco, cada sonho! — resmungou o homem, levantando-se para ir ao banheiro e depois à geladeira tomar água.

Voltando a se deitar, falou:

— É bom mesmo ter banheiro dentro de casa.

No dia seguinte, após o café, saiu para a cidade, foi até a banca e comprou o jornal, mas não havia nenhuma novidade sobre terras e índios. Andou pelo centro em busca de passar o tempo e sentou-se sob a sombra de uma grande árvore no pátio de uma lanchonete. Pediu café e olhou detalhadamente o jornal. Depois ficou a contemplar o rio que passava lento, os pássaros voando de uma margem à outra, de vez em quando um canoeiro remando e ao longe alguns pescando. Não voltou para casa, estava ansioso e evitou ficar parado demonstrando inquietação perto da esposa. Por volta das onze horas, pediu a ligação e foi ao bar próximo, onde comeu sanduíche acompanhado por guaraná, e logo voltou à central telefônica. Assim que completou a ligação, conversou com Evaristo.

— E então, o que disse o advogado?

— Ele afirmou que suas terras estão legalizadas, que não podem ser invadidas.

— Eu também acho, mas precisa explicar isso aos índios.

— É pra falar pra trazerem os homens do governo pra conversar com vocês.

— E se eles invadirem? Aqueles índios não estão pra conversa, chegaram armados e sem vontade de prosear. Como nós quatro vamos escorar aquela indiarada? Pra quem está longe é fácil, mas no meio da mata o bicho pega.

— Se eles continuarem a fazer isso, você deve ir à prefeitura ou ao órgão estadual e reclamar seus direitos.

— Se uma flecha não me pegar antes.

Após a conversa, Jerônimo, já enfadado de ficar na cidade, achou melhor retornar à fazenda. Chegando em casa, pediu a Conceição para acompanhá-lo em algumas compras que precisava levar, pois viajaria na manhã seguinte.

Levantando muito cedo Jerônimo partiu. Mais de uma vez teve que interromper a viagem em virtude de carros e caminhões encalhados nos bancos de areia. No fim do dia, dormiu em um pequeno hotel na beira da estrada. No dia seguinte, teve outros contratempos com veículos encalhados e novamente dormiu na estrada. Foi só no terceiro dia pela manhã que chegou na fazenda Limoeiro. Como o vizinho Benedito não estava, foi caminhando pela margem do rio, e seu pensamento não poderia deixar passar mais este transtorno: "*Onde vim me meter nessa altura da vida? E agora estou aqui andando no meio do mato, sujeito a vários perigos, como cobras, onças, e o pior, por causa de índios querendo nossas terras*". Com esses pensamentos negativos, caminhou até a altura do atracadouro e deu dois tiros pro ar, sinalizando aos filhos que viessem atravessá-lo.

Mais tarde, enquanto Jerônimo descansava, Gregório e Olegário desceram de barco até a camioneta para buscar o que havia sido trazido de Cuiabá. Sentados na varanda, após o almoço, conversavam. Os rapazes queriam saber o resultado do telefonema a Presidente Prudente. De seu lado, Jerônimo queria informações sobre a fazenda.

— Aqui não aconteceu nadinha — assegurou Gregório. — Está tudo do jeito que o senhor deixou. Os índios não apareceram mais, tudo calmo, igual sempre. E lá, como foram as coisas? Conversou com o corretor?

— Sim, consegui falar com ele, mas é uma amolação fazer a ligação telefônica, muito demorado, três, quatro horas para completar e às vezes a pessoa não está, ruim demais aquilo, não é pra mim. O Evaristo me garantiu que as terras estão legalizadas, mas não sei se nesse fim de mundo as leis estão valendo.

— Aqui está tudo calmo — repetiu Gregório.

— Essa calma me preocupa, pois quando tem negociação existe movimento. Esse silêncio pode ser interrompido por um ataque.

— Não, não creio. O seu Benedito esteve aqui e disse que os índios são pacíficos, e o problema é que os brancos atiçam eles contra os fazendeiros.

Jerônimo explicou em detalhes a conversa com o corretor e concluiu:

— Amanhã vamos retomar nosso trabalho. Levar os bois e carregar aquela madeira que está cortada e tocar o serviço pra frente, esta fazenda nós compramos e é nossa, comprei mais uma cartucheira. Não quero atirar em índio, mas também não morro sem reagir.

Passaram um bom tempo conversando sobre o problema, o artigo no jornal, a desconfiança de Conceição, a animação de Adalgiza, as conversas de Archimedes, os passeios por Cuiabá e as moças bonitas naquele bar na beira do rio. Nesse ponto Baltazar se animou e perguntou se Jerônimo tinha visto uma morena muito bonita de cabelos ondulados, olhar triste e sorriso doce.

— Rapaz, acho que vi mesmo, era de dia e ela estava trabalhando de garçonete. Bastante bonita, com belos olhos e um sorriso cativante. Muito simpática, conversou comigo uns instantes, pois o movimento estava fraco, e quando foi chamada para atender outro cliente falou:

"Se precisar de alguma coisa me chame, meu nome é Gladys". Guardei porque é nome diferente.

— Ela mesma — confirmou Baltazar. — Essa que tenho encontrado quando vou pra capital, mas ela não era garçonete, deve ter arrumado emprego lá na lanchonete.

— Muito simpática mesmo e bonita. Você tem sorte, Baltazar, sair daqui deste fim de mundo e topar com uma princesa é sorte grande.

— Tem coisas que acontecem raramente.

— Existem coisas sem poder de explicações — opinou Olegário.

— Só sei é que estou com o coração apertado de saudade.

— O Archimedes, do jeito que está estudando, acha explicação pra tudo isso.

— Como ele explica a gente encontrar uma pessoa legal num lugar daquele? — perguntou Gregório.

— Vamos pedir explicações quando a gente se encontrar, ver se ele explica mesmo — falou Baltazar, rindo.

— Também sei a explicação — disse Olegário. — Coincidências do amor, quando o coração flutua.

— Não sei desse amor que você fala, quando vou lá é gostoso estar com ela, isso eu sei.

— Não quero te desanimar, mas qualquer dia você chega lá e ela vai estar casada.

— Já pensei nisso, mas não temos compromisso, é cada um tocando sua vida, nessas distâncias. Só sei que quando vou pra Cuiabá são dias de pura fantasia, me sinto bem. Quando ela se for, que fazer? O amor é uma nuvem colorida, se desmancha, passa. Se fica muito tempo perde as cores, pode escurecer.

— Muito bem, a folga acabou, vamos deixar tudo preparado e amanhã sair cedo, tirar o atraso.

Jerônimo estava mais calmo, pois a fazenda lhe fazia bem, era o seu meio. Dormiu tranquilo aquela noite e, após o café reforçado, foram todos para a mata, uns transportar a madeira cortada e outros derrubar árvores.

A volta dos índios

Trabalharam uma semana sem novidades, até que, no meio de uma tarde, ouviram pios diferentes na mata. Fumaça e Faísca ganiram e rosnaram inquietos. Os pios foram se aproximando e rapidamente Jerônimo e os seus se juntaram de armas nas mãos. Então perceberam que estavam cercados pelos índios.

Estabeleceu-se um longo silêncio; os indígenas não ameaçavam com armamentos, apenas olhavam para os brancos. O cacique trovejou, repetindo o que já havia dito na outra vez:

— Nós já avisamos, vocês precisam parar de cortar árvores e devem ir embora. As terras são nossas, o governo explicou, deu ordem. Se vocês não forem embora, nós vamos invadir, cortar cerca, pegar o gado, comer tudo.

— Calma, seu índio, ou melhor, seu cacique. Nós também queremos viver, produzir.

— Homem branco não quer comer pra viver, quer dinheiro, quer dinheiro pra ter mais dinheiro. Quer árvore para cortar e ter dinheiro, quer boi não pra comer, só pra ter dinheiro.

— Homem branco precisa de dinheiro para comprar comida no mercado — rebateu Jerônimo.

— Homem branco é burro, comida tá na terra. Terra tem tudo, água, peixe, jacaré e outros bichos. Na mata acha frutas, raízes, palmito, mel, não precisa de dinheiro pra comer.

— Chefe índio não entende vida de branco. Eu sou amigo dos índios. Quero que o chefe venha comigo até minha casa. Vou explicar como é a vida de branco.

— O homem do governo explicou tudo pra nós da vida de branco. Disse que branco quer dinheiro pra andar em avião. Não é bom eu ir até sua casa.

— Eu convido o chefe para ir até a minha casa em sinal de amizade.

— Nós não queremos sua casa, não somos seus amigos, vamos pôr fogo em sua casa.

— Calma, seu chefe, fale aos companheiros e venham amanhã até minha casa, comer peixe, palmito, tomar cerveja e cachaça.

O chefe olhou bem para Jerônimo e depois para seus parceiros, então disse em voz alta alguma coisa na língua deles, e todos responderam em uníssono, balançando a cabeça. Então perguntou:

— Cachaça e cerveja pra todos?

— Puta que pariu, ou melhor, calma, chefe, amanhã não tem pra todos, outro dia sim. Amanhã só para o chefe e mais três.

— Amanhã não, nossa aldeia é longe, quero agora.

— Agora não tem ainda, preciso buscar cachaça e pegar peixes.

— Tá bom, nós voltamos em três dias e vou até a sua casa para comer peixe com palmito e cachaça, mas pra despedida dos brancos, porque a terra é nossa.

Então os indígenas sumiram rapidamente por entre as árvores.

— Pai — alertou Olegário —, tem quase nada de cerveja, e a pinga está pouca.

— Cerveja não tem muita mesmo, mas esqueceu o engradado de cachaça que eu trouxe desta vez? Sabia que poderia ser útil.

— Mas não se pode dar bebida aos índios — lembrou Gregório.

— Nem se pode pegar a terra que compramos e tomar de nós. Se era dos índios, não podiam ter posto à venda. Se venderam, então que deem outras terras pra eles.

— Não sei — raciocinou Gregório —, quando as coisas vão dando as caras de estarem erradas, só vai piorando.

— Tudo bem, também não quero embebedar os índios, só estar de bem com eles e ver resolvida essa situação, só vamos beber socialmente.

Continuaram a trabalhar, derrubaram mais duas árvores grandes, e as juntas de bois, arrastando as grossas toras, caminharam lentamente até o rio, encerrando os trabalhos do dia.

Três dias depois não foram para a mata, ficaram esperando os índios. Por volta das dez horas, o chefe e outros cinco indígenas apareceram. Brancos e índios se espalharam pela varanda. Jerônimo pediu aos filhos que servissem café. Alguns tomaram, outros não. O chefe não quis e esbravejou:

— Precisa parar de derrubar árvores.

— Nós vamos parar, mas precisamos ter a visita dos homens do governo com os papéis.

Jerônimo pediu que Olegário buscasse queijo.

— Chefe, gosta de queijo? É de leite de vaca.

O índio pegou um pedaço, observou demoradamente, cheirou e olhou para Jerônimo, que levou à boca seu naco de queijo. O nativo imitou o gesto, mastigou e cuspiu, fazendo uma careta.

Jerônimo então deu a ele uma caneca com cachaça. O nativo cheirou, tomou um gole, fez uma careta e sorriu. O pedaço de queijo ele jogou fora; Faísca, que estava de olho, o aparou rápido na boca. Fumaça se levantou rápido, mas já era tarde, ficou abanando o rabo e olhando para o cacique.

— Os indígenas não têm o costume do leite, dos queijos, essas coisas de vaca, e não devem gostar, não estão acostumados com isso — ponderou Gregório.

— É mesmo — concordou Jerônimo —, já o álcool eles até sabem fazer algum tipo.

Todos os indígenas experimentaram da cachaça, mas não serviram mais, e Jerônimo reforçou, encarando o chefe:

— Pra gente sair, precisa o governo mandar.

— É preciso sair logo — insistiu o chefe.

— Vamos fazer o seguinte — argumentou Jerônimo —, eu vou falar com o governo lá na cidade e depois, se o governo confirmar, nós saímos.

— Quando?

— Vou lá e na próxima lua grande vocês vêm pra gente conversar.

Ficaram ali naquela prosa sem futuro até que por fim Jerônimo deu ao índio três garrafas de cachaça. O chefe olhou bem para Jerônimo e perguntou:

— Cadê o peixe que você falou aquele dia?

Jerônimo havia esquecido daquele detalhe. Coçando a cabeça, respondeu:

— Fomos pescar ontem, mas não pegamos nada.

— O rio está bom pra peixe, branco não sabe pescar.

O cacique deu um leve sorriso e sumiu na mata com seus guerreiros.

— Olha só — disparou Gregório —, eles querem a terra, o índio levou a cachaça e ainda riu da nossa cara, dizendo que não sabemos pescar.

— Puta que pariu, a situação tá complicada, agora me toca ir de novo até Cuiabá e procurar os órgãos do governo pra ver com eles como é isso. Grande dor de cabeça fui arrumar pra mim — e olhando os outros, concluiu — e pra vocês também.

Assim, Jerônimo, três dias depois, viu-se de novo chegando à capital e indo até a prefeitura, onde não teve informações esclarecedoras. Foi enviado ao órgão estadual, que, também não tendo clareza das divisas discutidas, o encaminhou a um órgão federal. Lá, após ir de uma sala para outra feito uma barata tonta, conseguiu finalmente conversar com alguém que tinha o farol da clareza e que, mostrando um mapa, disse-lhe que a reserva demarcada incluía todas aquelas fazendas da gleba de terras à margem direita do rio Sereno.

Jerônimo quase desmaiou diante daquela constatação. Ali ao lado do balcão ficou pálido, amarelo, igualzinho a um juá maduro. Ficou calado por um bom tempo, a boca seca, a cabeça rodando, sem atinar corretamente o que pensar. Nada disse, sabia que seria inútil, pois com aqueles burocratas não havia nada a discutir, menos ainda a resolver. Saiu dali e perambulou pelas ruas sem saber direito o rumo que seguia. Só depois de muito andar no calor, dando várias voltas nas mesmas ruas do centro velho, bem suado, foi rumo ao rio e parou sob as árvores da lanchonete, onde, sentando-se, pediu uma cerveja para a moça morena de cabelos ondulados. Nem reparou que era a moça dos devaneios de Baltazar. Seus pensamentos percorreram os caminhos de sua vida até ali, e agora se sentia perdido. Não queria acreditar, não podia aceitar. De que jeito contaria aquilo para Conceição? Como encararia aquela situação? Depois de um tempo, pediu outra cerveja e foi caindo na realidade da qual não poderia fugir: era preciso ir adiante, pois, se o problema havia aparecido, agora precisaria achar a solução. Era preciso lutar, não podia esmorecer. Deveria ir pra cima do Evaristo, não abrir mão das terras. Resistir! Chegou a pensar: "*Só saio morto*". No mesmo instante se lembrou do presidente Getúlio, mas logo refletiu sobre Conceição, Adalgiza e os filhos, e então seu pensamento se voltou de novo para Evaristo, e teve vontade de lutar, não com os índios, mas com os brancos.

Saiu da lanchonete e foi até a central telefônica. Depois de três horas, conseguiu falar com o corretor.

— Evaristo, vocês tratem de correr pra consertar essa situação. Comprei de vocês e agora querem me tomar as terras.

— Nós vamos lutar. O advogado já tem outros casos para resolver em Brasília e vai cuidar do seu também. Tenha paciência, vai dar certo.

— Mas e os índios lá, querendo invadir, como é que resolvo?

— Vocês poderiam se afastar uns tempos, até resolver.

— Tá louco? Aí eles invadem mesmo, o cacique já falou em botar fogo na minha casa, comer o gado.

— Então aguente firme lá, mas não vão fazer bobagem de atirar em índio.

Dois dias depois, Jerônimo chegava na Areia Preta, e, após umas duas horas à procura de Josemar, encontrou-o na casa de uma mulher dama.

— Senhor Josemar, vamos ter que parar a derrubada. Os índios estão indo lá, como o senhor já sabe, e estamos todos correndo risco.

— É, seu Jerônimo, já parei empreita em outra fazenda, acho mesmo que essas determinações do governo nas terras indígenas não têm retorno, e também não quero ver homens meus envolvidos em lutas com os nativos.

— Eu vou lutar pra não perder minhas terras, mas vamos suspender os trabalhos. Resolvendo essa pendenga, voltaremos a conversar.

— Está certo, é melhor mesmo. O senhor diga ao Genildo que pare a derrubada e me espere amanhã, vou buscar a turma e então vamos fazer a medição para o acerto do trabalho até aqui.

— De acordo, amanhã espero o senhor. Me fale a hora e mando o barco buscá-lo.

Após descer a serrinha, Jerônimo chegou à fazenda Limoeiro, onde encontrou Benedito, que, após longa conversa sobre a situação, fez questão de levar o amigo até sua casa.

Benedito o deixou no atracadouro e voltou rio abaixo. Baltazar, na porta da casa, viu chegar o barco e desceu até o rio, ajudando Jerônimo a transportar o que levara. Durante o almoço, o recém-chegado explicou para os três a real situação.

— Mas nós não vamos sair daqui, é nosso, compramos, pagamos. Isso não é justo — reclamava nervoso Olegário, no que era acompanhado pelo irmão.

Baltazar ouvia tudo aquilo e parecia também não acreditar, depois de tanto esforço, agora deixar as terras? Não podia ser.

— Olha — definiu Gregório —, amanhã vamos trabalhar normalmente.

— Mas combinamos com os índios que depois de um mês o pai ia dizer pra eles sobre o resultado da conversa com o governo — lembrou Olegário. — Como vai ser isso, pai?

— Vamos trabalhar e quando os índios vierem vou falar pra eles que o governo declarou serem nossas as terras e pronto.

— É isso mesmo! — concordaram os dois filhos.

— Se precisar enfrentamos na bala — disparou Baltazar.

— Não, Baltazar, se tiver que morrer gente, vai sobrar é pra nós o papel de mortos, pois somos poucos, aí, nós morrendo, pense na Conceição e na Adalgiza, vão ficar sozinhas no mundo. O Archimedes também vai ser atrapalhado nos estudos.

— É, devemos achar uma saída sem mortes — concordou Gregório —, principalmente a nossa.

— Não vou trazer mais bois magros por enquanto, e na próxima semana vamos embarcar duzentos bois que já estão prontos para o abate, já combinei no frigorífico. Assim que o resto da boiada estiver no ponto, tiramos tudo. Não tô a fim de ver os índios dando flechada em nosso gado e menos ainda em nós.

— E o trabalho do empreiteiro na derrubada? — perguntou Olegário.

— Também encontrei Josemar e deixamos o trabalho mais pra frente, ele não quer derrubar mato onde está essa encrenca com os índios, o pessoal dele tem medo de ser atacado. Amanhã um de vocês vai lá na Limoeiro buscar o Josemar, que está vindo pra fazermos o acerto dos trabalhos realizados e vai levar a turma embora.

— Então estamos parando tudo? — perguntou Gregório.

— Vamos continuar a derrubar as árvores programadas e levar ao ponto de embarque, mas com olhos na mata, no gado e na casa. Os índios vão voltar. Não se separem das armas. Não é para atirar, só impor respeito e não ser morto.

— Encontrar com índio são dois perigos: o índio e a flecha envenenada.

— É, não basta ser flecha, tem que ser envenenada — debochou Gregório. — Agora você pegou pesado, Baltazar.

— Liga não, falei por falar, acho que os índios não são tão maus, só estão defendendo o lado deles.

— E nós o nosso — encerrou Jerônimo.

No dia seguinte, após as medições, foi feito o pagamento a Josemar. Seus homens foram sendo transportados para o outro lado do rio e desceram caminhando até a fazenda Limoeiro. O gato, o encarregado e as ferramentas Olegário levou de barco.

Os dias foram passando e os quatro homens seguiram trabalhando nos afazeres programados, sempre juntos e de olhares atentos aos ruídos da mata. Na semana seguinte, o gado gordo foi embarcado, trazendo alívio a Jerônimo. A preocupação era com a outra parte da boiada que ficaria ainda algum tempo até estar pronta para o embarque.

Mais ou menos na época combinada, apareceram os indígenas, que encontraram Jerônimo e Olegário no curral. Eram cinco homens e um garoto. Traziam uma mensagem do cacique pedindo para Jerônimo ir até ele, pois estava machucado, não podia caminhar. Queria conversar e também que conhecesse a aldeia e seu povo.

— Amigo — respondeu Jerônimo —, sua aldeia é longe, não conheço o caminho. Melhor seu chefe vir aqui quando se curar.

— Nós levamos você — respondeu o índio.

— Sei que vocês me levam, mas não sei se me trazem, e não vou saber o caminho de volta nessa floresta.

— Cacique não vai gostar.

— Eu também não estou gostando. Só quero trabalhar.

O índio não disse mais nada, e todos se foram pela mata beirando o rio.

Voltando para casa, pai e filhos conversavam sobre o convite e a incerteza de se meter naquele mato com os nativos. Havia ainda a conveniência de esticar o prazo de rompimento até acabar de engordar os bois.

O trabalho de transportar toras da mata para o rio continuou, deixando sempre a produção no ponto de embarque, pois, num ataque repentino, se perderia menos trabalho.

Passado mais um mês, numa tarde quente e carregada de nuvens, muitos índios apareceram na fazenda, tendo à frente o cacique, já recuperado, que saudou Jerônimo e foi logo dizendo, sem preâmbulos:

— O governo deu resposta para vocês ficarem ou saírem?

— Fui até Cuiabá e o advogado está consultando o órgão do governo na capital federal, Brasília.

— Não adianta, já está certo, vocês têm que parar de derrubar árvores e sair de nossa terra.

— Deixa engordar o gado, enquanto isso o advogado vem com uma solução.

— Os índios todos querem que vocês vão embora logo.

— Engordar o gado primeiro.

Os dois ficaram em silêncio, então Jerônimo perguntou:

— cacique, quer café?

Baltazar chegou com uma caneca de café quente. O índio pegou a caneca e levou ao nariz, sentindo o aroma. Tomou um gole e ameaçou sorrir. Então Jerônimo disse:

— Quer queijo?

E mostrou o pedaço que Baltazar tinha na mão. O índio meneou a cabeça, dizendo:

— Isso é muito ruim.

Então deu uma risada cortada ficando em silêncio novamente, olhando firme para Jerônimo, que então pediu a Olegário:

— Filho, traga quatro garrafas de cachaça, eles vão gostar.

Os indígenas, com as garrafas em mãos, viraram-se para sair, e o chefe, olhando sério para Jerônimo, advertiu:

— Vamos voltar, pôr fogo na casa e comer os bois, aqui é tudo nosso.

— Cacete, esses índios só falam em comer bois, por que não vão caçar? Já estou de saco cheio dessa prosa.

— Calma, Gregório — exclamou Jerônimo —, temos que assimilar esse problema e ver como resolver.

Os homens, de armas nas mãos, viram os índios sumirem na floresta e, desanimados, sentaram na varanda.

— Olha onde a vida trouxe a gente! — exclamou Jerônimo, com ar cansado. — Se continuar assim, vai acabar morrendo gente, nossa e deles. Não queremos guerra, acho que nem eles, mas até quando vamos ficar nisso? Está ficando perigoso.

— É, pai — disse Gregório —, se não tiver o respaldo do governo nós não vamos convencer esses índios.

— Mas pelo jeito o governo está do lado deles — supôs Olegário.

— Então o governo não poderia ter deixado vender estas terras — concluiu Jerônimo. — Como é então que ficamos? Vendemos a fazenda lá em São Paulo, estamos abrindo a mata pra viver, produzir comida, e agora perdemos tudo? Isso é revoltante, não é possível uma coisa dessas!

— Qualquer dia desses os índios vão acabar botando fogo aqui na casa — argumentou Gregório.

— Estamos metidos nessa situação e temos que estudar como administrar isso — raciocinou Jerônimo. — Talvez seja melhor a gente se preparar para o pior, ir tirando da casa nossas coisas melhores, que são as camas e os colchões, e levar embora. Voltamos a dormir nas redes e ficamos sempre preparados para uma saída rápida se tiver um ataque.

— Ah, não, eles são índios, mas não são loucos — ponderou Baltazar.

— Cada índio separado não é louco, mas o coletivo pode se animar numa loucura e aí o bicho pode pegar.

— Só faltava essa, dormir na rede de novo! — exclamou Olegário.

— Pelo que estou vendo, depois de vendermos o resto do gado é melhor dar um tempo lá em Cuiabá e ver a solução disso com o advogado. Aqui não vai ter acordo com esses índios.

O ambiente estava ruim na fazenda Floresta. A paz estava perdida e a vontade de trabalhar foi esmorecendo. Poucos dias depois da última conversa com os índios, Jerônimo foi para Cuiabá. Na camioneta estavam as camas, os colchões e mais algumas coisas que acharam melhor levar embora.

O retorno

Chegando a Cuiabá, Jerônimo não tinha mais como esconder de Conceição aquela situação, pois viera com a camioneta carregada, trazendo as camas e os outros objetos. Abraçando a esposa, tentou parecer normal, mas estava sério, era visível o abatimento. Sentou-se e, com os cotovelos na mesa da cozinha, contou a Conceição e Adalgiza o que estava acontecendo na fazenda.

— Essa é a situação! — exclamou após o relato. — Não falei antes para vocês não ficarem preocupadas, pois não poderiam fazer nada, só sofreriam de angústia. Mas não é o fim do mundo. O advogado do Evaristo deve tratar disso em Brasília e, do jeito que a coisa vai indo, com aqueles índios aparecendo, é melhor nós ficarmos uns tempos pra cá, sossegarmos um pouco.

O timbre da voz de Jerônimo era sinistro. Aquilo fez gelar o coração de Conceição, e lágrimas silenciosas rolaram em sua face. Então ela perguntou com voz trêmula:

— Mas os índios estão querendo invadir?

— Não, só acham que aquelas matas são deles, mas tá tudo calmo — mentiu Jerônimo para não deixar a mulher mais preocupada com os filhos na fazenda. Procurou não encomprirar a conversa, em seguida descarregou a camioneta e logo saiu a fim de preparar a venda dos bois e o dia do embarque, que ficou para dali a um mês.

Após o marido sair, Conceição chorou abraçada a Adalgiza e sentiu um medo desconhecido:

— O que vai ser de nós, filha? Vamos perder tudo.

— Calma, mãe, o pai vai lutar, descobrir o que está errado. Tenha fé, não vamos perder tudo, não.

— Sim, a fé há de conduzir nossa vida — disse Conceição, com os olhos profundamente tristes. — Desde o começo sempre tive medo dessa loucura de vir, e agora olha o que aconteceu!

— A vida é assim, mãe, as pessoas tentam e o ser humano tem necessidade de ilusão. Se der certo, ótimo, se não der, deve-se erguer a cabeça e ir em frente. Ninguém morreu.

Três dias depois, Jerônimo chegava à fazenda Limoeiro e foi direto conversar com Benedito:

— A situação está difícil. São dois problemas: um é o risco de perder as terras, outro é o risco de perder a vida. Por mim, não ligo muito, mas me preocupa a vida de meus filhos, minha família se ver no desamparo. Deus me livre de uma desgraça dessas.

— É muito difícil mesmo, nem sei o que dizer! Então vai limpar o pasto. E os bois de canga, não vai vender pra corte, né?

— Não, estava pensando no que fazer com eles, são tão bons no trabalho, mas se deixar no meu pasto os índios vão comer.

— Com certeza! Se o senhor quiser, pode deixar aqui até passar a tempestade.

— É, pode ser uma ideia, se for possível eles ficarem aqui, o senhor precisando usa no trabalho da fazenda.

Assim conversando, Benedito levou o amigo até o atracadouro da fazenda Floresta, onde Jerônimo encontrou todos em casa. Baltazar reinava na horta, sempre com o olhar atento para os lados do mato e a espingarda à mão; os outros dois estavam nas redes da varanda, sentados e atentos. Ouvindo o barulho do barco, aproximaram-se do rio.

— E aí, pai, como foi de viagem? E a mãe, contou pra ela? — perguntou Olegário.

— Lá está tudo bem, desta vez não deu mais pra esconder. A mãe de vocês chorou muito, mas a Adalgiza consolou ela. É uma moça forte, resolvida. Na saída deixei as duas conversando e Conceição já estava mais calma, mas preocupada com a gente aqui no mato e esses índios por perto.

— E o gado, quando os caminhões vêm?

— Marcaram para o dia dezessete do mês que vem. E aqui, os índios não apareceram mais?

— A gente não viu, só se beiraram o mato ali do rio, mas aqui perto de casa não chegaram.

— Esta semana o caminhão vem para as últimas viagens de toras. Passei na serraria e está combinado.

— Tudo que estava derrubado foi tirado, e amanhã jogaremos na água as derradeiras — concluiu Olegário.

O ataque

Diante da paralisação dos trabalhos, após o último carregamento de toras, a monotonia tomou conta. Os dias eram todos iguais, tediosos, arrastavam-se vagarosamente; a ocupação era dar uma olhada no gado que já estava recolhido nos pastos mais próximos, reinar na horta a matar o tempo ou pescar e esperar a chegada do dia dezessete para embarcar os bois. Nem vontade de conversar tinham os quatro homens.

Um daqueles dias amanheceu cinza, a floresta ao lado do rio estava silenciosa, envolta numa capa de neblina, uma cortina, deixando o ambiente lúgubre e assustador. Os homens estavam em silêncio, sem vontade de falar. O desânimo era palpável. Um pássaro solitário soltou um longo pio, transmitindo tristeza. Assim que o sol espantou a neblina, os dois irmãos encilharam os cavalos e foram mudar o gado de pasto, para onde o capim estava mais viçoso. Jerônimo e Baltazar desceram ao rio para pescar no atracadouro, tendo as espingardas ao lado. Estavam sempre de olho nas redondezas. Haviam fisgado alguns tambiús quando o rapaz gritou, com o coração dando um salto, ao ver índios colocando fogo no antigo barraco e outros entrando na casa.

— Seu Jerônimo, os índios estão atacando! — gritou Baltazar com a voz assustada, arregalando muito os olhos e atropelando as palavras.

Os dois homens abriram fogo para o alto e correram rumo à casa, repetindo os disparos. O barulho dos tiros afugentou os nativos, que correram atropelados, entrando na mata. O fogo já consumia o barraco.

Os estampidos foram ouvidos pelos filhos que se aproximavam com o gado, e os dois vieram em disparada, também dando tiros para o alto.

Baltazar ainda conseguiu tirar algumas ferramentas que estavam no barraco, mas o fogo cresceu.

Olegário, de espingarda na mão, chegou a cavalo em disparada. Apeou rápido, olhando o fogo com aqueles olhos assustados, e, sem nada falar, disparou mais vezes para cima. Gregório galopou pelo outro lado, por onde os índios tinham corrido e entrado no mato, e, para verificar se havia ainda algum deles, deu mais uns tiros nas copas das árvores. Uns tiros não, muitos, que chegaram a provocar uma chuva de folhas.

— A gente se assustou com o fogo — comentou Jerônimo, controlando a respiração —, mas os índios também levaram um baita susto. Não viram ninguém por perto e não perceberam a gente na beira do rio.

— Ainda bem que vimos logo, senão iam queimar a casa — disse Baltazar, com um tremor no queixo e ajeitando os cabelos desgrenhados pela correria.

Jerônimo olhou tudo em volta e, observando o barraco a queimar, suspirou fundo, dizendo:

— É, não tem mesmo como ficar aqui. Já virou tiro. É possível a qualquer momento uma flecha vir voando e entrar na gente.

— Credo, vira essa boca pra lá, seu Jerônimo! — exclamou Baltazar, batendo na madeira.

— Mas é verdade. Vamos redobrar a vigilância até o gado ser embarcado, e aí iremos embora para resolver isso, não na flecha e na bala, mas nos papéis.

Desanimados, sentaram-se na varanda. Fez-se silêncio e, da mata que beirava o rio, soprou um vento torto. Jerônimo levantou os olhos e viu ao longe as copas das árvores se movimentando. O céu foi se cobrindo de nuvens. Trovões e raios encheram a tarde, acompanhados por fortes ventos e chuva pesada. Recolheram-se para as redes e lá fora só o ruído da chuva, que, passado o vento, caía calma e fria.

Foram longos aqueles derradeiros dias, mas finalmente chegaram os caminhões. Com tristeza, os homens fizeram a travessia dos últimos bois pelo rio Sereno. Em silêncio, quase sem aboiar, sem assovios, sem gritar, sem cantar, conduziram os animais até o embarcadouro do curral da fazenda Limoeiro. Entre os animais, levaram os bois de canga e as vacas com os bezerros, que foram apartados e ficaram no pasto de Benedito, assim como a mula e os dois cavalos.

Os caminhões carregados se foram vagarosamente pela estradinha beirando o rio, e aquele som dos motores foi diminuindo lentamente nos ouvidos de Jerônimo, que ficou na cabine da camioneta enquanto fazia algumas anotações. Os rapazes, após soltarem os animais, colocaram toda a tralha de montaria no veículo.

Despediram-se de Benedito e subiram o rio com o barco navegando vagarosamente. Ninguém falava, só se ouvia o barulho do motor. Nenhum pássaro voou. Jerônimo se lembrava de sua primeira vez subindo aquelas águas, cheio de esperança, e agora uma dor lhe queimava a alma. Não se conformava em sair dali daquela maneira.

No fim do dia, os quatro homens se preparavam para passar a última noite naquele lugar de que tinham aprendido a gostar, onde haviam vivido longas e boas horas conversando, contando causos, escutando os barulhos misteriosos vindos da mata, dos jacarés na lagoa, o canto do jacu no alvorecer, depois o canto de muitos pássaros e o inconfundível chamado do capitão-do-mato vindo de perto e de longe. Lembraram-se das conversas animadas dos trabalhadores do Josemar, histórias de brasileiros que desbravam os fundos do país em condições tão difíceis, vivendo uma vida pela metade para outros viverem vidas inteiras. Não se esqueciam das cantorias, das risadas, da gaita do Vanderlan, dos churrascos de jacaré. O fogo aceso no antigo barraco e sempre alguém fumando em pé, encostado no esteio, olhando lá fora a chuva que caía mansa ou o vermelho forte do pôr do sol nas tardes tranquilas das garças chegando ao ninhal.

Ali no terreiro em frente à casa, na escuridão das noites sem lua, haviam aprendido a admirar as tantas estrelas do imenso e limpo céu ou a beleza das noites prateadas pela luz brilhante da lua. Era um gosto amargo que sentiam naquela noite, como se fosse definitivamente a última. Mas Jerônimo não aceitava não voltar, seria preciso lutar e regressar para aquela gostosa solidão da fazenda Floresta, onde eles achavam que era perto do fim do Brasil.

As últimas luzes pálidas do dia traziam as tristezas do entardecer, e com ele vieram os derradeiros reflexos do sol nos fundos do horizonte. Do outro lado, a mata já estava no escuro, onde começavam os pios lamentosos dos pássaros da noite. Prepararam um jantar sem apetite.

Baltazar juntou uns paus de lenha e fez uma fogueira em frente à casa. Puxou um banco, sentou-se, tirou do bolso a palha que estava cortada e ficou longo tempo a grosar com as costas do canivete, amaciando, os olhos vidrados no fogo. Colocou então a palha entre os dedos, picou o fumo e contemplou as chamas enquanto seus pensamentos voltavam ao passado e caminhavam pelo tempo até chegar ali. Com o fumo picado no covo da mão esquerda, macerou usando a outra, pensando: *"E agora, o que seria? Como seria a vida? Onde?"*. Colocou o fumo na palha, enrolando o cigarro. Sentia-se perdido, uma coisa ruim dentro do peito. Acendeu o palheiro, soltou uma baforada contemplando as labaredas que de vez em quando reavivavam, crepitando ruidosamente e fazendo subir faíscas. Quando deu por si, observava apenas as brasas mortiças do fim da fogueira. Jerônimo estava a seu lado e balbuciou, olhando fixo as cinzas quentes:

— Queria dormir aqui e acordar em Cuiabá.

— É, vai ser uma noite demorada — acrescentou Baltazar.

— Sim, dias demorados!

Já tarde, dentro de casa, os quatro se deitaram, mas não adormeceram logo. Estavam inquietos, mais de uma vez saíram das redes e foram lá fora observar a posição das estrelas girando lentamente rumo às matas do fundão, onde horas antes o sol tinha desaparecido.

Eram já quase quatro horas quando Jerônimo, o último ainda acordado, conseguiu pegar no sono. Às seis horas, Baltazar se levantou, foi até a casinha e, quando voltou, Gregório estava sentado com as duas mãos no rosto. Não disseram nada; Baltazar se pôs a acender o fogo e colocou água na chaleira, ia fazer o café. Em uma leiteira, colocou quatro ovos para cozinhar. Enquanto Gregório foi à privada, Olegário se levantou. Restou na rede Jerônimo, que dormiu ainda meia hora. Tomaram o café da manhã em silêncio. Comeram ovo, mandioca, queijo e pão caseiro com creme de leite. Leite mesmo já não tinha naquela diferente manhã.

Olhando as cascas de ovos, Baltazar comentou:

— Quase todas as galinhas e frangos estão no engradado, mas umas quatro ou cinco não deu pra pegar, vão ficar por aí.

— É mesmo — confirmou Olegário —, e um frangão também ficou fora, estava muito arisco, vai virar galo pra essas galinhas que vão se tornar aves selvagens — acrescentou com um leve sorriso.

— Isso se os índios não comerem logo tudo.

Voltaram a ficar calados; lá fora o sol subia entre nuvens. Jerônimo abriu a porta, saiu para a varanda, olhou o pasto verde, a mata ao longe nas bandas do poente e depois à esquerda, onde corriam as águas do rio Sereno. A paisagem estava muda. Era uma manhã muito triste, com um céu cor de chumbo, escuro, pesado. Até o sol parecia indeciso.

Jerônimo voltou à cozinha e disse:

— Nós estamos sentidos por sair daqui, nem assunto temos, mas quando pegarmos a estrada vamos encarar a continuação da vida, aconteça o que acontecer vamos deixar a tristeza aqui no vale do rio Sereno, ela não pode subir a serrinha com a gente.

— É mesmo, pai, vamos lutar pra voltar ou lutar em qualquer lugar; a vida vai continuar. Baltazar, ô Baltazar! — chamou e, saindo, viu o companheiro ali parado em frente à casa, em pé, contemplando as cinzas frias.

Andou até ele e, passando a mão em seu ombro, disse:

— Esqueça as tristezas. Pense em como vai ser bom encontrar sua Gladys.

O outro esboçou um sorriso distante.

Ensacaram todas as panelas, pratos, canecas, chaleira e outras miudezas. Embalaram as redes, as ferramentas e as armas, nada ficou para trás. O barco já havia levado parte das coisas no dia anterior quando do embarque do gado. Naquela manhã faria duas viagens. Na primeira, foram Olegário e Baltazar, levando mais um pouco, e na última, com o restante, Olegário, Gregório e Jerônimo, que ficou de pé enquanto a embarcação se deslocava lentamente antes de o motor funcionar. Com um nó na garganta, seus olhos corriam pelo pasto, o curral, a casa e os restos enegrecidos do barraco queimado pelos índios. Viu ainda quando uma das aves que tinham ficado se empoleirou numa tábua do curral e cantou. Era o frango aprendendo a ser galo. Nesse momento, o motor funcionou, tomando impulso. Jerônimo sentou-se, olhou as águas calmas e escuras do rio Sereno na manhã sombria e lúgubre. Seguiram quietos, somente o ruído do motor e o da água batendo leve na proa. Desembarcaram na fazenda Limoeiro.

Benedito também estava triste com a partida dos amigos, e, bem desanimado, disse:

— Tenham fé em Deus e tudo vai dar certo, vocês vão voltar e continuar o belo trabalho que estavam fazendo. Deus é grande e está no comando.

— Amigo Benedito, nós não teríamos feito tudo o que fizemos se não fosse sua ajuda, seu apoio. Não tenho como pagar o que fez por nós, as vacas de leite são suas. Não é pagamento, é apenas um presente. Os animais de montaria ficam também para seu uso.

— Ora, homem, assim você me deixa sem graça, presente deste tamanho!

— É de coração. Já sabe meu endereço. Se eu demorar a voltar, minha casa em Cuiabá é sua casa. A senhora também, dona Petronila, apareça lá, minha patroa vai ficar contente em conhecê-la. Muito obrigado por tudo.

Após um longo abraço em Benedito, Jerônimo virou as costas e entrou na camioneta. Todos se despediram, e o ruído do motor foi diminuindo. Benedito e a esposa subiram as escadas e acenaram uma última vez.

Na cabine, Jerônimo comentou com Gregório:

— Taí um homem de bom coração.

Depois disso seguiram calados, e só se ouvia o ruído do motor da camioneta no esforço de subir a serrinha. Na carroceria, Olegário e Baltazar, por causa do barco amarrado de bruços, tiveram dificuldades de se ajeitar, mas depois de alguns quilômetros se acomodaram e, sem vontade de conversar, tentaram dormir. Não conseguiram, pois a estrada provocava muito sacolejo, então começaram a prosear.

— Se a gente não tiver o que fazer, poderemos pescar com esse barco no rio Cuiabá.

— Verdade, com ele não vamos passar fome — concordou Baltazar.

Na Areia Preta pararam no posto para abastecer, tomar um café e se despedir de Luiz Gaudério, que comentou sobre o avanço dos indígenas sobre várias fazendas e disse ainda haver mesmo gente do governo andando pela região, sacramentando as operações.

Saindo do bar, Jerônimo disse estar arrependido de ter parado lá. Queria se afastar daquele assunto, que já era em si um cansaço. Gregório passou para o volante e proferiu:

— Agora o estradão até Cuiabá, a viagem vai fazer bem.

— Quando será que o asfalto vai chegar por aqui? — perguntou Jerônimo.

— Nem Deus sabe!

— Claro que não sabe, quando ele fez o mundo não precisava de asfalto. O que o homem vai inventar lá pra frente?

— Nem Deus sabe!

— De novo? Parece que ele está perdendo o controle, não sabe mais nada.

— Não perde o controle, não, deixa é os homens achando que sabem tudo e depois *crau*!

Jerônimo olhou para o filho e ficou pensativo, querendo entender aquela conversa. Pela janela viu correrem duas seriemas, assustadas com o barulho da camioneta levantando poeira, sumindo na estrada.

A nova rotina

A nova rotina de Jerônimo era sair de casa, andar pela cidade e ligar todas as noites para Evaristo. Uma semana após ter chegado, combinou ir até Presidente Prudente, aonde chegou acompanhado por Gregório. Na rodoviária entraram numa charrete que os levaria até a casa do corretor, que então os levou de carro ao escritório do advogado.

— Doutor Edson Ribeiro, o senhor esteve em Brasília. Fale claro em que pé está esta história. Como liberaram essas terras para venda e agora fazem isso? Perco tudo?

— Eu e mais dois advogados estivemos no Ministério e fizemos as gestões cabíveis, procurando esclarecer, e ficamos de voltar dentro de dois meses. Não é só o seu caso, são vários, muitos proprietários que estão nessa situação.

— Mas me fale com franqueza: se não tiver solução e eu perder minhas terras, os que me venderam devem me reembolsar? Quero a fazenda Paraíso de volta! — esbravejou, olhando nervoso para Evaristo.

— Seu Jerônimo, vamos achar a correção disso, pois a sua antiga fazenda já está em outras mãos há anos.

— Nós também estamos trabalhando há anos no Mato Grosso, e agora? Vamos perder tudo?

— Seu Jerônimo, devemos ir com cuidado ao mexer nessas coisas. Ter muita cautela, pois os índios podem denunciar o senhor por ter tirado madeira daquela área, o que é irregular.

— O quê? Só faltava essa! — rebateu Jerônimo, exasperado. — Eles me tomam a terra e ainda vão querer me processar? Onde é que vamos parar?

— Calma, seu Jerônimo, é como eu disse ao senhor, está marcado para irmos a Brasília novamente, se o senhor quiser pode nos acompanhar e ver de perto o andamento da situação.

— E se eu quiser ir, como é que faço, venho até aqui quando?

— Não precisa vir, o senhor toma o avião em Cuiabá e a gente se encontra em Brasília. Nós marcamos direitinho o dia, horário e local, não tem como errar.

— Está bem, eu vou entrar em contato com o Evaristo, e me dê também seu número do telefone. Evaristo, você vai também, né?

— Não sei ainda, pois tem isso de despesa da viagem...

— Nem me fale da sua despesa, você me vendeu aquelas terras, tem que ir, sim, e devia pagar até a minha despesa. Estou pensando sempre em vocês. Fazer aquele negócio foi a pior coisa da minha vida. Trabalhamos feito uns burros naquele mato, quase morremos nas mãos dos índios, e agora perder tudo? É inaceitável esta situação.

— Compreendo sua indignação — contemporizou Evaristo. — É preciso paciência e tudo vai dar certo.

— Isso que falei pros índios, e eles meteram fogo no nosso barraco. Nem me fale em paciência. Vamos embora, Gregório, já pra rodoviária, não quero perder o ônibus, o que a gente tinha a fazer aqui já fizemos.

Despediram-se e se foram de volta para Cuiabá. Por muitas horas contemplaram o cerrado, fazendo comentários sobre as fazendas cuja produção de cereais estava aumentando por ali e sobre como a terra estava com preços bem mais altos do que alguns anos antes.

Em Cuiabá, a rotina dos quatro homens era entediante, mas para Jerônimo ainda havia o incômodo pela expectativa de viajar a Brasília. Olegário e Baltazar acertaram um local onde deixar o barco, faziam passeios pelo rio e passavam horas pescando.

— Não sei se vou pra Brasília — comentou Jerônimo. — Não gosto desse negócio de viajar de avião. Aquilo ficar lá em cima, um baita peso e a gente dentro. Não me acostumo com a ideia.

— Pai, todo mundo viaja — animou Gregório.

— Mas muita gente cai.

— Não vai ser bem na sua primeira vez de viajar que ele vai querer cair.

— Minha primeira vez não, só vai ser primeira pra você, eu já passei meu apuro naquele aviãozinho. Não gosto nem de lembrar daquele Jaci, eita pilotinho safado mão de vaca, onde já se viu pôr pouco combustível?

— O senhor está me convidando pra ir junto?

— Você acha que vou sozinho, sem conhecer nada?

— Mas eu também não conheço.

— Mas juntos um dá força ao outro.

— Pode ser o Olegário, o Baltazar ou a Adalgiza.

— Vocês resolvam aí pra ver quem vai comigo.

— Eu não quero, não — adiantou Olegário. — Só se o Baltazar quiser, esse negócio de vomitar no saquinho não é comigo.

— Eu? Nem que me der um avião eu monto nele.

— Ei, Baltazar, não é cavalo não, é avião e grande, leva um montão de gente.

— Aí que não monto mesmo!

— As pessoas entram nele, não montam.

— Arre! Sei lá como é que fala, sei que comigo não, não mesmo.

— Mas vai ser bom conhecer a nova capital — raciocinou Gregório —, dizem que é muito moderna.

No dia anterior à viagem, Jerônimo estava inquieto, a expectativa do embarque o deixava ansioso. Mas, no dia seguinte, Jerônimo e Gregório andaram pela pista e subiram as escadas da aeronave rumo à capital federal.

Diamantes

Os dois estavam tensos em seus assentos. Jerônimo suava muito enquanto o aparelho taxiava, e mesmo sem querer se lembrava da primeira viagem de avião e do piloto Jaci. A aeronave aumentou a velocidade, empinando para o alto. Jerônimo fechou os olhos, empalideceu, agarrou firme no braço da poltrona e rangeu os dentes numa careta. Sentiu uma coisa ruim, mas viu que não teria remédio, só restava torcer para que chegassem logo. No entanto, o tormento da ansiedade continuou, pois de vez em quando o avião balançava e mais de uma vez desceu rápido em vácuos assustadores até para quem estava acostumado. Jerônimo já pensava na volta e estava arrependido de ter ido. Em sua cabeça passaram imagens de quando havia descido na fazenda do capataz Adolfo. Gostou de relembrar os momentos passados ali com aquelas pessoas simpáticas, mas em seguida pensou nas palavras do corretor: "escrituras garantidas, negócio bom mesmo, tudo passado em cartório, limpo"; e agora estava ali, dentro de um avião, indo para a capital federal e quase perdendo suas terras.

Finalmente o aparelho encostou os pneus no solo, dando pequenos solavancos e correndo pela pista. Espremidos contra a poltrona, pai e filho, diante da velocidade, fecharam os olhos, esperando a batida. O coração quase saía pela boca quando, para alívio dos dois, a aeronave parou. Persignaram-se.

— Prefiro enfrentar aqueles índios — desabafou Jerônimo.
— Ainda tem a volta!

— Nem me lembre! Prefiro voltar a pé.

— Mas não aconteceu nada, é só falta de costume; olha quantos aviões, uns parados, outros subindo, descendo, só de vez em quando que dá algum probleminha.

— Probleminha! Sei qual!

Tomaram um táxi e disseram ao motorista o nome do hotel. O taxista saiu numa carreira desabalada, parecendo querer ser mais rápido que o avião. Nas curvas, os pneus chiavam, e Jerônimo perguntou ao motorista:

— Moço, por que tanta pressa? Nós não vamos tomar avião, já descemos.

— Quero voltar logo ao aeroporto, pegar mais passageiros.

— Misericórdia! Se segure aí, filho, que aqui é mais perigoso que lá no mato. Onde fomos nos meter?!

Depois do susto dentro do veloz elevador, instalaram-se no décimo quinto andar. Olharam pela janela e se espantaram, primeiro pela altura em que estavam e logo pelo visual daquela cidade espalhada, impressionante por seus espaços vazios e seus prédios bonitos, ruas largas e pouco movimento de carros. Chamou a atenção aquele prédio com as pontas para o alto, então olharam um folheto na mesinha de cabeceira e viram que se tratava da catedral.

Desceram para encontrar Evaristo e o advogado, mas os dois haviam saído e deixado um recado de que deveriam se encontrar às catorze horas em frente à catedral.

Saíram a andar para conhecer as redondezas, mas logo perceberam como tudo era longe. Procuraram um bar, uma lanchonete, mas nada de achar e quase ninguém a quem pedir informação. Para não se afastarem muito, acharam melhor voltar ao hotel, onde almoçaram, e em seguida tomaram um táxi rumo à catedral; ainda era cedo e, como estava aberta, entraram. Ficaram boquiabertos diante da quietude no templo, da beleza, por dentro e ainda mais por fora, com aquela arquitetura encantadora.

— Coisa mais linda! — exclamava repetidamente Gregório.

— Aqui é tudo muito bonito. Olha quanto espaço, gramados tão grandes e os prédios espalhados. Só de ver esta cidade já valeu o susto do avião, do carro de praça e do elevador.

— Nunca pensei que existisse uma cidade tão bonita.

— É mesmo de encher os olhos, e tudo feito em pouco tempo. Ouvi falar que há poucos anos aqui era só mato, puro cerrado. O presidente Juscelino se comprometeu a fazer e fez mesmo.

— Mas exageraram nas coisas bonitas, gastaram dinheiro a mais, só por boniteza.

— Sabe, filho, o trabalho é o concreto da vida, e as belezas são as ilusões que ajudam na travessia do duro viver, por isso é preciso saber olhar as belezas do mundo, e isso aqui faz parte.

— Acho que o senhor aprendeu essas coisas com o Archimedes.

— Concordo, ele é danado pra entender isso de saber enxergar as coisas.

— A namorada do Baltazar também. Olhe, lá vêm o Evaristo e o doutor.

Após os cumprimentos, seguiram o advogado, que orientou:

— Iremos ao Ministério.

— Vamos pegar carro de praça? — perguntou Jerônimo.

— Não é preciso táxi, estamos perto, só caminhar um pouco.

Caminhando, Jerônimo ia admirando aqueles prédios enormes, altos e compridos, todos iguais. Depois de passar por alguns, entraram num deles e o advogado conversou na recepção, de onde a recepcionista apontou o elevador. Subiram. Uma vez lá no alto, o advogado foi até o balcão e conversou com uma moça que indicou uma sala onde várias pessoas ocupavam os sofás. O advogado falou com a recepcionista, que apontou uma porta, mas pediu que esperassem, pois havia várias pessoas para serem atendidas. Sentaram-se nos fofos sofás e Gregório até levou um susto, porque não parava de se afundar naquela maciez. Não demorou e um rapaz moreno de bigodinho fino chegou oferecendo café. Dali a pouco uma senhora veio com água. Em seguida, uma servente limpou os cinzeiros e passou pano na mesinha de centro. Da sala saía e entrava gente, uma demora. Novamente apareceu o rapaz de terno preto, cabelos besuntados de brilhantina e gravata-borboleta oferecendo café. Depois de uma hora de espera, foram chamados. Entraram todos. O advogado falou, explicou, gesticulou, abriu os braços, apontou para os demais. O homem que estava atendendo observava o advogado, olhava os acompanhantes, balançou a cabeça e, em certo momento, telefonou a alguém. Em seguida explicou como chegariam a algum lugar e se levantou, estendendo a mão a todos.

— Mandou a gente para outro setor — explicou o advogado. — Esse assunto deve estar lá. Ele disse que era aqui, mas mudou.

Todos desceram em silêncio no elevador abafado. Lá fora o sol estava inclemente.

— Onde é? — perguntou Evaristo.

O advogado olhou em volta, pôs a mão na testa, franziu o cenho, encolheu o nariz e, parecendo ler alguma coisa lá longe, retornou até a porta para pedir informações a um segurança que estava ali proseando com outro. Recebendo a orientação, voltou e disse:

— É do outro lado.

— É preciso pegar carro de praça? — perguntou Jerônimo.

— Não, é perto.

E lá foram eles, andando por uma calçada larga e procurando em vão as sombras que não havia, pois as árvores ainda eram novas. Viraram à esquerda, buscando atravessar o grande gramado central. Quando estavam a meio caminho, Evaristo reclamou:

— Doutor, era pra termos vindo de táxi, essa porra é mais longe do que parece.

— Também acho, mas agora estamos na metade e não tem táxi. Mas olhem o gramado, que bonito!

— Prefiro aquele mato quente — resmungou Jerônimo —, debaixo das árvores. Agora estamos aqui nessa largueza e sem uma sombra.

— Já, já, a gente chega — animou o advogado, já suado dentro do paletó e de pescoço apertado na gravata branca riscadinha de azul.

Entraram no prédio e tomaram o elevador, conforme orientação recebida no prédio anterior. Gregório comentou:

— Esse elevador é bem tranquilo, mas aquele do hotel, misericórdia, pensei que fosse sair pelo teto.

Abriu-se a porta, era o oitavo andar. O doutor Edson Ribeiro se informou sobre aonde precisavam ir e a moça da recepção procurou orientação com alguém por telefone, então respondeu que deveriam descer para o sexto andar. Apertaram o botão para chamar o elevador, mas, como estava demorando, o advogado disse:

— Vamos pela escada, são só dois andares.

Os primeiros lances da escada tinham as luzes acesas, mas depois ficaram no escuro. Apalpando a parede, Jerônimo vociferou:

— Já estou ficando de saco cheio!

— Cuidado para não cair aí, pai.

— Só faltava essa, quebrar a perna aqui!

No sexto andar, o advogado questionou a recepcionista, que os mandou entrar numa sala grande onde havia um balcão. Os quatro se encostaram no balcão e um rapaz veio atendê-los. O advogado explicou. O atendente anotou, afastou-se até o telefone e ligou para alguém. Voltou e disse que deveriam ir até o nono andar e procurar o doutor Anacleto Marion Silveira. Nisso passou uma senhora oferecendo café. Alguns aceitaram, e logo depois tomaram o elevador para o nono.

Enquanto esperavam na antessala do doutor Silveira, a recepcionista perguntou se eles queriam café e pediu pelo telefone. Então veio um rapaz, loiro tingido, com o cabelo pastinha cobrindo parte da testa, e serviu água e café.

A porta se abriu e saíram vários homens, todos engravatados, de terno e falando muito alto, quase numa algazarra. Não demorou e tocou o telefone, então a moça se levantou e abriu a porta para que entrassem.

O doutor Anacleto, muito simpático, sorridente, indicou os sofás com um gesto. Após os cumprimentos, solicitou ao advogado que falasse enquanto se recostava na confortável poltrona.

O advogado explicou demoradamente os detalhes da situação. Após ouvi-lo, o doutor falou:

— Lamento dizer, mas houve um trabalho errado lá atrás, há alguns anos. Não se sabe direito onde isso começou, mas o pessoal do ministério está trabalhando para corrigir esses mal-entendidos e...

Nisso foi interrompido por Jerônimo:

— Sabe, doutor, minha situação é terrível. Acreditei que o país queria crescer, aumentar a produção de alimentos, e eu tinha uma fazendinha de uns cem alqueires em São Paulo, vendi e fui com a família para aquelas terras novas. Já fizemos muita coisa lá, e agora fico sabendo que é terra dos índios? Isso não é justo...

— Concordo — cortou o doutor. — É muito triste isso que está acontecendo com o senhor e com outros fazendeiros, mas o ministério está trabalhando, analisando a situação. Tem muita burocracia e uma pressão grande de alguns segmentos de apoio aos nativos. Esse pessoal diz que os índios são os verdadeiros donos do Brasil, que os brancos chegaram depois, mas eu acho que as coisas vão se acertar. O doutor advogado vai acompanhar e, com o desenrolar dos acontecimentos, se for preciso, ele me procura aqui, estou sempre à disposição. Vou pedir um cafezinho para os senhores.

Depois daquela prosa sem garantia de nada, os homens se foram e desceram em silêncio pelo elevador. Saindo do prédio, já na calçada, Jerônimo desabafou:

— Não senti firmeza, acho que desse mato não sai coelho. Esse Silveira é de conversa pra boi dormir.

— Tem que ter paciência, seu Jerônimo — explicou o advogado. — Nessa área de trabalho burocrático e setor jurídico há de se ter muita paciência. Muita paciência!

— Já estou sem paciência! — retrucou Jerônimo, já entrando num dos táxis para retornar ao hotel.

Assim que chegaram, dirigiram-se ao bar no piso térreo e retomaram a conversa.

— Estou querendo fumar — disse o advogado — e vou tomar um café. Vocês querem?

— Deus me livre — retrucou Jerônimo. — Foi tanto café naquelas salas que devo estar com as tripas pretas.

— Nem diga — concordou Evaristo. — Café e água tem à vontade, mas se resolvem os problemas eu não sei.

— Olha, Evaristo — comentou Jerônimo —, conversa mais esquisita a daquele diretor. Será que vai dar certo? Dá pra ter esperança, doutor?

— Do jeito que aquele diretor falou — interveio Gregório — só faltou ele pular em cima da gente com arco e flecha.

— Sabe, seu Jerônimo, a papelada administrativa é assim mesmo, não é igual na fazenda que tem um problema e o senhor resolve ou manda resolver rapidinho. Quanto maior o país, mais complexa a administração. Pense num país do tamanho do Brasil. A burocracia é lenta. As coisas são demoradas. Mas acredito na solução.

— Qual solução? — perguntou Jerônimo.

— É preciso aguardar.

— Se demorar muito, estaremos todos mortos — atalhou Gregório.

— Não fale isso — replicou Evaristo, dando três batidas na perna da mesa.

— O senhor também, seu Evaristo, e trate de resolver essa situação — repetiu Gregório, impaciente.

— Eu me sinto pequeno nisso tudo, tenho desgosto de ter participado desse negócio — lamentou-se o corretor.

— Agora é tarde — interveio Jerônimo. — A gente começa as coisas com boa intenção, depois não tem controle sobre o desenrolar dos acontecimentos e aí dá nisso.

— Pessoal — sugeriu o doutor Ribeiro —, como ninguém vai embora hoje, podíamos pegar uma perua e dar um giro pela cidade, vocês não conhecem ainda, então podiam aproveitar a ocasião. Eu conheço, mas acompanho vocês. O passeio é bonito, vão gostar muito, tenho certeza.

Assim, conseguiram com o serviço do hotel um passeio em uma Kombi que os levou para conhecer a torre de TV, o Palácio da Alvorada, o Palácio do Planalto, o Congresso, o Teatro Nacional, o lago Paranoá, a avenida W3. Enfim, deram um belo giro pela cidade e se encheram de encantamento. À noite jantaram num ótimo restaurante.

Na manhã seguinte, após o reforçado desjejum, deixaram o hotel. O advogado tinha pendências a resolver na capital e Evaristo ficou com ele. Gregório e o pai foram para o aeroporto. Jerônimo, ao descer do táxi, fez o sinal da cruz e disse ao filho:

— Puta que pariu, já me livrei do elevador e agora desses táxis loucos, só falta o avião.

Sentaram-se num bar para aguardar o tempo passar até a hora do voo.

Jerônimo saiu a andar. Gregório comprou um gibi do Fantasma e ficou lendo enquanto tomava conta da pequena bagagem. Sentou-se próximo um rapaz que também esperava a hora de seu voo, que tinha o mesmo destino. Gregório puxou conversa.

— Você também está indo pra Cuiabá?

— Sim, na verdade de lá ainda vou a Poxoréu.

— Poxoréu? É no Mato Grosso?

— Sim, fica a uns duzentos quilômetros da capital.

— Você mora lá?

— Estou indo pra morar. Vou tentar o garimpo de diamantes.

— Diamantes? E está indo sozinho?

— Meu primo já mora lá. Está se dando bem e me chamou, anda animado com a produção. E você, mora em Cuiabá?

— Sim, na verdade a gente tem uma fazenda lá pras bandas de Rondônia, só que mais pra cá, no vale do rio Sereno, mas o governo está tomando, diz que é terra dos índios. Tivemos que sair, por isso estamos aqui, pra ver se resolvemos isso.

— Ih, não quero te desanimar, mas já escutei outras histórias assim e ninguém ganhou. Terra de índio é área de preservação. Difícil! Mas ó, se sobrar alguma grana, arrisque no garimpo, ali se der sorte é tesouro na mão. Diamante, o verdadeiro futuro brilhante.

— Não entendo nada disso, de garimpo.

— Já trabalhei em Minas Gerais e meu primo disse que em Poxoréu está muito melhor e tem espaço.

— Estou meio parado esperando essa história se resolver, de repente vou conhecer esse lugar. Se eu for, é fácil te encontrar?

— Estou indo pra casa do meu primo, que é na cidade, posso dar o endereço, e se você for apareça lá, te levo ao garimpo e você vai conhecer como é o trabalho.

— Que bom, vou ali pegar papel pra você escrever o endereço. Tem lápis?

— Tenho, olha aqui, vou escrever no guardanapo mesmo.

Gregório pegou o papel, guardou no bolso da camisa e disse:

— Meu nome é Gregório, quer anotar?

— Não, não precisa, tenho um tio chamado Gregório, não vou esquecer, é o irmão da minha mãe.

Conversaram ainda sobre serem jovens e terem vontade de construir coisas. Com aquela conversa, Gregório sentiu uma possibilidade, como se tivesse aberto uma janela para um novo tempo. Sentiu seu rosto se iluminar, uma esperança boa.

Enquanto conversavam animados, Jerônimo se aproximou e Gregório o apresentou. Depois discorreu sobre os planos do rapaz em Poxoréu. O pai percebeu um brilho no olhar do filho. Chegou a hora do embarque, foram para a fila e Jerônimo sussurrou:

— Lá vem a hora do sofrimento.

— O senhor prefere andar pelos ministérios? A gente pode voltar lá!

— Deus me livre e guarde, com fé Nele nunca mais hei de pisar naqueles prédios.

— Então aguente firme que o avião vai pular.

— Vira essa boca pra lá. Eu queria era dormir agora e só acordar em Cuiabá, já no chão.

— É fácil, toma uma boa talagada de pinga e vê se dorme.

— Eu vi que as aeromoças só servem as bebidas quando o avião está bem alto, então eu comprei uma garrafinha e já tomei uma boa talagada. Depois que entrar tomo outra e lá no alto bebo o da moça. Não fui muito com a cara desse tal de uísque, não, mas não desprezo, tomo e quero ver se durmo. Você quer dessa minha cachaça?

— Não, vou encarar e apreciar tudo o que vai acontecer. Lá de cima quero olhar e ver as matas, as lavouras, as cidades, os rios. Achei muito bonito na vinda.

— Sorte sua, eu não quero ver é nada, só me acorde quando a gente chegar.

Diamante. Um pensamento bonito e animador crescia em Gregório. Deixou que aquilo seguisse seu caminho, imaginando-se num ônibus indo para as reluzentes pedras de Poxoréu. Aquela novidade estava criando raízes em sua cabeça.

No aeroporto em Cuiabá, Gregório se despediu de Marcelo, o rapaz que ia para Poxoréu, dizendo:

— Boa sorte lá, de repente apareço.

— Vai sim, um tesouro te espera!

— Você falou de ir lá na cidade dele? — perguntou Jerônimo.

— É, trocamos umas ideias, parece interessante isso de trabalhar no garimpo de diamantes.

Jerônimo percebeu a alegria de Gregório e pensou *"A juventude... o desejo de novidades..."*.

Na volta para casa, na camioneta, comentavam a viagem:

— Você viu, pai, como de avião é rápido e não tem perigo?

— Pode não ter, mas que dá medo, ah, isso dá mesmo. Não me conformo com aquele peso lá em cima.

— Veja, fomos e voltamos e estamos aqui no chão, sem problema.

— Acho que a melhor hora do voo é quando acaba. Não adianta, é muito peso. Não é coisa de Deus. Nunca mais entro num desses. Não adiantou beber, não consegui dormir, quase vomitei, isso sim.

Quando chegaram em casa, todos se admiraram com o que diziam ter visto e riram das gafes e das situações engraçadas, contadas principalmente por Gregório. Conceição achou mais lindo o cartão-postal da catedral, mas gostaram de todos os outros. Ficaram imaginando como seria Brasília, as ruas largas, os prédios bonitos e a fartura de comidas gostosas que os dois descreveram.

— Além do belo passeio, Gregório veio com a cabeça semeada de ideias — disse Jerônimo, e pediu para o filho falar sobre o rapaz que ia para Poxoréu.

A ida a Brasília levou uma alegria à casa. Era época de mudança política no país, com o presidente João Goulart sendo posto para fora de Brasília e se exilando no exterior. Os militares passaram a comandar o Brasil.

***

Passaram-se três meses sem notícias positivas de Evaristo e do advogado. A conversa era sempre a mesma: estavam acompanhando e dependia de análises de um ministério, depois de outro, e nada se resolvia.

Gregório conversou com o pai sobre ir conhecer Poxoréu e ver de perto como era aquilo, o garimpo de diamantes.

— Olha, pai, estamos nós todos aqui só comendo do dinheiro que o senhor guardou da madeira e dos bois vendidos, mas não entra nada, só sai. Uma hora o dinheiro acaba, e aí? Não podemos ficar parados. Eu e o Olegário vamos lá ver como é aquilo. O senhor não quer ir junto?

— Não, estou bem cansado disso tudo. Acho bom mesmo vocês tentarem achar um rumo até resolver isso da fazenda e antes que o dinheiro acabe. Na poupança rende pouco.

Dois dias depois, os irmãos tomavam o ônibus às seis horas da manhã rumo aos diamantes de Poxoréu. Jerônimo os levou à rodoviária e, no caminho para casa, pensava: *"O homem é movido à força da ilusão, tomara que achem um bom caminho e acertem a vida".*

A espera

O cotidiano de Jerônimo entrou na monotonia de uma espera com dias angustiantes e demorados. O tempo passava arrastado. Uma vez por semana ele ligava para Evaristo, mas nem sempre conseguia encontrá-lo em casa. O advogado também sempre tinha uma palavra que era apenas uma esperança distante.

No começo, Jerônimo não desanimava, mas a vida acabou se tornando tediosa e ele foi ficando cada vez mais macambúzio, taciturno. As ligações foram ficando mais espaçadas. Em casa quase só ficavam ele e Conceição. Adalgiza estudava, acompanhava a mãe à igreja e passeava com o namorado. Archimedes estava constantemente estudando, na faculdade, em casa ou na biblioteca.

Gregório e Olegário se entusiasmaram com a visita a Poxoréu, onde encontraram Marcelo e seu primo Adilor, que os incentivaram no caminho da mineração. Pouco tempo depois, os dois e Baltazar se instalaram nas proximidades da nova cidade. Sob o feitiço de pedra, cascalho e bateia, passaram a viver na incerteza do garimpo, o sonho brilhante dos diamantes. Poxoréu era mais perto que as terras do rio Sereno, então era mais fácil viajar a Cuiabá para ver a família.

Nas tardes calmas e calorentas da capital, a maior parte do tempo Jerônimo passava a curtir as lembranças do passado nas duas fazendas. Desfilavam em sua cabeça as imagens dos belos dias de outrora. Mas ele se recusava a desanimar, não podia, acreditava que reverteria aquela situação e voltaria a trabalhar na fazenda Floresta. Porém, nada acontecia, e com o tempo passando, ele emagreceu e foi ficando deprimido. Vieram tardes sombrias, trazendo indisposição e desânimo. Às vezes se levantava na madrugada e saía a caminhar em volta do quarteirão. Ouvia, no abafado da noite silenciosa, cachorros latindo a distância. Lentamente voltava para casa e, deitado, passava horas fatigadas de aborrecido sofrer. Então um profundo desgosto o abateu. Um desassossego constante o afundou em pensamentos recorrentes numa luta entre o desespero e a esperança. Aquilo povoava seu espírito.

No calor das tardes tristes, sem disposição, sem ânimo, tinha o ar solitário, a dor gravada no olhar, e passava longas horas em silêncio, que só era quebrado quando Conceição ou Adalgiza levavam café ou refresco e conversavam um pouco. Ele repetia sempre:

— Eu me refugio em minhas lembranças e espero. É duro, mas não quero desanimar.

Em 1965, Adalgiza casou-se com Bonifácio e foi morar no mesmo bairro, não longe dos pais. Dois anos depois, Archimedes cursava o último ano da faculdade de filosofia. Havia terminado o curso de jornalismo e escrevia artigos para dois jornais da capital. Foi contratado pela faculdade como assistente na cadeira de filosofia e se aprimorava, almejando continuar a trabalhar na instituição.

Jerônimo se sentia impotente sem uma atividade, e nada restara de seu capital, pois as últimas economias Gregório e Olegário haviam investido no garimpo. Não tinha mais veículo; a velha camioneta fora trocada por outra, que ficou com os rapazes após pagarem a diferença. Ainda não estava aposentado e vivia agora do dinheiro repassado pelos filhos como retribuição ao investimento feito. Archimedes já ajudava na manutenção da casa.

Alguns anos se passaram, e Jerônimo pouco se animava a dar pequenas voltas no quarteirão. Quando muito ia até o parque próximo ao rio.

Conceição buscava sempre animar o marido e procurava se distrair com o casal de netos, filhos de Adalgiza, que eram também um certo consolo ao avô, que, no entanto, não tinha paciência para brincar por muito tempo.

Em sua depressão crescente, com os cabelos completamente brancos, sentava-se sempre de cabeça baixa, olhando imóvel para os desenhos do piso da área, remoendo a tristeza de sentir o que poderia ter sido e não foi. Ficava absorto por longo tempo olhando as linhas das mãos, examinando cada partezinha, cada mancha nova, como estavam frágeis e emagrecidas.

Certo dia, sentado no jardim da frente, tomando o sol da manhã, com o olhar perdido nas nuvens brancas, ouviu alguém chamar no portão. Levantou o rosto e reconheceu Benedito pela voz. Levantou-se para abraçar o amigo. Uma emoção grande o paralisou por instantes, seus olhos marejaram.

Quando entravam na área, apareceu Conceição. Após apresentá-lo à esposa, Jerônimo puxou uma cadeira para a visita sentar-se.

— Meu amigo Benedito, você traz alegria ao meu sofrido coração. Há muito tempo a gente não se vê!

— Verdade, seu Jerônimo, tempo demais, mesmo, já se passaram anos desde a partida do senhor. Eu nunca venho à capital, mas tendo vindo não podia deixar de te ver. Como é que o senhor está de saúde?

— Aqui nas barras da velhice, lentamente atravessando o tempo, levando a vida como Deus quer. E o senhor, sempre forte, né?

— Assim por fora parece, mas por dentro a gente é oculto; tenho cá meus probleminhas, por isso vim a Cuiabá.

— Espero não ser nada sério. Eu também tenho minha cruz de saúde, mas o que me deixa doente mesmo é a situação de ter perdido minhas terras, perdido o sentido de viver.

— Mas pelo que fiquei sabendo seus filhos estão garimpando diamantes.

— Sim, estão lá em Poxoréu à procura de um tesouro, mas não é a mesma coisa, eles estão tocando a vida deles, que também não está fácil, trabalha-se muito e depende-se ainda de sorte. A minha vida, do meu jeito, acabou. Virei só uma sombra do passado e curto muita tristeza. Não tem jeito de escapar das lembranças daqueles dias de luta animada na fazenda Floresta, tanta vontade de ver aquilo florescer em produção e muito gado engordando. Mas o que sobrou são essas tardes abafadas e eu aqui na rede a me refugiar nos dias do passado com as recordações. Indo mais longe me pego lembrando das belas noites de verão na varanda da fazenda Paraíso, lá em São Paulo, essas saudades cortam meu coração. Às vezes sinto um sufoco, como se estivesse caindo num abismo de escuridão. Outras vezes, acordo no meio da noite silenciosa e ouço só o tique-taque do relógio na cabeceira. Lá fora o silêncio é enorme, e quando dou fé vejo que não tem relógio nenhum, apenas a lembrança das madrugadas na fazenda Paraíso, acordando-me pra tirar leite. Então me vêm os latidos noturnos das fazendas distantes. São sonhos povoando minha mente. Retratos do passado, às vezes me deixando feliz e às vezes triste. O irremediável é o tempo passando e não ter como voltar. A ambição pode nos levar a tudo ou nada, e eu fui pego nas armadilhas das ilusões da vida, essa que é a verdade.

— Não se pode pensar assim, o senhor fez o que achou certo pensando em sua família, não contava com essa barbaridade acontecida.

— Pois é, na boa intenção estavam ficando longe os doces dias da minha vida, e eu não percebia. Agora, no declínio sem volta, procuro apenas ficar quieto no meu canto, onde espero meus últimos tempos. Não tenho medo da morte, pois ela é certa. Tenho medo da expectativa da morte. Como será o sofrimento da espera, esse é o xis da questão.

Os dois ficaram um tempo quietos, e Benedito, rompendo o silêncio, meneou a cabeça e disse:

— Muito duro, seu Jerônimo, mas é preciso se agarrar com Deus nas horas difíceis, pois a vida tem umas bandas doces e uns momentos amargos para a gente atravessar.

— Tenho falado pra ele — interveio Conceição, que viera trazer água —, a bondade de Deus é infinita, ele deve se apegar com o Pai Eterno e tudo fica mais fácil, mas o senhor acredite, ele não quer muito ir à igreja. Quando a gente está em amarguras é preciso se apegar em orações para o repouso da alma.

Fazendo um gesto com a mão, Jerônimo retrucou:

— Já tem você que vai, essa é a sua parte, eu não me habituei nisso de rezar, mas de vez em quando vou.

— Só vai arrastado! — concluiu Conceição, e voltou meneando a cabeça ao interior da casa.

— Às vezes passo noites inteiras percebendo a luta feroz entre meus demônios, meus fantasmas e meus anjos da guarda — continuou Jerônimo.

— Isso não me assusta, o que me deixa triste é o desenrolar dessa história, parece que estou sonhando e que tudo aquilo não é verdade. Mas me diga, seu Benedito, como estão as coisas por lá?

— Olha, homem, ficou mais desanimado depois que vocês partiram, mas não tem jeito, a vida deve continuar.

— Gostei daquele lugar e tenho esperança de ainda voltar.

— É, seu Jerônimo, nossa trajetória segue por caminhos que às vezes escapam de nosso controle, e a gente, sem perceber, acaba, como o senhor disse, caindo nas armadilhas das ilusões da vida.

— Mas não é só ilusão, são necessidades criadas com as oportunidades que aparecem, e a gente vai em frente. Às vezes não dá pra perceber a proximidade dos abismos, quando a gente vê é a felicidade perdida. Por isso hoje sinto um peso enorme no coração, chego a ficar no escuro ao lembrar certas passagens. Fico achando a curiosidade humana maior que o medo.

— Concordo, mas o senhor fez sua parte, tentou, tem agora que esquecer e curtir os netos.

— Verdade, minha filha tem um casal, e o Archimedes está namorando. Os dois lá em Poxoréu também casaram, meu caçula levou a gente ao casamento, a cerimônia deles coincidiu no mesmo dia. Não ando bem de saúde nem animado, mas pelos filhos a gente faz o que precisa ser feito, e foi bom ter ido, todos nós ficamos contentes pelo encontro. Sabe, seu Benedito, minha esposa critica que eu não vá à igreja, mas sobre isso garro a pensar e chego à conclusão de que o ser humano busca a religião porque é frágil diante do tamanho da solidão que envolve cada um na caminhada da vida ou no fim. Ultimamente tenho mesmo até acompanhado Conceição à igreja; de repente, o que sobra é uma aproximação com Deus, pois a partir de certo momento a pessoa só pensa em salvar a alma. Não sei não, mas estou quase chegando nesse ponto.

— Deus está no sofrimento que amadurece para a calma, para a bondade, uma transformação que chega com a idade.

— Acho que esse sofrimento continuado vai me fazer é virar santo — disse Jerônimo, com um sorriso cansado.

— Seu Jerônimo, e tem notícias sobre as terras? — perguntou Benedito, tentando mudar de assunto, mas vendo que caíra de novo no sofrimento.

— Pouco tempo atrás aquele Evaristo disse que um deputado estava vendo se revertia a situação das terras. Em certas horas perco as esperanças, em outros momentos escuto coisas animadoras e volto a acreditar, e assim vou levando a vida nessa ilusão. O que mais me resta sem um sonho a que me agarrar? Preciso criar uma esperança, pelo menos passa o tempo.

— Isso mesmo, não perca as esperanças, as pessoas envelhecem mais rápido quando abandonam seus ideais.

— É, mas falar de felicidade só se for sobre aqueles dias. Como era bom!

— Nós somos a consequência do que fazemos ao longo da vida.

— Sim, pode ser, mas as vezes renego isso, pois nunca esqueço o João Carreiro, lá da Encruzilhada, homem correto e trabalhador demais. Fiquei sabendo que nunca recebeu o dinheiro do laticínio, uma injustiça ele não receber depois de ter trabalhado tanto com os bois, carregando leite naquelas madrugadas inteiras e muitas vezes embaixo de chuva.

— Eu me lembro, o senhor falou dele assim que chegou lá na fazenda.

— Sei que não somos só eu e o João Carreiro a sofrer injustiças, acontece com muita gente.

— Verdade, muita gente sofre injustiças e não tem a quem recorrer, não tem meios ou não dá tempo.

— Foi triste aquilo com o João! Ainda ontem estava lembrando do domingo em que ele e a esposa, dona Irene, foram almoçar lá na Paraíso. Como foi bonito aquele dia. Uma lembrança boa, mas me dói.

Conceição chegou trazendo a bandeja com xícaras de café e disse:

— O Jerônimo sempre elogia muito o senhor, seu Benedito, de como ajudou ele lá na fazenda.

— Os vizinhos são mesmo pra se ajudar.

— Ele se lembra sempre agradecido ao senhor por tudo o que fez — concluiu Conceição, já se retirando.

— Meu pensamento — desabafou Jerônimo — anda de um lado para o outro. É no corretor, no advogado, no diretor de gravata lá em Brasília, nos índios, naquele Jaci, piloto do avião que quase matou a gente. Acho que foi um aviso, mas na época não percebi. Às vezes, pensando naquela viagem pra ver as terras, quando enfrentamos o temporal, tendo que descer numa fazenda, me lembro do ditado "um mau começo não promete ter bom fim".

Dizendo isso, Jerônimo demonstrou perder as esperanças, cravou os olhos no piso e continuou:

— Depois repasso tudo de novo e vou assim. Tem dias que as imagens dessa gente não me saem da cabeça — falou num tom tranquilo, mas transbordava tristeza.

— É muito difícil mesmo, tem que ter força.

Jerônimo tentou sorrir e ficou olhando fixo para o fundo da xícara. Os dois se calaram por um longo tempo. Uma dor silenciosa deixou Benedito incomodado e ele falou em ir embora, mas o amigo não consentiu.

— Ir embora de jeito nenhum, vai almoçar comigo e a Conceição. Vamos parar de falar de coisas tristes, me conta de vocês lá, da dona Petronila, dos filhos, como está a vida?

— Nossa vida continua na mesma toada, os animais que o senhor deixou continuam lá, as vacas dando leite e bezerros. Um dos cavalos morreu, mas os outros dois continuam nos servindo. O meu patrão pediu para o senhor pôr preço nos bois de carro que ele compra, eu estava até me esquecendo disso. Pediu o número da conta bancária, ele faz o depósito.

Almoçaram, conversaram por um bom tempo e, depois de lembrarem e reviverem várias passagens do período de convivência, Benedito se foi, deixando na área o casal, mudo por uns instantes. Depois Jerônimo se sentou e Conceição disse:

— O Archimedes vem mais cedo hoje, tem uma folga no trabalho e quer jantar sossegado com a gente.

— Que bom, ele está trabalhando demais.

— Mas está contente.

**

Archimedes chegou por volta das seis da tarde.

— E aí, pai, tudo bem? A mãe estava me falando que aquele seu amigo lá da fazenda veio visitar o senhor, foi legal?

— Sim, gostei da visita dele, é um homem muito bom, me ajudou demais. Conversamos bastante, até do foguete que foi estes dias pra lua falamos. Ele disse que não acredita nessa história do homem chegar na lua. Qual a sua opinião sobre isso?

— Como já lhe falei, se o homem não evoluísse estaria ainda lá nas cavernas, mas tem gente que só vai acreditar se for num foguete até a lua. Não tem como certas pessoas entenderem, são os que veem mistérios e crendices em tudo. No fundo são pessoas de almas simples, e deles sempre será o reino dos céus. E o senhor, como está se sentindo hoje?

— A visita do Benedito me alegrou, mas também me fez lembrar com mais força daqueles belos dias perdidos no tempo. Apesar de duros, eram dias muito bem vividos, esperançosos, estimulantes. É uma lembrança alegre, mas desperta uma saudade que entristece.

— A gente consegue viver bem se está envolvido pela vida, mas quando tudo fica parado se percebe o tamanho da ilusão que é tudo isso.

— Mas eu não quis ganhar dinheiro por vaidade, e sim buscando uma vida melhor pra família. Posso ter errado, e o melhor seria ter ficado na fazenda Paraíso, mas só deu pra saber isso depois.

— O senhor me fez lembrar de uma frase do escritor Guimarães Rosa: "Tem certas maluquices que só se sabe que são maluquices depois que não deu certo".

— Verdade, a gente faz as coisas querendo melhorar, mas elas podem dar errado.

— Deve-se sempre ter um propósito na vida, pois ela é sustentada pela esperança de que algo bom vai acontecer. Outro dia li num jornal uma frase de Winston Churchill, aquele primeiro-ministro inglês que enfrentou Hitler e ganhou a guerra. Ele disse: "O sucesso não é definitivo, o fracasso não é fatal. O que conta é a coragem de continuar".

— Concordo com ele e com você, filho, mas e quando a gente fica sem um galho onde se pendurar?

— Mas, pai, o senhor fez sua parte. A vida está boa, os manos aprenderam muito com o senhor e estão construindo o caminho deles, a Adalgiza tem um bom marido, filhos, já é professora e está dando aulas, eu estou formado em duas faculdades, trabalho e estou contente. A mãe também está feliz, o senhor é que precisa se animar mais e entender que o seu trabalho foi muito importante. Olhar nossa família como algo que o senhor e a mãe criaram. Ver o lado positivo realizado.

— Que jeito, sentindo o peso de todo o acontecido? A vida é mais cruel do que minha ingenuidade supunha.

— O mundo é cruel, concordo — proferiu Archimedes —, mas gosto da vida como vivo, diferente da que vocês tinham lá na Paraíso, e tenho certeza, a simplicidade daquela vida se aproxima do que há de mais puro, sincero e melhor... mas tem uma força que puxa as pessoas como a gravidade, e é inevitável se mexer, assim sempre caminhou a humanidade e assim continuará infinitamente, a não ser que aconteça uma hecatombe no planeta, como já aconteceu há milhões de anos.

Os três jantaram conversando, e Jerônimo ficou feliz naquele dia de prosa demorada com Benedito e depois Archimedes.

Pouco tempo depois, a euforia tomava o Brasil: era a conquista da Copa do Mundo de futebol. Jerônimo percebia tudo aquilo, mas não se animou a sair para a rua e ver os festejos do povo.

Baltazar, que viera fazer compras a pedido de Gregório e Olegário, estava na cidade no dia do jogo final da Copa, admirou-se da alegria geral e também participou da agitação nas ruas do centro. Em seguida foi para a beira do rio, onde a lanchonete estava apinhada de gente. Pediu uma cerveja e ficou bebendo num dos cantos, esperando uma possibilidade de sentar-se. Olhou em volta procurando encontrar Gladys, mas não a viu. Logo que teve oportunidade, sentou-se e pediu outra cerveja. Enquanto tamborilava com as mãos na mesa, os olhos procuravam sua amiga, mas nada de Gladys. Então percebeu o olhar de uma bela moça em sua direção. Sorriu para a morena e o coração latejou, dando saltos. Ela se aproximou, os lábios dele tremeram e ele a convidou a sentar-se.

— Boa noite — disse a moça —, você não é o amigo da Gladys?

— Sim, mas não estou vendo ela.

— Ela se casou, foi embora pra Rondônia.

Baltazar ficou alguns segundos em silêncio, então disse:

— Você quer tomar uma bebida?

— Posso pedir uma cuba-libre?

Baltazar ficou mudo de novo, mas reagiu e aquiesceu:

— Claro, vamos chamar a garçonete. Qual o seu nome?

— Branca! Na verdade tenho outro nome, mas por aqui todos me conhecem como Branca. Faz tempo que você conhece a Gladys?

— Faz, sim, quando a conheci ela tinha dezenove anos.

— Não sei se ela casou mesmo ou foi com o namorado, mas foi.

— Baltazar olhou bem para a moça e disse:

— Sua beleza alegra meus olhos.

E assim se fez nova amizade, e Baltazar acabou a noite nos braços da bela jovem. Dormiu fora e só de manhã voltou para a casa de Jerônimo.

Tomando um café na cozinha, os dois conversavam:

— Foi boa a festa ontem, Baltazar?

— Muito animada, o povo está contente, a vitória é sempre motivo de alegria, uma sensação de estar por cima.

— É, uma sensação de superioridade, principalmente quando o país é tão grande e tão atrasado em relação a muitos outros países do mundo. A sensação é maior por ser grande e parecer lerdo.

— Dessas coisas eu não entendo nada, seu Jerônimo, com a vida que a gente leva só no meio do mato não tem como saber bem dos acontecimentos. O senhor mora numa cidade maior e sempre conversa com a Adalgiza, que é professora, e também com o Archimedes, que passa a vida estudando, e eles devem explicar o que está acontecendo no nosso país e no mundo.

— Sim, aqui na capital as coisas são mais claras, as pessoas trocam ideias mais atualizadas, e tem os jornais, o rádio e, ultimamente, a televisão, agora até colorida já tem. As notícias jorram de todos os lados e está havendo uma grande mudança do povo rural para as cidades, principalmente lá pra São Paulo e outras cidades que estão crescendo muito. E até aqui, veja como aumentou nestes últimos anos, e ainda Brasília; só pra construir chegou lá gente do país inteiro. Você se lembra daquele dono da olaria da Encruzilhada? Também foi.

— Olha, se tem uma coisa que precisou pra fazer a cidade foi tijolo.

— Verdade, tijolo, madeira e concreto, e fizeram uma maravilha no meio do cerrado, num vazio onde não tinha nada.

Conceição, ali na mesa escolhendo feijão, exclamou:

— Eu queria conhecer aquela cidade! Vi os postais, que maravilha! E a catedral? Um sonho! O Archimedes trouxe uma revista e eu li que o projeto pra fazer a capital no interior do Brasil era antigo, já se falava disso nos tempos do imperador, mas só o Juscelino foi capaz de enfrentar e fazer.

— É, saudades daquele tempo — reagiu Jerônimo. — Agora tudo está muito mudado, pra nós e pro Brasil.

— Devagar o povo vai ficando mais esperto, acompanhando os acontecimentos. Eu não sei de nada, mas lá no garimpo ouvi conversas sobre a quantidade enorme de impostos, e que não fazem direito o uso do dinheiro.

— É, Baltazar, o povo vai vendo pela imprensa os desvios de dinheiro e a má administração.

— Mas também — opinou Conceição —, o país é muito grande, muita gente pra ser cuidada na saúde, na educação, fazer estrada, é muita coisa.

— É, mas se os outros países fazem certo, aqui também precisa fazer. Não é, Baltazar?

— Se o senhor está falando deve ser. Seu Jerônimo, a prosa está boa, mas as horas não param, preciso ir até a cidade fazer as compras que os dois lá pediram.

— Você vem pro almoço, né?

— Não, dona Conceição, vou ficar pelo centro, almoço por lá e quando terminar o que tenho a fazer volto e janto com vocês. Quem sabe o Archimedes esteja pra gente conversar, e amanhã bem cedo tomo o ônibus pra Poxoréu.

Após fazer as compras, Baltazar caminhou por uma rua do centro e viu sentado num degrau de uma porta o homem que um dia tomara o resto de uma cerveja quente naquele bar cheio de mal-encarados. O sujeito o observou com aqueles olhos que falavam e acenou. Baltazar respondeu e se aproximou, logo percebendo sua aparência doentia, muito pálido.

— Você de novo aí na calçada?

— É a sobra de mim. Faz tempo que a gente se viu, mas não esqueci do senhor.

— Também me lembro. Está com fome?

— Sim — respondeu o homem com voz contida. Aparentava uma fisionomia triste e sombria.

— O senhor trabalha?

— Não, há muito tempo que não trabalho, caí nas pirambeiras da vida e assim vou atravessando o tempo.

— E sua família, onde é que vive?

— Não sei mais, há muitos anos que não sei. Eu me larguei pelo mundo, fiquei sem estudo, sem amparo e mais nada, nem motivação, nem vontade de nada, só atravessar o dia do jeito que der. Vai ser assim até o fim, que acho não demorar, pelo tanto de rugas colecionadas na minha cara.

— Vou lhe dar algum dinheiro para o senhor comer uma boa refeição, mas não vá beber.

O homem, com seus olhos profundos, mirou Baltazar, agradeceu, levantou-se e caminhou pelo escuro de sua dolorosa solidão. O rapaz sentiu um conforto ao lembrar do amparo que tivera na família de Jerônimo e viu aquele humano se afastando com a dor de não ter ninguém para chamar de seu.

***

Jerônimo, além de sua velha angústia, andava adoentado, e Archimedes sempre a orientá-lo sobre como se cuidar.

— O segredo da boa saúde — dizia o filho em uma tarde em que conversavam na varanda — é minimizar as dificuldades e sofrer menos com elas. Não deixar o corpo padecer diante dos problemas que entram pela cabeça. Não perturbar o fluxo sanguíneo bombeado pelo coração para todas as partes do corpo.

— Assim falando bonito é fácil — retrucou o pai, passando a mão no queixo e tossindo. — O pensamento da gente não tem cabresto, e com tudo o que aconteceu sinto uma grande dor no coração. Não tem como escapar disso.

— Concordo com o senhor, em meio a nossos pensamentos inesperadamente entram outros, muito diversos. É como se o cérebro não tivesse controle. Coisas estranhas, às vezes boas e às vezes terríveis, que chegam como fiapos negativos do passado.

Jerônimo olhou desanimado para o filho e disse:

— São retalhos de pensamentos chegando de um passado bonito que foi se misturando com as dificuldades crescentes.

— O senhor deve lembrar-se deles como boas lembranças. Para aliviar o coração é preciso acalmar a alma. O senhor precisa se animar, pois quanto mais se sente aborrecido, maior é a chance de aparecerem doenças. Tem que pensar coisas bonitas.

— Que jeito? A gente pode querer controlar o pensamento, mas não controla os sentimentos. Como ter animação? Eu me sinto inútil, de mãos amarradas. Pense no que foi minha vida, e agora aqui sem fazer nada. Eu podia ter ido com seus irmãos para Poxoréu, mas fiquei na esperança da solução que nunca chegou. Fui ficando, esperando, quando vi o tempo tinha passado e nada aconteceu. Sei, tenho vocês, mas minha vida perdeu completamente o sentido — argumentou o pai, recostado na rede e quedando pensativo, olhando o teto.

Trovões faziam tremerem os vidros da janela e logo despencou água numa chuva intensa, provocando um ruído redondo de goteiras em volta da casa. Era mais uma tarde lavada por chuvas tropicais.

Archimedes puxou a cadeira para se afastar dos respingos das goteiras que caíam fortes e continuou:

— O senhor já fez muito, agora pode ficar sossegado, nós estamos recolhendo para a sua aposentadoria e da mãe, dinheiro para tocar a vida não vai faltar. Só não fique doente pra não desperdiçar recursos com remédio.

— Meu remédio é aquela fazenda de volta, aí saro num instante.

— Quem sabe? De repente pode ter uma reversão e a fazenda voltar, mas não vai adiantar se o senhor não estiver bem de saúde.

— Adianta, sim! Não é que eu queira trabalhar lá, meu tempo passou, é que ela é de vocês. Só foi roubada, e aí está a fonte de todos os meus males e de minha tristeza.

Jerônimo levantou os olhos sem expressão e olhou o jardim do outro lado da cortina de goteiras.

— Mas o senhor se entregando à tristeza, acaba que só vão aparecer mais doenças.

— Se for pra não ter a fazenda e viver nesta amargura prefiro embarcar logo.

— Pai, não fale assim! Veja que família bonita o senhor e a mãe criaram! E quando, daqui a bastante tempo, Deus levar o senhor, aí vai poder olhar lá de cima e ver aqui tudo indo bem, e será muito bom para sua tranquilidade.

— Se quem morre pode ver de cima o que estão fazendo aqui embaixo, por que não avisam quando as pessoas estão indo por um caminho errado, uma enganação?

— Olham de lá, mas não podem interferir.

— Então lá vai continuar o sofrimento, pois ficar olhando tanta besteira que se faz aqui na Terra e não poder ajudar a evitar deve ser pior ainda.

— Ou então ficam lá se divertindo, olhando as asnices sendo feitas aqui embaixo.

— Sua mãe sempre fala: "Deus está na imaginação que temos que ter", mas fico pensando o lado de Deus que não foi correto com a gente. Sempre fizemos tudo certinho e agora estamos nesta situação, sem a solução que eu gostaria, num sofrimento sem fim, aí penso, melhor embarcar duma vez e pronto.

— Não fale assim. E a mãe? E seus filhos e netos? O senhor faz bem pra nós todos.

— E eu comigo, você percebe o tamanho de minha dor?

— É, olhando assim acaba ficando claro que todos nós somos um pouco egoístas.

— Antes eu via coisas boas que poderiam acontecer no futuro, agora vejo as coisas boas do passado: a fazenda Paraíso, as pescarias no rio Feio, os amigos da Encruzilhada, nossas tardes na varanda lá de nossa casa, vendo o gado pastando na colina onde o sol se punha e a gente ia jantar. Archimedes, porque o passado é sempre belo?

— Porque não é mais possível. Fica sublime, ideal. O perdido parece sempre ter um valor maior.

— Sabe, filho, bem, você tem estudado bastante, mas eu tenho uma coisa que você ainda não tem, que é o tempo vivido, que me faz compreender melhor a vida e a morte. Quando uma é boa e a outra também. O sofrimento humano é que não podia existir se a pessoa não tem mais tempo de recuperar as possibilidades. É claro, a morte traz o sofrimento aos que ficam, mas é sofrimento passageiro, no entanto, para muitos, é tristeza e libertação; a vida segue, sempre foi assim.

— Concordo com o senhor, a coisa mais natural do mundo depois de nascer é morrer, mas enquanto estamos vivos precisamos superar os problemas e celebrar a vida. No domingo busco minha namorada e iremos passear umas horas pelo rio, levar lanche, fazer um piquenique. A mãe vai com a gente. Como faz tempo que não saímos de barco, no sábado irei até lá preparar, deixar em ordem.

— Eu não vou, não — adiantou Conceição, que acabara de se sentar ao lado de Jerônimo. — Não gosto de andar em barco, fico aqui preparando a comida e depois vocês vêm almoçar.

Jerônimo saiu da varanda e, caminhando devagar, foi ao banheiro. Conceição ciciou para o filho:

— Seu pai não está bem, sente umas dores estranhas mas não quer ir ao médico.

— Vou marcar uma consulta e levamos ele — e voltando a falar em tom normal disse: — Mãe, não precisa ter medo, é gostoso passear pelo rio, a senhora vai gostar.

— Não gosto, não, vão vocês. Deixe eu te perguntar, se você não acredita nessas coisas de céu, em Deus, como é que conversa com seu pai como se acreditasse?

— A maneira como eu enxergo o mundo é muito pessoal, não preciso que as pessoas pensem como eu, então respeito e procuro conversar como elas entendem as coisas. Isso de religião, crença, é muito forte e profundo na formação das pessoas. No fim da vida de cada um, o que sobra é a pessoa e sua consciência. Nos últimos momentos de muita gente que vive só, a companhia derradeira é a força invisível existente dentro da cabeça de cada um. Para os seres humanos, ao longo da caminhada através do tempo pela Terra, não importa a religião, essa força invisível é Deus. E algum filósofo já disse: "Se ele não existisse, seria preciso inventar". Um Deus é necessário.

— Credo, filho, às vezes você me espanta! Se você não acredita em Deus, como fala que Ele é necessário?

— Não acredito Nele pra mim, mas acredito Nele pros outros, principalmente os mais carentes, sofridos e que nos momentos difíceis a vida deixa no desamparo. Nesses momentos as pessoas precisam ter a que se agarrar. São os momentos de solidão, desespero, quando não se tem um ombro amigo e só resta o colo de algo superior, invisível. A isso se deu o nome de Deus, desde o início da humanidade.

O passeio de barco

No domingo, Archimedes foi à casa de Alice e chegou com ela para buscar o pai e irem de Fusca até o rio. Colocaram o barco n'água e navegaram rio acima, desembarcando num espaço aprazível onde ficaram um longo tempo sob as sombras das árvores. Jerônimo levou umas varas e um pequeno enxadão, cavou a terra, recolhendo algumas minhocas, e se pôs a pescar, primeiro no barranco e depois sentado no barco. Passou horas tranquilo e contente pelos peixes que pegou. Archimedes e a namorada conversavam felizes e riram bastante das trapalhadas da pescaria.

Após pescar e lanchar, desceram o rio lentamente, só no remo, apreciando o voo e o canto dos pássaros. Alice ficou encantada com uma nuvem de borboletas amarelas cruzando as águas. Jerônimo, que no rio sentia saudades da fazenda Floresta, vendo a nuvem de borboletas sentiu uma fisgada no coração, como se estivesse navegando pelo rio Sereno. Já não estava falando muito e ficou ainda mais quieto durante o restante do passeio.

Chegando em casa, Conceição esperava com o almoço. Ela gostava de Alice, e a doçura lhe transbordou no olhar quando viu entrar na casa o filho segurando a mão da moça e com o braço envolvendo o ombro do pai. Naquela tarde, apareceu Adalgiza com o marido e os filhos, que na chegada deixaram Jerônimo muito feliz. Mas não demorou para se cansar da algazarra e ir cochilar na rede da área.

Nos dias seguintes, Jerônimo, mesmo contrariado, submeteu-se a exames médicos. Entre outros problemas ocasionados pelo estresse e pela idade, o mais preocupante se relacionava às coronárias, o que fez aumentar a preocupação dos familiares.

***

Naquele Natal, estavam todos reunidos, inclusive Baltazar, que viera de Poxoréu com Gregório e Olegário e suas esposas e filhos. Como presente, levaram correntes de ouro com pingentes de diamante para a mãe e a irmã.

— Os presentes são de nós dois pra vocês duas — esclareceu Gregório.

— São diamantes que nós mesmos conseguimos tirar da terra — declarou feliz Olegário — e pedimos pra um profissional de lá trabalhar e aprontar pra presente.

— Pro pai trouxemos diamante também — explicou Gregório, eufórico. — É um anel de pedra ônix incrustado com diamantes de nossa lavra. E tem mais, uma parte das pedrinhas que estão aí é do Baltazar, participando do presente pro senhor.

— O pai não é de usar anel — falou Gregório —, mas se colocar no dedo vai sempre lembrar de nós, que estamos lá tirando mais diamantes.

— Tá bom, gostei e vou usar, agora deixe eu dar um abraço de agradecimento em vocês três.

— O pai podia ir um dia com a gente — sugeriu Olegário.

— É um local de trabalho diferente do meu jeito, longe daqui e até da cidade. Mas quem sabe um dia vou — concluiu Jerônimo, apenas para não ficar no negativo, mas sabia que não iria.

***

Passaram-se alguns anos, e Jerônimo via sua fazenda e seu sonho cada vez mais distantes. Seus problemas de saúde se agravavam e estava cada vez mais recluso. As conversas com Brasília não existiam mais e Evaristo havia falecido. Quando soube, Jerônimo sofreu um golpe e perdeu a última esperança de retomar suas terras. Mergulhou no silêncio por vários dias. A tristeza cada vez mais se entranhava em seu coração.

Na tarde em que ele soube da notícia, levada por Archimedes, Conceição não estava em casa. Jerônimo então saiu, caminhou lentamente até uma praça próxima ao rio e sentou-se num banco. Um bom tempo depois de chegar em casa, a esposa se preocupou com a demora do marido e foi procurá-lo. Avistando-o de longe, uma figura triste e solitária num canto da praça, aproximou-se e sentou-se ao seu lado. Ele a olhou com aqueles olhos cansados e balbuciou:

— O corretor morreu.

Não disse mais nada, e os dois caminharam de braços dados em silêncio, voltando para casa. Era uma tarde calma e quente. A esposa percebeu que a mão esquerda do marido tremia mais forte que normalmente. Ele sentou-se numa cadeira da área, estava cansado e pálido. Seus olhos traduziam a dor humana. A morte de Evaristo era como a quebra do último elo da corrente que o ligava à fazenda Floresta. Conceição trouxe um copo d'água, que ele segurou com as duas mãos trêmulas.

A catedral

Algum tempo depois, Archimedes chegou contente, anunciando que estava programado o lançamento de seu livro, e abriu um vinho para comemorar com os pais no jantar. Havia também concluído a pós-graduação em filosofia. O seu namoro com a moça Alice não prosperara, e depois de algum tempo começou a namorar uma colega de trabalho, Suzana, com quem se casou em 1977. Ela era originária de Porto Velho, onde a família atuava no ramo do ensino superior.

Corria o ano de 1978. Numa tarde de trovoada, a casa de Jerônimo e Conceição se encheu de gente. Eram os filhos, as esposas, as crianças e Baltazar. Chegaram com a camioneta e mais dois caminhões carregados. Foi um espanto aquele movimento de gente, e Gregório explicou:

— Estamos de passagem por aqui e de mudança pra Juína, lá no Norte de Mato Grosso.

— Mas não estava bom o trabalho em Poxoréu? — perguntou Conceição, espantada.

— Achamos que em Juína tem mais futuro, é uma descoberta nova de diamantes, e estivemos lá pra conhecer. É muito sertão, o lugar está começando, ainda não tem cidade, só uma corrutela, mas é animador. Alugamos uma casa que acabaram de construir, dá para agasalhar nós todos, depois a gente aluga outra.

Jerônimo olhou desanimado para as noras e os netos. Não disse nada.

Olegário foi à casa de Adalgiza convidá-la, com o marido e as crianças, a se juntar a eles no jantar na casa dos pais. Foi também ao trabalho de

Archimedes convidá-lo ao encontro. O irmão chegou por último, com a esposa, pois tiveram que fazer algumas alterações no trabalho para aquela saída não prevista.

Era uma alegria estarem todos juntos. Ainda assim, era perceptível uma certa ponta de tristeza pela distância que os separaria, mas também uma euforia dos que partiam com expectativas de acertar na lavra de diamantes.

— É preciso ter entusiasmo pra tocar a vida, todos devem ter — repetia Gregório.

Procurando não dar trabalho à mãe, os filhos buscaram pizzas no centro para o jantar. Passaram a noite e, na madrugada, os três veículos partiram rumo à velha estrada que já conheciam. Mas agora iriam além de Areia Preta, na direção de Pimenta Bueno, em Rondônia, mas pegando outra estrada para o Norte, ainda em Mato Grosso, até chegar a Juína. Seriam uns quatro dias de viagem ou mais, dependendo de chuvas e estradas. A família viajava na carroceria da camioneta, preparada com uma capota e forrada por colchões. As mudanças iam em um caminhão e os equipamentos do garimpo no outro.

Conceição chorou muito ao ver os filhos e os netos indo para tão longe. Jerônimo olhava tudo com ar distante. Tinha um aspecto sombrio e triste.

No ano seguinte, Archimedes concluiu o doutorado em filosofia e publicou seu terceiro livro. Um ano depois, dava aulas nas faculdades de filosofia e de jornalismo. Em meados daquele ano, Jerônimo começou a apresentar mais problemas de saúde: pressão arterial, diabetes, coração, mal de Alzheimer. Estava ficando mais recolhido, cada vez mais esquecendo as coisas.

Em seu quarto, além da cama de casal com um criado-mudo de cada lado, havia um guarda-roupa, a penteadeira e o antigo oratório. A janela, quando estava aberta, tinha uma cortina bege que protegia da claridade.

Deitado na cama, com o olhar parado mirando o teto e ouvindo o ruído do vento, via a cortina se movimentar levemente e sentia entrar o ar quente da tarde. Em sua mente, imagens remotas de quando corria a cavalo nas madrugadas em terras distantes, tocando as vacas nas neblinas do tempo; eram momentos delirantes trazendo retratos do passado.

Com voz fraca, chamava constantemente Conceição, que, vinha até ele com os olhos profundamente tristes e bondosos, vinha até ele sem negar-lhe um sorriso. Jerônimo repetia sempre, com voz cansada:

— Está na hora de levantar pra tirar leite.

— Não, ainda não.

— Que horas são?

— São quase seis horas.

— Então perdi a hora, não escutei o despertador. Os meninos estão no curral tirando leite?

— São quase seis da tarde.

Então Jerônimo se dava conta de que o tempo havia passado, de onde estava, e murmurava:

— Estou aqui deitado nesta cama, e com esses sofrimentos o dia demora a passar. A morte vem chegando e eu vou ficando mais próximo do abismo final, o abismo azul do céu.

— Não fale assim, homem, não existe abismo. Estou aqui, o que você quer? Está precisando de algum remédio pra cortar a dor?

— Não, não quero mais remédio. Sei que estou indo, você precisa ir morar com a Adalgiza. Gostei muito de você em minha vida. Foi uma pena ter dado aquilo errado, podia ter sido melhor.

— Você fez tudo certo, a vida é assim mesmo, cheia de dificuldades, mas nossa travessia juntos foi muito boa e bonita. Adorei todo esse tempo que estivemos juntos, criando nossos filhos.

Conceição beijou a testa do companheiro de toda a vida, ele sorriu feliz e logo adormeceu.

Na tarde do dia seguinte, Jerônimo conversou com a esposa, sua voz estava muito fraca:

— Sabe, Conceição, às vezes ouço o som do sino da igrejinha da Encruzilhada. Sonhei que estava lá. Aquele som ecoa no meu coração. Sinto saudades daqueles tempos — deu então um sorriso leve, seu semblante era sereno.

A esposa beijou a mão do marido e a segurou entre as suas. Sem fazer barulho, saiu do quarto. No rádio da sala tocava o Ângelus. Ela chorou baixinho, sentindo que o brilho da luz dos olhos de Jerônimo se extinguia.

Poucos dias depois, chegou o fim de Jerônimo. Foi numa suave noite de outono, com uma chuva fina cobrindo Cuiabá.

Conceição vendeu a casa e foi morar com os filhos. Passava um tempo com Adalgiza e outro período com Archimedes, que passou a dar aulas também numa faculdade da família de Suzana em Porto Velho, aonde ia de avião uma vez por semana. Mais tarde mudou-se para Rondônia, e semanalmente ia trabalhar em Cuiabá.

Conceição foi ficar uns tempos em Porto Velho com o filho e gostou de viajar em avião. Archimedes a levou para conhecer Brasília, e lá a mãe se extasiou frente à catedral e olhando aquelas pontas que se elevavam como mãos ao céu, onde ela naquele momento imaginou Jerônimo.

Esta obra foi composta em Minion Pro 12 pt e impressa em
papel Pólen 80 g/m² pela gráfica Meta.